調剤 1	呼吸器疾患 11	婦人科疾患 21
注射 2	循環器疾患 12	眼科疾患 22
医薬品情報 3	消化器疾患 13	耳鼻科疾患 23
薬物療法を理解するための基礎知識 4	腎泌尿器疾患 14	がん 24
スペシャルポピュレーションに対する薬物療法の注意点 5	血液疾患 15	緩和 25
高齢者に対する薬物療法の注意点 6	内分泌代謝疾患 16	付録
病態を理解するための主な検査 7	膠原病,整形外科疾患 17	
フィジカルアセスメント 8	神経疾患 18	
薬剤管理指導／病棟薬剤業務 9	精神疾患 19	
感染症 10	皮膚科疾患 20	

薬剤師
レジデントマニュアル
第3版

編集

橋田　亨　神戸市立医療センター中央市民病院院長補佐・薬剤部長

室井延之　神戸市立医療センター中央市民病院薬剤部長代行

西岡弘晶　神戸市立医療センター中央市民病院総合内科部長・教育部長

医学書院

薬剤師レジデントマニュアル

発　　行	2013 年 3 月 15 日　　第 1 版第 1 刷
	2016 年 11 月 1 日　　第 1 版第 6 刷
	2018 年 3 月 15 日　　第 2 版第 1 刷
	2019 年 2 月 15 日　　第 2 版第 2 刷
	2021 年 3 月 15 日　　第 3 版第 1 刷Ⓒ
	2023 年 12 月 1 日　　第 3 版第 3 刷
編　　集	橋田　亨・室井延之・西岡弘晶
発 行 者	株式会社　医学書院
	代表取締役　金原　俊
	〒113-8719　東京都文京区本郷 1-28-23
	電話　03-3817-5600(社内案内)
組　　版	ビーコム
印刷・製本	日経印刷

本書の複製権・翻訳権・上映権・譲渡権・貸与権・公衆送信権(送信可能化権を含む)は株式会社医学書院が保有します．

ISBN978-4-260-04578-0

本書を無断で複製する行為(複写，スキャン，デジタルデータ化など)は，「私的使用のための複製」など著作権法上の限られた例外を除き禁じられています．大学，病院，診療所，企業などにおいて，業務上使用する目的(診療，研究活動を含む)で上記の行為を行うことは，その使用範囲が内部的であっても，私的使用には該当せず，違法です．また私的使用に該当する場合であっても，代行業者等の第三者に依頼して上記の行為を行うことは違法となります．

JCOPY〈出版者著作権管理機構　委託出版物〉
本書の無断複製は著作権法上での例外を除き禁じられています．複製される場合は，そのつど事前に，出版者著作権管理機構(電話 03-5244-5088，FAX 03-5244-5089，info@jcopy.or.jp)の許諾を得てください．

＊「レジデントマニュアル」は株式会社医学書院の登録商標です．

執筆者一覧

神戸市立医療センター中央市民病院薬剤部(50音順)

池末　裕明	田中　郁壮	藤原　智美
奥貞　紘平	田村　亮	藤原　秀敏
奥吉　博之	土肥麻貴子	増田　義雄
鎌田　里紗	冨田　秀明	増本　憲生
木下　恵	登　佳寿子	町田　遙
楠田かおり	平畠　正樹	溝口　菜摘
薩摩由香里	平山　晴奈	森本　麻友
高瀬　友貴	藤井　尚子	山下花南恵
高柳　信子	藤田　和美	山本　晴菜
田中　布貴	藤田　拓俊	

神戸市立医療センター中央市民病院総合内科(50音順)

金森　真紀	志水　隼人	西岡　弘晶

神戸市立神戸アイセンター病院薬剤部(50音順)

大江　泰	平野　達也	宮坂　萌菜

神戸市立西神戸医療センター薬剤部

油屋　恵

神戸学院大学薬学部(50音順)

池村　舞	入江　慶

大阪薬科大学臨床薬学教育研究センター

内田まやこ

愛知学院大学薬学部

安藤　基純

(2021年2月現在)

ご注意

- 本書に記載されている処方,治療,服薬指導などに関して,執筆者,編集者ならびに出版社は,発行時点の最新の情報に基づいて正確を期するように,最善の努力を払っています.しかし,医学,医療の進歩によって,記載された内容があらゆる点において正確かつ完全であると保証するものではありません.
- 添付文書情報を基本としつつ,いわゆる世界標準の投与量を掲載している箇所もあります.
- したがって本書に記載されている処方,治療,服薬指導などを個々の患者に適用するときには,読者ご自身の責任で判断されるようお願いいたします.
- 本書に記載されている処方,治療,服薬指導などによる不測の事故に対して,執筆者,編集者ならびに出版社はその責任を負いかねます.

株式会社医学書院

第3版 編集の序

『薬剤師レジデントマニュアル』初版(2013年刊),第2版(2018年刊)は多くの読者の支持を得てこのたび第3版を刊行する運びとなった.

初版以来,コモンディジーズの薬物治療を基本とし,薬学的専門性を臨床現場で発揮する上で役立つコンテンツを白衣のポケットに収まるサイズに凝縮する,というコンセプトは変わらない.薬剤師の自己研鑽のガイド役として,新人薬剤師のみならず医療の最前線で活躍する病院・薬局薬剤師にも広く活用されている.

近年,薬剤師を取り巻く環境は大きな変化を見せている.世界的なCOVID-19パンデミックにより,医療機関,医療従事者への社会の期待は極まり,その役割の重要性が強く認識されるに至った.また,抗ウイルス薬やワクチンへの期待から,新薬の開発から承認,医療現場での使用までの流れが一般メディアでも取り扱われるようになり,いち早く効果的な薬を手に入れたいという思いと,安全性を重視して慎重な取り扱いを求める声が交錯している.そんな中2020年9月には,継続的な患者の服薬状況の把握・薬学的管理の実施を薬剤師に義務付けた改正薬機法が施行された.調剤の概念も大きく変化するに至り,医薬品の安全性・有効性を確保する上で薬剤師への期待はますます高まっている.

この状況を踏まえて,第3版では本書の特長である,「薬剤師による薬学ケア」に必要な処方チェック,服薬指導,治療・副作用モニタリングに関する事項を充実させ,「処方提案のポイント」は薬剤師がベッドサイドや薬剤師外来で得た経験をもとに強化した.さらに各種診療ガイドラインの更新に対応するとともに,新しく難治性疾患に治療の道を拓いた抗体薬,免疫チェックポイント阻害薬,分

子標的薬などのキードラッグを網羅した．これまでと同様，執筆は神戸市立医療センター中央市民病院において高度急性期医療の最前線で活躍する薬剤師や総合診療科の医師が中心となり担当しているが，第3版では執筆メンバーの構成を薬剤師レジデント教育のスキームにならい屋根瓦方式とし，執筆陣に当院の薬剤師レジデント修了者を多く登用し，査読者には既刊を執筆し，現在指導的役割を果たしている薬剤師を配した．すなわち，本書をボロボロになるまで読み込んで自己研鑽した上で，臨床の最前線に身を置くことができた薬剤師に，自らを育てた本書の改訂版を執筆する機会を与えることで，読者目線のきめ細やかさと，そこに吹き込まれる薬剤師魂に期待したものである．

　本書のタイトルの「薬剤師レジデント」に関しては，6年制薬学卒業後に臨床現場において一定のカリキュラムによる実務研修を実施する必要性について議論が高まっており，制度化を視野に検討が進みつつある．今，高まる社会のニーズに応えうる「臨床力」を備えた薬剤師の養成は喫緊の課題であり，本書がその一助となることを願ってやまない．

2021年1月
　新型コロナウイルス感染拡大による緊急事態宣言下の神戸にて

神戸市立医療センター中央市民病院
院長補佐・薬剤部長　橋田　亨

初版 編集の序

　2012年春に，6年制薬学教育を受けた薬剤師が初めて社会に船出し，それを迎える医療現場にも大きな変化が起こりつつある．

　「医療の質の向上および医療安全の確保の観点から，チーム医療において薬剤の専門家である薬剤師が主体的に薬物療法に参加することが非常に有益である」という厚生労働省医政局長通知（平成22年4月30日付）を目にした時，多くの薬剤師が勇気づけられ，また改めて責任の重さを感じたことだろう．同通知は「薬剤師を積極的に活用することが可能な業務」の中で，「薬剤の種類，投与量，投与方法，投与期間等の変更や検査のオーダについて，医師・薬剤師等により事前に作成・合意されたプロトコールに基づき，専門的知識の活用を通じて，医師等と協働して実施すること」としており，それを受けるかたちで，平成24年度診療報酬改定において「病棟薬剤業務実施加算」が新設された．今や，薬剤師による「フィジカルアセスメント」や「処方提案」といったキーワードがベッドサイドで当たり前のように使われるようになっている．

　このようなパラダイムシフトとも言うべき，新しい業務展開を担える薬剤師の養成は急務であり，卒後臨床研修の最初のステップとしての，薬剤師レジデントプログラムを設ける医療機関も増えている．カリキュラムと運営方針は，各施設が独自に設定しており，神戸市立医療センター中央市民病院においては，コモンディジーズに関する薬物治療は，頭に叩き込んでおくべきである，との考えのもと，薬剤師レジデントおよび新人薬剤師対象の疾患別シリーズセミナーを重ねてきた．本書はその経験をもとに，急性期医療の最前線で活躍する当院の各分野の専門，認定薬剤師や総合診療科医師が中心となり執筆した．

かねてより，日々研鑽を積む医師にとって心強い味方として評価を得てきた医学書院の「レジデントマニュアル」シリーズの一冊として，本書「薬剤師レジデントマニュアル」が発刊された．これまで同様，本書が広く活用され，安全で質の高い薬物治療を提供する一助となることを願っている．

2013 年 2 月

神戸市立医療センター中央市民病院
院長補佐・薬剤部長　**橋田　亨**

目次

第 1 章 調剤　　1

1. 調剤総論 …………………………………………………… 1
2. 服用方法や簡易懸濁法に注意を要する医薬品 …………… 3

第 2 章 注射　　8

1. 電解質・輸液 ……………………………………………… 8
2. 注意すべき配合変化 ……………………………………… 16

第 3 章 医薬品情報　　17

1. DI 業務における情報源 …………………………………… 17
2. 情報の収集と提供 ………………………………………… 18
3. 医薬品・医療機器等安全性情報報告制度 ……………… 20

第 4 章 薬物療法を理解するための基礎知識　　21

1. 臨床上重要な薬物動態・薬力学パラメータと薬物相互作用 …… 21
2. 主な医薬品の薬物動態データ(TDM 対象薬物を中心に) ……… 25

第 5 章 スペシャルポピュレーションに対する薬物療法の注意点　　27

1. 腎障害 ……………………………………………………… 27
2. 透析 ………………………………………………………… 31
3. 肝障害 ……………………………………………………… 32
4. 小児 ………………………………………………………… 34
5. 妊婦・授乳婦 ……………………………………………… 36

第6章 高齢者に対する薬物療法の注意点　40

1. 特徴 …… 40
2. ポリファーマシー …… 41
3. ガイドラインと実践的アプローチ …… 43

第7章 病態を理解するための主な検査　47

1. 生化学検査 …… 47
2. 血清免疫学的検査 …… 50
3. 内分泌学的検査 …… 50
4. 腫瘍関連検査 …… 51
5. 生体検査 …… 51
6. 画像検査 …… 52
7. 電気生理学検査 …… 53
8. 内視鏡検査 …… 54
9. 聴力検査 …… 55
10. 視力検査 …… 56
11. その他 …… 56

第8章 フィジカルアセスメント　57

1. アセスメント時の基本マナー …… 57
2. 外観のアセスメント …… 57
3. バイタルサイン …… 58
4. 血圧 …… 58
5. 脈拍 …… 62
6. 呼吸 …… 64
7. 体温 …… 66
8. 意識 …… 67
9. 尿量 …… 69

目次 | xi

第9章 薬剤管理指導／病棟薬剤業務　70

1. 治療開始前 …………………………………… 70
2. 治療開始後 …………………………………… 72

第10章 感染症　77

1. 呼吸器感染症 ………………………………… 77
2. 尿路感染症 …………………………………… 81
3. 真菌感染症 …………………………………… 84
4. 敗血症 ………………………………………… 88
5. 肺結核 ………………………………………… 92
6. HIV …………………………………………… 97

第11章 呼吸器疾患　103

7. 喘息・慢性閉塞性肺疾患（COPD） ……… 103
8. 間質性肺炎 ………………………………… 111

第12章 循環器疾患　115

9. 急性冠症候群 ……………………………… 115
10. 不整脈 ……………………………………… 120
11. 心不全 ……………………………………… 126
12. 高血圧 ……………………………………… 132

第13章 消化器疾患　136

13. 消化性潰瘍 ………………………………… 136
14. クローン病 ………………………………… 140
15. 潰瘍性大腸炎 ……………………………… 147

16	肝炎	154
17	肝硬変	161
18	膵炎	165

第14章 腎泌尿器疾患 — 172

19	前立腺肥大症	172
20	慢性腎臓病（CKD）	176
21	透析	181
22	ネフローゼ症候群	186

第15章 血液疾患 — 191

| 23 | 貧血 | 191 |
| 24 | DIC（播種性血管内凝固症候群） | 195 |

第16章 内分泌代謝疾患 — 199

25	糖尿病	199
26	痛風	207
27	脂質異常症	212
28	甲状腺疾患（機能亢進症・低下症）	217

第17章 膠原病，整形外科疾患 — 221

| 29 | 関節リウマチ | 221 |
| 30 | 骨粗鬆症 | 226 |

第18章 神経疾患 — 232

- 31 てんかん … 232
- 32 パーキンソン病 … 238
- 33 脳血管障害 … 242
- 34 認知症 … 248

第19章 精神疾患 — 253

- 35 うつ病 … 253
- 36 統合失調症 … 258
- 37 せん妄 … 264

第20章 皮膚科疾患 — 269

- 38 アトピー性皮膚炎 … 269
- 39 乾癬 … 273

第21章 婦人科疾患 — 279

- 40 切迫早産 … 279

第22章 眼科疾患 — 283

- 41 白内障 … 283
- 42 緑内障 … 285

第23章 耳鼻科疾患 — 292

- 43 突発性難聴 … 292
- 44 めまい(末梢性めまい) … 295

第24章 がん 299

- 45 乳がん ... 299
- 46 胃がん ... 308
- 47 大腸がん ... 313
- 48 肝がん ... 321
- 49 肺がん ... 324
- 50 悪性リンパ腫(非ホジキンリンパ腫, ホジキンリンパ腫) ... 332
- 51 白血病 ... 342
- 52 多発性骨髄腫 ... 351
  - column 特定薬剤治療管理について ... 358
- 53 免疫チェックポイント阻害薬 ... 361

第25章 緩和 371

- 54 オピオイド ... 371

付録 382

- 1 緊急安全性情報, 安全性速報 ... 382
- 2 重篤副作用疾患別対応マニュアル・疾患リスト ... 384
- 3 妊婦・授乳婦への薬物投与 ... 385
- 4 ステロイドの力価一覧 ... 391

● 索引 ... 393

第 1 章 調剤

1 調剤総論

□ 薬剤師の調剤行為は，医療職としての倫理と，医薬品に関する深い学識と高い技術に基づいたものである．調剤に従事する薬剤師には，薬物治療の有効性，安全性を確保するために，その専門性をいかし最大限の努力をするという積極的な姿勢が求められる．

A 計数調剤

□ 薬品名が同じでも，**剤形，規格**が異なる薬品に注意して調剤する．
□ 薬品収納場所に表示されている**薬品名，剤形，規格**を確認して調剤する．
□ 普通薬，劇薬，毒薬，向精神薬，麻薬はそれぞれ保管方法が異なる．
□ 薬品の誤充填や他薬の混在に注意する．
□ 調剤棚の薬品取り出しや充填では，使用期限やロット管理に注意する．
□ 薬袋に入れる前に，再度調剤薬(薬品名，剤型，規格，数量)を確認する．

B 1 回量調剤

□ 手先が不自由な患者や薬の自己管理が不十分な場合には，特に 1 回量調剤が必要となる．
□ 錠剤包装機や散剤分割分包機などを用いて **1 回量調剤にできない薬品**として，以下のものがある．

- 麻薬
- 磨損度が高く壊れやすいもの
- 吸湿しやすいもの
- 覚せい剤(原料)
- 包装されていない(バラ)状態では安定性の悪いもの

□ 長期投与時には薬品の安定性の面で注意が必要．
□ バラ錠には素手で直接触れない．
□ 薬品充填では，複数人が確認するシステムにして過誤を発生させない．
□ 1 回量調剤の監査では，薬品の識別コード，外観，形状が必要．

C 散剤
- クロスコンタミネーションは薬塵の機械・器具への付着，秤量者や分包機由来の異物の混入によって発生する．特に，薬品が接触するところには触らない．
- 倍散に注意して計算する．乳・幼・小児の場合は秤取量の桁数に注意する．
- 秤取薬品（装置瓶など）の確認は秤取前と秤取後の2回行う．天秤のゼロ点調節を確実にする．
- 錠剤の粉砕や脱カプセル調剤は，経管投与や小児・高齢者の投与に行われるが，薬剤ロスが発生しやすいので注意する．
- 混和には調剤ミキサーを用いると効率的だが，薬剤ロスが多くなるので，少量の調剤には不適．
- 顆粒と散剤の分離による成分含量のばらつきを防止するために2度まき分割を行う．
- 秤取者と分割分包者が異なるときは，対応する薬袋・秤取薬品のセットが分かれないように，分包者との連携に配慮する．

D 水剤
- 水剤は化学的変化が起こりやすいので，配合変化や安定性に注意．
- 滞った水中（例：水道の蛇口，メートグラスに満たした水）では微生物が増殖するため，衛生面に気をつける．
- 敷き水は濃度を下げることで複数の液剤の混合時における反応リスクを低下させることが目的である．
- 麻薬は調剤ミスによる廃棄（麻薬事故）を防ぐため，最後に加える．

E 処方監査（全般）
- 年齢，体重などから投与形態や分量が適切であるか判断する．
- 剤型（錠剤，散剤，水剤，坐剤，注射剤）や規格（含量，単位）を把握する．
- 成分の放出パターンが異なる製剤に注意する．
- 特別な用法指定のある薬品に注意する．
- 適応症によって分量が異なる薬品は，診療録や薬歴を確認する．
- 投与日数制限があるもの（麻薬，向精神薬，薬価収載月の翌月から1年以内の薬）について知る．
- 相互作用や禁忌に注意する．
- 臨床検査値（肝・腎機能など）に配慮する．

F 疑義照会

- □ 不安を感じたときは自己解釈せずに，疑義照会する．
- □ 疑義照会前に，薬歴，診療録(カルテ)，過去の照会記録などを確認する．
- □ 電話では自己紹介した後に相手を確認する．
- □ 電話では適当なスピード，はっきりとした口調で，丁寧に端的に話す．
- □ 問い合わせに時間がかかる場合は患者にその旨を伝える．
- □ 照会記録には，**照会日時，照会方法，照会内容と回答，回答医師名，照会薬剤師名**を記載する．

2 服用方法や簡易懸濁法に注意を要する医薬品

A 服用方法に注意を要する医薬品

分類	一般名(商品名®)	用法	注意事項
睡眠薬	ラメルテオン(ロゼレム®)	就寝前	食事と同時または食直後を避ける
自律神経用薬	リルゾール(リルテック®)	朝夕食前	
関節リウマチ治療薬	メトトレキサート(リウマトレックス®, メトレート®)	6 mg/週	12時間間隔(5〜6日休薬)
消化性潰瘍治療薬	アルギン酸ナトリウム(アルロイドG)	空腹時	
抗B型肝炎ウイルス薬	エンテカビル水和物(バラクルード®)	空腹時	食事の前後2時間を避ける
高アンモニア血症改善薬	ラクチトール水和物(ポルトラック®)		用時水に溶解後経口投与
速効型食後血糖降下薬	ナテグリニド(スターシス®)	毎食直前	10分以内
	ミチグリニドカルシウム水和物(グルファスト®)	毎食直前	5分以内
	レパグリニド(シュアポスト®)	毎食直前	10分以内
α-グルコシダーゼ阻害薬	アカルボース(グルコバイ®)	毎食直前	
	ボグリボース(ベイスン®)	毎食直前	
	ミグリトール(セイブル®)	毎食直前	

分類	一般名(商品名®)	用法	注意事項
ビスホスホネート製剤	アレンドロン酸ナトリウム水和物(フォサマック®, ボナロン®)	起床時 35 mg/週	水 180 mL とともに内服. 服用後少なくとも 30 分は横にならず, 水以外の飲食ならびに他の薬剤の経口摂取回避
	リセドロン酸ナトリウム水和物(アクトネル®, ベネット®)	起床時 17.5 mg/週 75 mg/4 週	
	ミノドロン酸水和物(ボノテオ®, リカルボン®)	起床時 50 mg/4 週	
トロンボポエチン受容体作動薬	エルトロンボパグオラミン(レボレード®)	空腹時	食前後 2 時間を避ける
ウィルソン病治療薬	酢酸亜鉛水和物(ノベルジン®)		食前 1 時間以上または食後 2 時間以上あけて
吸着薬	球形吸着炭(クレメジン®)		他剤と同時服用を避ける
高 K 血症治療薬	ポリスチレンスルホン酸カルシウム(カリメート®)		水 30~50 mL に懸濁して服用
高リン血症治療薬	セベラマー塩酸塩(フォスブロック®, レナジェル®)	食直前	
	炭酸ランタン水和物(ホスレノール®)	食直後	(チュアブル錠)十分に噛み砕いた後, 唾液・少量の水で服用
	沈降炭酸カルシウム(カルタン®)	食直後	
	ビキサロマー(キックリン®)	食直前	
	クエン酸第二鉄水和物(リオナ®)	食直後	
	スクロオキシ水酸化鉄(ピートル®)	食直前	(チュアブル錠)十分に噛み砕いて服用

分類	一般名(商品名®)	用法	注意事項
抗腫瘍薬	カペシタビン(ゼローダ®)	食後30分以内	
	テガフール・ギメラシル・オテラシルカリウム(ティーエスワン®)	食後	空腹時投与で抗悪性腫瘍効果の減弱が予想される
	アビラテロン酢酸エステル(ザイティガ®)	空腹時	食事の1時間以上前,食後2時間以降
分子標的薬	エルロチニブ塩酸塩(タルセバ®)	空腹時	食事の1時間以上前,食後2時間以降
	ニロチニブ塩酸塩水和物(タシグナ®)		食事の1時間以上前,食後2時間以降
	パゾパニブ塩酸塩(ヴォトリエント®)		食事の1時間以上前,食後2時間以降
免疫抑制薬	ミコフェノール酸モフェチル(セルセプト®)	12時間毎,食後	
抗菌薬	アジスロマイシン水和物(ジスロマック®SR)	空腹時に1回	2gを用時水に懸濁して服用
	リファンピシン(リファジン®)	朝食前空腹時	
抗真菌薬	ボリコナゾール(ブイフェンド®)	食間	
	イトラコナゾール(イトリゾール® カプセル)	食直後	
	イトラコナゾール(イトリゾール® 内用液)	1日1回空腹時	
鉄過剰症治療薬	デフェラシロクス(エクジェイド®)	空腹時	水100mL以上で用時懸濁,服用後30分間食事をしない
アレルギー性疾患治療薬	ビラスチン(ビラノア®)	空腹時	
胆汁酸トランスポーター阻害薬	エロビキシバット水和物(グーフィス®)	食前	

B 懸濁，注入に注意を要する医薬品

	商品名	注意点
温度	タケプロン®OD	常温水で懸濁
徐放性	エブランチル®	14 Fr. で通過．崩壊時間短く
	ハルナール®D	10 分以内に投与（徐放性喪失）
	ペルサンチン®-L	12 Fr. で通過．崩壊時間短く
	ペルジピン®LA	胃溶性＋腸溶性．12 Fr. で通過
	ボルタレン®SR	12 Fr. で通過．崩壊時間短く
腸溶性	アザルフィジン®EN	破壊後，チューブ腸まで
	イソメニール®	14 Fr. で通過．徐放性＋胃溶性＋腸溶性．崩壊時間短く
	オメプラール®	破壊後，チューブ腸まで
光	メチコバール®	遮光（光に不安定）
分散性	カリメート®	5 g を 30～50 mL に懸濁，すぐに注入
	クレメジン®	嚥下補助ゼリー，とろみ調整剤添加
	コロネル®（細粒）	
	重質酸化マグネシウム（細粒）	12 Fr. で通過．嚥下補助ゼリー，とろみ調整剤添加
	タナドーパ®	
	リーバクト®	
	ベリチーム®	14 Fr. で通過．嚥下補助ゼリー，とろみ調整剤添加
	ノイエル®（細粒）	12 Fr. で通過．量が多いと閉塞
	パナルジン®（細粒）	18 Fr. で通過
	パントシン®（散）	混ぜながら注入
	ユナシン®（細粒）	18 Fr. で通過
その他	アレグラ®	14 Fr. で通過．懸濁後の粒子（浮遊）大
	テモダール®	pH 7 未満の注入液で
	ロドピン®	pH 6 以上で溶解しない

C pHに注意を要する医薬品

酸性下で不安定・分解	アデホス®コーワ，エリスロシン®(→失活)，トミロン®，マーズレン®S，ルリッド®
アルカリ性下で不安定・分解	アレロック®，ウブレチド®(→分解)，グルコバイ®，コメリアン®コーワ(→強アルカリで不安定)，ノイキノン®，ハイシー®，ロキソニン®
酸・アルカリ性下で不安定・分解	インフリー®S(pH 3～5，pH 7以上で分解)，セフゾン®，ネオドパゾール・マドパー®，ベスタチン®，ラステット®，ラニラピッド®(pH 3以下，pH 12以上で分解)

D 配合変化に注意を要する医薬品

医薬品	配合不可・注意薬品	理由
マグミット®	メネシット®・ネオドパストン®，マドパー®	レボドパの含有量低下
	サワシリン®，ケフラール®，フロモックス®，メイアクトMS®	抗菌薬の分解
Fe剤	クラビット®，シプロキサン®，マドパー®，ミノマイシン®，チラーヂン®S，セフゾン®	金属キレート形成
Al, Mg, Ca含有製剤	クラビット®，シプロキサン®，ミノマイシン®	金属キレート形成
Al, Ca, Zn含有製剤	チラーヂン®S	
Ca製剤	エストラサイト®	
アルサルミン®	アレグラ®，セフゾン®，Fe剤，胆汁酸製剤，甲状腺ホルモン製剤	吸着
塩化ナトリウム(10%)	オーグメンチン®(錠)，クラビット®(錠)，フロモックス®(錠)，メイアクトMS®(錠)	崩壊性悪(ディスペンサー通過不可)
塩化ナトリウム(20%)	ジスロマック®(錠)，バクタ®(錠)，バナン®(錠)，ミノマイシン®(錠)	

参考文献

1) 一般社団法人 薬学教育協議会 病院・薬局実務実習近畿地区調整機構監：薬学生のための病院・薬局実務実習テキスト2019年版，じほう，2019
2) 藤島一郎監：内服薬 経管投与ハンドブック 第3版，じほう，2015
3) 倉田なおみ監：簡易懸濁法 Q&A Part1-基礎編 第2版，じほう，2009
4) 倉田なおみ監：簡易懸濁法 Q&A Part2-実践編，じほう，2009

（鎌田 里紗）

第 2 章 注射

1 電解質・輸液

A 投与ルート
- 主として末梢静脈である．浸透圧濃度が高いと血管炎や血管痛を起こすことがあるため，末梢から投与できる糖濃度は10％程度が限界とされる．末梢投与のみでエネルギー補給が困難な場合には，中心静脈にカテーテルを留置し，中心静脈栄養(TPN：total parenteral nutrition)が行われる．

B 目的1：水分および電解質の補給・補正
- 維持輸液とは，経口摂取の代替として尿・便・不感蒸泄を通した正常な状態での水・電解質の喪失を置き換えて，生体内の出納バランスを保ち恒常性を維持するための輸液である．
- 補充輸液とは，現存する水・電解質の欠損を補正し，電解質異常と循環血液量の異常を補正するための輸液である．
- **水分バランス**

  尿量＋便(約 150 mL)＋不感蒸泄(約 900 mL)－代謝水(300 mL)
  ＝経口摂取水分量＋輸液量

- 細胞内外で電解質の組成は大きく異なっており，細胞外液の主な電解質は Na^+，Cl^-，細胞内では K^+，Mg^{2+}，HPO_4^{2-} が多く存在している．また，細胞外液に関しては，電解質組成はほぼ同じであるが，毛細血管壁が蛋白質を透過しないため，血漿には蛋白質が存在し，組織間液には存在しない点が大きく異なる．これにより，血管内に膠質浸透圧が形成され，水分が保持される(**表2-1**)．
- 静脈炎予防の観点から，末梢静脈より投与する輸液の浸透圧比は3以下とすべきとされている．
- 血漿浸透圧と同等の浸透圧をもつ液体を等張液，低い液体を低張液，高い液体を高張液という．

表 2-1　細胞内外の電解質組成

mEq/L		陽イオン				
		Na$^+$	K$^+$	Ca^{2+}	Mg^{2+}	計
細胞外液	血漿	142	4	5	3	154
	組織間液	144	4	2.5	1.5	152
細胞内液		15	150	2	27	194

mEq/L		陰イオン						
		Cl$^-$	HCO$_3^-$	HPO$_4^{2-}$	SO$_4^{2-}$	有機酸	蛋白質	計
細胞外液	血漿	103	27	2	1	5	16	154
	組織間液	114	30	2	1	5	—	152
細胞内液		1	10	100	20	—	63	194

① 低張電解質輸液

- 低張電解質輸液(維持輸液)は低張液と混同されやすいが,浸透圧は体液とほぼ同じ等張液である.電解質(NaCl)濃度が生理食塩液より低張であるため,ブドウ糖によって等張に調節されている.細胞外液・内液の両方に水分補給が可能である.号数があがるにつれブドウ糖の配合量が増え細胞内への水分補給効果が高くなる.
- **1号液(開始液)**:1/2生理食塩液を基本組成とし,Kフリーであるため,病態の把握ができない脱水症の初期に安全に投与できる.
- **2号液(脱水補給液)**:1号液に細胞内電解質であるKとPを加えた組成で,下痢などのK喪失を伴う脱水症に使用される.腎不全の患者では高K血症や高Mg血症を引き起こすため注意する.
- **3号液(維持液)**:K,P,Mgなどを含有した1/3〜1/4生理食塩液で,単独で長期間の維持が可能である.2,000 mL投与すれば健常時の平均的な水・電解質1日必要量を補える.
- **4号液(術後回復液)**:1〜4号液の中ですべての電解質が最も低く,K,Pを含まない.新生児・乳幼児や腎機能の低下した高齢者,利尿がつくまでの術後患者などの水分補給に用いられる.

② 等張電解質輸液
- **0.9%生理食塩液**：Na 濃度は細胞外液に等しいが，Cl は血漿より高濃度であるため，大量投与によって高 Cl 性アシドーシスを引き起こす危険性がある．投与によって，細胞外液の補充ができる．
- **5%ブドウ糖液**：糖は細胞内に取り込まれると水を産生するため，細胞外液・内液の両方に水分補給が可能である．
- **リンゲル液**：生理食塩液の Na 濃度が血中 Na 濃度より高く，Na の過剰負荷になりやすいデメリットを改善するために開発された．K^+ と Ca^{2+} も添加されており，より血漿の電解質組成に近い．しかし，血漿に含まれている HCO_3^- が含まれておらず，生理食塩液同様に Cl^- が多すぎるという欠点がある．そこで，乳酸リンゲル液には乳酸 Na，酢酸リンゲル液には酢酸 Na，重炭酸リンゲル液には炭酸水素 Na がアルカリ化剤として配合されており，Cl^- の総量を抑えている（表 2-2）．

③ 高張液
- 高張液の代表的なものとしては，10%塩化ナトリウム注射液，20%ブドウ糖液，炭酸水素ナトリウム注射液（メイロン®）などがある．
- 高張ブドウ糖液は透析低血圧の予防に用いられる．

C 目的 2：酸塩基平衡の是正
- 血液 pH は通常 7.4 ± 0.05 に維持される．

$$CO_2(肺) + H_2O \Leftrightarrow H_2CO_3 \Leftrightarrow H^+ + HCO_3^- (腎臓)$$
$$pH = HCO_{3濃度} / CO_{2分圧}$$

- 上記の式の通り，pH は酸の代表的な二酸化炭素とそれを中和する塩基の重炭酸イオンの比で決まる．両者の比は代謝によって産生された二酸化炭素が肺から呼気として排出され（呼吸性），重炭酸イオンが腎臓で再吸収される（代謝性）ことで維持されている．
- 通常よりも pH が低い病態をアシデミア，高い病態をアルカレミアと呼ぶ（表 2-3）．

D 目的 3：経口摂取に代わる栄養補給
- 消化管が使用できない期間が 2 週間未満の場合，PPN（peripheral parenteral nutrition）が，2 週間以上になる場合には TPN が選択される．

表 2-2 代表的な細胞外液補充液

細胞外液補充液		電解質 (mEq/L) 商品名	Na⁺	K⁺	Ca²⁺	Mg²⁺	Cl⁻	L-Lactate⁻	Acetate⁻	HCO₃⁻	Gluconate⁻	H₂PO₄⁻	Cit³⁻	糖質 (g/L)	熱量 (kcal/L)	pH	浸透圧比
等張液	生理食塩液	生食(各社)	154	—	—	—	154	—	—	—	—	—	—	—	—	4.5〜8.0	1
	乳酸リンゲル液	ソルラクト	131	4	3	—	110	28	—	—	—	—	—	—	—	6.0〜7.5	0.9
		ラクテック	130	4	3	—	109	28	—	—	—	—	—	—	—	6.0〜7.5	0.9
	+ブドウ糖	ラクテックD	130	4	3	—	109	28	—	—	—	—	—	G50	200	3.5〜6.5	2
		ソルラクトD	131	4	3	—	110	28	—	—	—	—	—	G50	200	4.5〜7.5	2
		ラクテックG	130	4	3	—	109	28	—	—	—	—	—	G50	200	6.0〜8.5	2
	+ソルビトール	ソルラクトS	131	4	3	—	110	28	—	—	—	—	—	S50	200	6.0〜7.5	2
	+マルトース	ポタコールR	130	4	3	—	109	28	—	—	—	—	—	M50	200	3.5〜6.5	1.5
	酢酸リンゲル液	ヴィーンF	130	4	3	—	109	—	28	—	—	—	—	—	—	6.5〜7.5	1
		フィジオ140	140	4	3	2	115	—	25	—	—	—	—	—	—	5.9〜6.2	1
	+ブドウ糖	ヴィーンD	130	4	3	—	109	—	28	—	—	—	—	G10	40	4.0〜6.5	1
		ヴィーンD	130	4	3	—	109	—	28	—	—	—	—	G50	200	4.0〜6.5	2
	重炭酸リンゲル液	ビカーボン	135	4	3	1	113	—	—	25	5	—	5	—	—	6.8〜7.8	0.9〜1.0
		ビカネイト	130	4	3	2	109	—	—	28	—	—	4	—	—	6.8〜7.8	0.9
低張液 ※糖で浸透圧比1に調整	1号液 (開始液)*	YDソリタ-T1	90	—	—	—	70	20	—	—	—	—	—	G26	104	3.5〜6.5	1
		KN1号	77	—	—	—	77	—	—	—	—	—	—	G25	100	4.0〜6.5	1
	2号液 (脱水補給液)*	ソリタ-T2	84	20	—	—	66	28	—	—	—	P:10 (mmol/L)	—	G32	128	3.5〜6.5	1
		KN2号	60	25	—	2	49	25	—	—	—	P:6.5 (mmol/L)	—	G23.5	94	4.5〜7.0	1
	3号液 (維持液)*	YDソリタ-T3	35	20	—	—	35	20	—	—	—	—	—	G43	172	3.5〜6.5	1
		KN3号	50	20	—	—	50	20	—	—	—	10	—	G27	108	4.0〜7.5	1
		ヴィーン3G	45	17	—	5	37	—	20	—	5	P:10 (mmol/L)	—	G50	200	4.3〜6.3	1.5
		フィジオ35	35	20	5	3	28	—	20	—	—	—	—	G100	400	4.7〜5.3	2.0〜3.0
	4号液 (術後回復液)*	ソリタ-T4	30	—	—	—	20	10	—	—	—	—	—	G43	172	3.5〜6.5	1
		KN4号	30	—	—	—	20	10	—	—	—	—	—	G40	160	4.0〜7.5	1
代用血漿増量剤	低分子デキストラン加乳酸リンゲル	低分子デキストランL	130	4	3	—	109	28	—	—	—	—	—	—	—	5.0〜7.5	1
		サヴィオゾール	130	4	—	—	109	28	—	—	—	—	—	D30	0	8.0〜8.4	1
血漿代用剤	ヒドロキシエチルスターチ製剤	ボルベン	154	—	—	—	154	—	—	—	—	—	—	—	—	4.0〜5.5	1

表2-3 アシドーシスとアルカローシス

代謝性アシドーシス	
\multicolumn{2}{l}{HCO_3^-↓↓の状態．代償機能として呼吸数が増加し $PaCO_2$↓に働く}	
H^+の増加	・糖尿病や飢餓などによるケトアシドーシス ・心停止・ショックなどでの嫌気性代謝亢進 → 乳酸アシドーシス ・TPN製剤に添加されているHClが原因の高Cl性アシドーシス ・腎不全による酸の排泄障害 ・サリチル酸中毒
HCO_3^-の過剰排泄	・下痢 ・腎不全による過剰排泄 ・尿細管アシドーシス ・炭酸脱水酵素阻害薬の投与

呼吸性アシドーシス	
\multicolumn{2}{l}{$PaCO_2$↑↑の状態．代償機能として腎からの酸排泄が増加し HCO_3^-↑に働く}	
換気障害によるCO_2排泄不良による$PaCO_2$↑が原因	・換気障害の原因である基礎疾患の是正を行う ・酸素投与や急性アシドーシスではメイロン®の輸液も検討

代謝性アルカローシス	
\multicolumn{2}{l}{HCO_3^-↑↑の状態．代償機能として呼吸が抑制され $PaCO_2$↑に働く．Na^+の再吸収，K^+，H^+の排泄が促進されている病態では HCO_3^-は増加する．}	
H^+の喪失	・頻回の嘔吐や胃管を使って胃酸を吸引した場合などによる胃酸の消失 ・ループ利尿薬などにより H^+とK^+の排泄が大量に増加し腎機能に支障が生じた場合 ・アルドステロン様作用のある薬剤（グリチルリチン，ステロイドなど）の使用（アルドステロンは遠位尿細管でのNa^+再吸収と，K^+，H^+の排泄増加を起こす）
HCO_3^-の過多	・$NaHCO_3$の過剰投与 ・大量の牛乳，炭酸Ca摂取 ・大量輸血（保存血中に抗凝固剤として含まれるクエン酸の代謝によりHCO_3^-が生じる）

- 低K血症（K<3.5 mEq/L）を呈することが多く，KClの投与が必要
- 体内でのアルカリ化剤である乳酸・酢酸含有の輸液を投与しないよう注意
- 重症の場合には，弱酸であるNH_4Cl補正液を希釈した輸液や塩酸含有製剤を投与（腎不全・肝不全は禁忌）
- 炭酸脱水酵素と阻害薬投与による腎からのH^+分泌抑制を検討

呼吸性アルカローシス
$PaCO_2$↓↓の状態．代償機能として腎からのH^+の排泄が抑制される方向に働く

- 過呼吸などにより体内のCO_2が体外へ過剰に放出されることで生じる

- 基礎エネルギー消費量(BEE：basal energy expenditure)は Harris-Benedict 式などで算出し，必要エネルギーは下記式で求める．

> **Harris-Benedict 式**
> - 男性 BEE(kcal/日) = 66.47 + 13.75 W + 5.0 H − 6.76 A
> - 女性 BEE(kcal/日) = 655.10 + 9.56 W + 1.85 H − 4.68 A
>
> W：体重(kg)　H：身長(cm)　A：年齢(年)
> 必要エネルギー(30〜35 kcal/kg/日)＝BEE×活動係数×傷害係数

1. PPN(末梢静脈栄養)

- PPN 製剤には，維持液にさらに糖を添加した製剤(表 2-2)，アミノ酸製剤，糖＋電解質＋アミノ酸製剤(パレプラス®など)，脂肪乳剤などがある．

2. TPN(中心静脈栄養)

- 長期間の TPN では，乳酸アシドーシス，腸内細菌によるビタミン K の産生不足，必須脂肪酸や微量元素欠乏症などをきたすため，総合ビタミン剤，微量元素，脂肪乳剤を投与するなど注意を要する．
- 侵襲の加わっていない状態で安全に投与できる糖の量は，約 7 g/kg/日である．投与速度は 5 mg/kg/分で，侵襲が加わって耐糖能が低下した場合 4 mg/kg/分が目安となる．この速度を超える投与が必要な場合は，一部のエネルギーを脂肪乳剤で補うことも必要となる．
- **NPC/N 比(非蛋白カロリー窒素比)**：通常 150〜200 程度，大侵襲の場合には 100 程度，急性腎不全時には 400〜600 程度とする．
- P，Ca，Mg はアルカリ側でリン酸 Ca の沈殿を生じるため，アルカリ性薬品との混合に注意する．

①アミノ酸製剤

- 侵襲時には分岐鎖アミノ酸(BCAA)を 30% と多く含有した製剤を選択する．
- 慢性肝不全状態では，Fisher 比(BCAA/AAA)が低下，脳内の芳香族アミノ酸(AAA)が増加し肝性脳症に進展するのを防止するため，多量の BCAA を含有し AAA を減じたアミノ酸製剤(アミノレバン®，モリヘパミン®)を選択する．
- 腎不全状態では，蛋白異化防止のため，E/N 比(必須アミノ酸/非必須アミノ酸)を高くした製剤(ネオアミユー®，キドミン®)を

選択し，BUN の非必須アミノ酸合成への利用を促進する．エネルギーは基本的に糖質で確保する（NPC/N 比↑）．
- アミノ酸製剤は亜硫酸水素ナトリウムを含有しており，ビタミン B_1 が経時的に分解するので注意を要する．また，メイラード反応が生じないよう直前に開封する．

②脂肪乳剤
- 投与速度 0.1 g/kg/時以下で投与する．
- 脂肪乳剤ではダイズ油に由来するビタミン K_1 を含有しているため，ワルファリン投与患者で注意する．
- ケトーシスを伴った糖尿病の患者では，脂肪乳剤の投与は禁忌である．
- 脂肪乳剤は粒子径が大きいため，フィルター使用時には孔径 1.2 μm の専用フィルターを用いる．

E 目的 4：投与ルートの確保
- 迅速な薬剤投与，血管へのルート確保のために輸液をつなぐ．
- 細胞外液や 1 号液でルートを確保する場合，Na^+ も負荷されるため，心不全患者で注意する．
- 出血などでの細胞外液補充時は生食や乳酸リンゲル液を使用する．ただし，乳酸リンゲル液はアルカリ化剤を含んでいることに注意する．

F 目的 5：循環血漿量の増加
- 出血性ショック時の血圧維持には，細胞外液補充液（乳酸リンゲル・酢酸リンゲル）または代用血漿剤が使用される．
- 重症熱傷などで，細胞外液補充液での循環血漿量不足の是正が困難な場合，代用血漿剤・等張アルブミン製剤を使用する．

①代用血漿剤
- 腎機能障害などでは代用血漿剤の使用は適切でない．
- 血清から完全に消失する 96 時間までは，脂肪粒子の凝集をきたすことがあるため脂肪乳剤の投与は避ける．
- 低分子デキストランは Ca 塩を含有するため，クエン酸加血液と混合すると凝血を起こすおそれがある．リン酸イオン・HCO_3^- 配合剤とで沈殿を生じるので注意する．
- 代用血漿剤を 1,000 mL 以上必要とする場合，等張アルブミン製剤の使用を考慮する．

表 2-4　配合変化の主な分類とその代表例

分類	組み合わせ例	
吸着	フィルグラスチム インスリン	⇔ ポリ塩化ビニル(PVC)
収着	ニトログリセリン	⇔ ポリ塩化ビニル(PVC)
pH	カンレノ酸カリウム	⇔ 酸性注射剤
	フェニトインナトリウム	⇔ 生理食塩液
濃度	ブロムヘキシン塩酸塩	⇔ アルカリ性注射剤
	メチルプレドニゾロンコハク酸エステルナトリウム	⇔ 酸性・アルカリ性注射剤
酸-アルカリ反応	炭酸水素ナトリウム	⇔ 高カロリー輸液
加水分解反応	アンピシリンナトリウム	⇔ 生理食塩液・5%ブドウ糖液
	チアミン塩化物塩酸塩	⇔ 亜硫酸塩
酸化還元反応	ドパミン塩酸塩	⇔ アルカリ性注射剤
凝析	アムホテリシンB 含糖酸化鉄注射液	⇔ 生理食塩液
塩析	カルペリチド エリスロマイシン	⇔ 生理食塩液
光分解	総合ビタミン	⇔ 光
溶解性	イミペネム・シラスタチン	⇔ 0.5gあたり生理食塩液60mL未満

② 等張(4.4%・5%)アルブミン製剤
□ 循環血液量が大幅に減少すると，代謝障害からショック状態となることがある．このような大量の体液が失われた場合に，血漿膠質浸透圧維持による循環血漿量の確保の目的に使用される．
□ 大量使用による Na の過大負荷に注意する．
□ 加熱人血漿蛋白の急速輸注(10 mL/分以上)により，血圧の急激な低下を招くことがある．

③ 高張(20%・25%)アルブミン製剤
□ **膠質浸透圧の改善**：重度の浮腫や腹水を改善させる．

- 急激に循環血漿量が増加するため,輸注速度を調節し,肺水腫や心不全の発生に注意する.
- 20%アルブミン製剤 50 mL(アルブミン 10 g)の輸注は約 200 mL の循環血漿量の増加に相当する.

2 注意すべき配合変化

- 注射剤の配合変化が生じると,調製にかかる時間やコストが無駄になるだけでなく,力価の低下が起こった場合は治療へ悪影響を及ぼすことも考えられる.配合変化を未然に防止するために,処方監査の段階で十分な検討と対策を行うべきである.
- 配合変化を引き起こす原因の主な分類とその代表例を**表 2-4** に示す.

参考文献

1) 日本静脈経腸栄養学会編:やさしく学ぶための輸液・栄養の第一歩 第 5 版,大塚製薬工場,2020
2) 赤瀬朋秀ほか編:根拠からよくわかる 注射薬・輸液の配合変化 Ver.2 ―基礎から学べる、配合変化を起こさないためのコツとポイント,羊土社,2017

(油屋 恵)

第3章 医薬品情報

- 医薬品を適正に使用するために薬剤師は適切な医薬品情報(DI: drug information)を医療従事者ならびに患者に提供するとともに、院内で新たに発生したDIのニーズを積極的に収集・評価、臨床にフィードバックすることで、薬物療法の安全性確保に努める必要がある.
- 医療現場ではEBM(根拠に基づく医療)の実践が求められている. DIを取り扱う際には、内容を吟味し、エビデンスレベルの高い信頼できる情報を提供するように心がける.
- 情報の種類は以下に分類される.

一次資料	原著論文、学会報告、特許公報などが該当する. 独自性が高く加工度は低い.
二次資料	多くの一次資料を集約、整理したもので、コンピュータによる検索を可能にしたものが多い. PubMedや医中誌Webなどが代表的.
三次資料	一次資料などをもとに、特定の観点から整理しまとめたもので、教科書や専門書、添付文書やインタビューフォームなどが該当する.

1 DI業務における情報源

- 製薬企業作成資料、厚生労働省発行資料、医学薬学専門雑誌、さらにインターネット上の医薬品情報関連サイトなどを有効に活用してDI業務を行う.

A 主な製薬企業作成資料

- 医薬品添付文書(医療用ならびに一般用)
- 医薬品インタビューフォーム(IF)
- 緊急安全性情報(イエローレター)
- 安全性速報(ブルーレター)
- 医薬品安全対策情報(DSU: drug safety update)
- 医薬品リスク管理計画(RMP: risk management plan)

B 代表的な医薬品集など

- 医薬品集は,医薬品の名称,組成,化学構造式,性状,適応症,用法・用量,薬効・薬理,薬物動態,副作用,相互作用,使用上の注意などの要約情報からなり,医薬品の基本的情報を調べる際に最も繁用する情報源である.
- 海外の医薬品集では,Martindale The Complete Drug Reference, Physicians' Desk Reference(PDR)などが活用されている.また,ピアレビューを経たさまざまなトピックの診療情報がまとめられたUpToDateも広く活用されている.

C 医学薬学専門雑誌

- 書籍に収載されていない最新情報については,専門雑誌から定期的に収集する必要がある.雑誌に新たに掲載される情報内容は未確立のものも含まれるため,その信頼性には留意する必要がある.一般に学術雑誌には審査制度があり,収載論文の信頼性も高いために積極的に目を通し,新規性の高い論文内容については評価・確認することが望ましい.また,雑誌の特集記事などからは最新の薬物療法の動向を把握でき,海外の最新情報なども入手できる.

D インターネット上のサイト

- **表3-1**に,利用頻度の高い代表的なサイトとURLを示す.
- 医薬品医療機器総合機構ホームページには,医薬品の適正使用に関するお知らせ,医薬品添付文書,副作用が疑われる症例報告,緊急安全性情報(イエローレター)・安全性速報(ブルーレター),医薬品・医療機器等安全性情報,承認情報,回収情報,医療事故防止対策通知などの有用な情報が掲載されている.

2 情報の収集と提供(表3-2)

A 医薬品情報の収集

- 最も基本的な情報源である医薬品添付文書と医薬品インタビューフォーム(IF)は常備し,使用上の注意改訂時には最新版を収集する.
- 伝達・提供する医薬品情報は,情報の受け手がすぐに的確な行動がとれるように評価されたわかりやすい内容であること,タイム

表 3-1　利用頻度の高い代表的なサイトと URL

名称	URL
厚生労働省	http://www.mhlw.go.jp
医薬品医療機器総合機構ホームページ	http://www.pmda.go.jp
国立医薬品食品衛生研究所	http://www.nihs.go.jp/index-j.html
NIHS 医薬品安全性情報（海外規制機関）	http://www.nihs.go.jp/dig/sireport/index.html
医薬品情報ガイド	http://www.nihs.go.jp/dig/jpharm4.html
日本病院薬剤師会	http://www.jshp.or.jp
大学病院医療情報ネットワーク	http://www.umin.ac.jp
日本医薬情報センター	http://www.japic.or.jp
くすりの適正使用協議会	http://www.rad-ar.or.jp
日本中毒情報センター	https://www.j-poison-ic.jp
FDA（米国食品医薬品局）	http://www.fda.gov
RxList（米国処方薬集）	http://www.rxlist.com
Medscape	http://www.medscape.com
The Cochrane Collaboration	http://www.cochrane.org
PubMed	http://www.ncbi.nlm.nih.gov/pubmed
Up To Date	https://www.uptodate.com/ja

リーであることが求められる．
□ 情報の受け手が医療従事者か患者かによって，情報内容の範囲と加工度を検討する必要がある．なお，緊急安全性情報などの重篤かつ致死的な副作用情報ならびにリスクマネジメント関連情報は，速やかに周知徹底に努める．

B 医薬品に関する質疑に対する情報提供

□ 医師をはじめとする医療従事者ならびに患者に，必要に応じて質疑に対する情報提供を行う．

表 3-2 医薬品情報の提供の手順

1. (自身による)課題の抽出,(他者からの)質問や相談
2. 「課題」や「質問や相談」の内容の的確な把握と分類
3. 「課題」や「質問や相談」の背景情報(薬歴,病歴,検査値)の収集
4. 情報の検索(基本資料→二次資料→一次資料)と収集
5. 情報の評価と再構築
6. 情報の加工
7. 情報の提供(質問や相談への回答)
8. 情報提供後の評価(ex. 患者の症状改善)
9. 情報の蓄積と共有

〔山崎幹夫監:医薬品情報学 補訂版,東京大学出版会,2018 より〕

3 医薬品・医療機器等安全性情報報告制度

A 副作用等の収集・報告・伝達における役割

□ 薬機法第 68 条の 10 第 2 項により,医師,薬剤師その他医療関係者には,健康被害等(副作用・感染症)の情報を厚生労働大臣に報告することが義務付けられている.DI 担当者は医師に対する副作用報告の啓発とともに,病棟薬剤師との連携強化による院内副作用の収集・評価・報告と,そのフィードバックに努める必要がある.

B 重篤な副作用等

□ 重篤な副作用等とは,投与量にかかわらず,医薬品が投与された際に生じたあらゆる好ましくない医療上の出来事のうち,以下の(1)~(6)を指す.
(1) 死に至るもの
(2) 生命を脅かすもの
(3) 治療のための入院または入院期間の延長が必要であるもの
(4) 永続的または顕著な障害・機能不全に陥るもの
(5) 先天異常・先天性欠損をきたすもの
(6) その他の医学的に重要な状態と判断される事象または反応

参考文献

1) 山崎幹夫監:医薬品情報学 第 4 版補訂版,東京大学出版会,2018

(藤田 和美)

第 4 章 薬物療法を理解するための基礎知識

1 臨床上重要な薬物動態・薬力学パラメータと薬物相互作用

A 薬物動態(PK: pharmacokinetics)

- 薬物投与後の吸収・分布・代謝・排泄を表す(薬物の用法・用量と薬物濃度推移との関係).
- 主な PK パラメータは以下の通りである.
- **最高血中濃度到達時間(T_{max})**:薬物投与後に得られる最高血中濃度に到達するまでの時間.
- **半減期($t_{1/2}$)**:薬物濃度が半分になるまでに要する時間.
- **消失速度定数(K_{el})**:薬物が体内から消失するときの速度定数.
- **分布容積(Vd)**:薬物が瞬時に血漿中と等しい濃度で各組織に分布すると仮定したときに求められる容積.
- **クリアランス(CL)**:生体が薬物を除去する能力を時間あたりの体液量(容積/時間)に換算したもの.
- **薬物血中濃度−時間曲線下面積(AUC)**:薬物血中濃度時間曲線と時間軸で囲まれた部分の面積.生体にとり込まれた薬物量を示す.
- **バイオアベイラビリティ(F)**:消化管から吸収され代謝を免れて体循環に到達する薬物の割合.
- **定常状態(SS)**:薬物を繰り返し投与することにより,血中濃度が一定の範囲で上下するようになった状態あるいは持続注入において血中濃度が一定の値になった状態.定常状態に到達するためには半減期の5〜6倍の投与時間が必要である.

B 薬力学(PD: pharmacodynamics)

- 薬物が生体に及ぼす影響を表す(薬物濃度と効果・副作用との関係).PD パラメータの例として抗菌薬の MIC(最小発育阻止濃度)がある.

C PK/PD

- PK と PD を組み合わせて解析することにより「ある用法用量で

薬を投与した場合，どのような作用（有効性・副作用）を示すのか？」を予測することができる．その予測をもとに，薬の効果を最大限得るため，または副作用を軽減するための適切な用法用量を設定することが可能となる．
- 抗菌薬を例にすると，次の3つのパラメータが挙げられる．
- **Time above MIC（%T＞MIC）**：24時間の中で血中濃度がMICを超えている時間の割合．時間依存性作用を有する薬物の指標で，分割投与が有効．ペニシリン系，セフェム系，カルバペネム系など．
- **C_{max}/MIC**：濃度依存性作用を有する薬剤の指標で，1日1回投与が有効．キノロン系，アミノグリコシド系など．長いPAE＊（Post-antibiotic Effect）を示す．
- **AUC/MIC**：時間依存と濃度依存性作用を有する薬剤の指標．グリコペプチド系，マクロライド系薬など．

＊：抗菌薬の血中濃度がMIC以下になっても持続してみられる細菌の増殖抑制作用．

D 薬物相互作用

- **薬物動態学的相互作用**：薬物の吸収，分布，代謝，排泄が他の薬物により影響を受け，血中濃度が変動することによって効果の過剰や減弱が起こる．多くが薬物代謝の阻害あるいは誘導を介するもので，薬物相互作用全体の約40％を占めることが報告されており，その多くがCYPを介した機序である．**表4-1**および**表4-2**に代表的な薬物相互作用の例を示す．
- **薬力学的相互作用**：薬物の体内動態（血中濃度）に変化はないが，受容体などの作用部位での相互作用や同様の薬効重複などによって，効果の増強や減弱が起こる．

参考文献
1) 渡辺彰ほか：抗菌薬 PK-PD 実践テクニック，南江堂，2010
2) 宮崎修一ほか：日常診療に役立つ抗感染症薬の PK-PD，ユニオンエース，2010
3) 一般社団法人日本医療薬学会：医療現場における薬物相互作用へのかかわり方ガイド，2019
4) 日本臨床薬理学会：臨床薬理学第4版，医学書院，2017

（土肥 麻貴子）

表 4-1 主な薬物動態学的相互作用(吸収・分布)

	機序	影響を及ぼす薬物・食品	影響を受ける薬物	影響
吸収	消化管内pH↑	制酸薬(水酸化マグネシム,水酸化アルミニウムなど)	酸性薬物(フェノバルビタール,ワルファリンなど)	吸収量↓
	消化管内pH↓	酸性飲料(コーラなど)	酸性薬物(カルバマゼピン,ケトコナゾールなど)	吸収量↑
	胃内容排泄速度↑	胃腸機能調整薬	アセトアミノフェンなど	吸収速度↑
	胃内容排泄速度↓	抗コリン薬,モルヒネ	多数	吸収速度↓
	吸着	イオン交換樹脂	多数	吸収量↓
	キレート形成	鉄・マグネシウム・アルミニウムを含有する薬物・食品	テトラサイクリン系抗菌薬,ニューキノロン系抗菌薬など	吸収量↓
	腸内細菌叢の変化	抗菌薬	ジゴキシン	吸収量↑
			エチニルエストラジオール	吸収量↓
分布	蛋白結合の競合	サルファ剤,フィブラート系薬	ワルファリン	出血傾向↑
		サルファ剤,アスピリンなど	スルホニル尿素薬	低血糖

〔小林真一ほか:薬物相互作用.:臨床薬理学 第4版(日本臨床薬理学会編),pp146-147,医学書院,2017より〕

表 4-2 主な薬物動態学的相互作用（代謝・排泄）

	分子種など	基質	活性を阻害する薬物・要因	活性を誘導する薬物・要因
代謝	CYP1A2	カフェイン，デュロキセチン，ラメルテオンなど	経口避妊薬，フルボキサミン，シプロフロキサシン，メキシレチンなど	フェニトイン，喫煙など
	CYP2C9	グリメピリド，セレコキシブ，ジクロフェナク，ワルファリンなど	アミオダロン，ブコローム，フルコナゾール，シクロスポリンなど	アプレピタント，カルバマゼピン，フェノバルビタール，リファンピシンなど
	CYP2C19	オメプラゾール，ランソプラゾール，ボリコナゾール，クロバザムなど	フルボキサミン，フルコナゾール，チクロピジンなど	リファンピシン，リトナビルなど
	CYP2D6	タモキシフェン，デキストロメトルファン，トラマドール，プロパフェノン，メトプロロールなど	シナカルセト，デュロキセチン，パロキセチン，キニジン，セレコキシブ，テルビナフィンなど	
	CYP3A4	シンバスタチン，アプレピタント，エベロリムス，クエチアピン，シロリムス，ダサチニブ，トルバプタン，ブデソニド，ミダゾラムなど	クラリスロマイシン，グレープフルーツジュース，シプロフロキサシン，ベラパミル，ボリコナゾール，アプレピタント，エリスロポエチン，シクロスポリン，ジルチアゼム，フルコナゾールなど	エトラビリン，エファビレンツ，カルバマゼピン，セントジョーンズワート，フェニトイン，フェノバルビタール，ボセンタン，リファブチン，リファンピシンなど
排泄	P糖蛋白	ジゴキシン，ダビガトラン，フェキソフェナジンなど	アミオダロン，イトラコナゾール，キニジン，クラリスロマイシン，シクロスポリン，ベラパミルなど	カルバマゼピン，セントジョーンズワート，フェニトイン，リファンピシンなど
	BCRP	サラゾスルファピリジン，ロスバスタチンなど	エルトロンボパグ，クルクミンなど	

〔小林真一ほか：薬物相互作用．：臨床薬理学 第4版（日本臨床薬理学会編），pp150-151，医学書院，2017 より〕

2 主な医薬品の薬物動態データ(TDM対象薬物を中心に)

□ 各指標となる血中濃度域は添付文書上および臨床上有効とされる値を記載している.

分類	薬物名	排泄経路	有効濃度域 (μg/mL)	中毒域 (μg/mL)	主な中毒症状
抗てんかん薬	フェニトイン	肝	10~20	20~	眼振,構音障害,ふらつき
	カルバマゼピン	肝	4~12	8~10	眠気,ふらつき,頭痛
	バルプロ酸	肝	50~100	100~200	振戦,刺激過敏,昏迷
	フェノバルビタール	肝	10~40	30~	鎮静,集中困難,意欲低下
	ゾニサミド	腎肝	10~30	20~	眠気,振戦,運動失調
	ラモトリギン	腎肝	2.5~15	15	眠気,めまい,頭痛
	レベチラセタム	腎	12~46		睡眠障害,頭痛,めまい
強心薬	ジゴキシン	腎	0.5~0.9 ng/mL	1.5 ng/mL~	嘔気・嘔吐,不整脈
抗菌薬	ゲンタマイシン トブラマイシン	腎	グラム陰性菌に対する標準治療 P:≧8~10(MIC≦1 μg/mLの場合) T:<1	T:3~	腎障害,第8脳神経障害
	アミカシン	腎	グラム陰性菌に対する標準治療 P:41~49(MIC≦4 μg/mLの場合) T:<4	T:8~	腎障害,第8脳神経障害
	アルベカシン	腎	P:15~20 T:<2	T:2~	腎障害,耳障害,めまい
	バンコマイシン	腎	T:10~20 重症15~20	T:20~	腎障害,聴覚障害

分類	薬物名	排泄経路	有効濃度域 (μg/mL)	中毒域 (μg/mL)	主な中毒症状
抗菌薬	テイコプラニン	腎	T：15〜30 重症 20〜30	T：40〜	腎障害, 肝障害, 血小板減少
抗菌薬	ボリコナゾール	肝	T≧1〜2	T≧4	肝機能障害, 神経症状
その他	テオフィリン	肝	喘息発作：10〜20 無呼吸：6〜11	20〜	嘔気・嘔吐, 不穏, 不整脈
その他	ハロペリドール	肝	8〜17 ng/mL 小児 3〜10 ng/mL	20 ng/mL〜	錐体外路症状, 低血圧, 昏迷
その他	リチウム	腎	躁病治療 0.6〜1.2 mEq/L 躁病予防 0.4〜0.8 mEq/L	1.5 mEq/L〜	嘔気, 下痢, 痙攣
その他	シクロスポリン	肝	腎移植：100〜400 ng/mL 骨髄移植：150〜250 ng/mL	400 ng/mL〜	腎障害, 高血圧, 脂質異常症
その他	タクロリムス	肝	肝移植：5〜20 ng/mL	20 ng/mL〜	腎障害, 耐糖能異常, 神経障害
その他	メトトレキサート（大量療法）	腎		10 μmol/L〜 （24 hr 後） 1 μmol/L〜 （48 hr 後） 0.1 μmol/L〜 （72 hr 後） ロイコボリン救援療法の強化	骨髄抑制, 粘膜障害, 腎障害

P：ピーク　T：トラフ

参考文献

1) 日本 TDM 学会：抗てんかん薬 TDM 標準化ガイドライン 2018, 金原出版, 2018
2) 日本化学療法学会/日本 TDM 学会 抗菌薬 TDM ガイドライン作成委員会編：改訂版抗菌薬 TDM ガイドライン, 杏林舍, 2016
3) 日本臨床薬理学会編：臨床薬理学 第 4 版, 医学書院, 2017

（平山　晴奈）

第5章 スペシャルポピュレーションに対する薬物療法の注意点

1 腎障害

A 薬物の腎排泄に影響する要因
- **蛋白結合**：血漿蛋白と結合している薬物は糸球体濾過を受けない．また，併用される薬物によっては蛋白結合が競合し，置換が起こる．
- **pH**：弱酸性，弱塩基性薬物は尿 pH に依存してイオン解離度が変化し，再吸収率が変動．
- **尿量**：尿量により，尿細管腔の薬物濃度，排泄速度が変化．
- **併用薬物**：同一の輸送系を介し能動分泌される薬物では拮抗阻害により尿細管分泌が低下．

B 腎障害時における薬物動態の変動
- **吸収**：一般に，腎不全時でも吸収および初回通過効果は不変．
- **分布**：蛋白結合率の低下により，半減期が短縮する薬物がある．例として，フェニトイン，バルプロ酸，ワルファリンなど．また，蛋白結合率が高い薬物では，腎不全で遊離型濃度が上昇．例として，フェニトイン，バルプロ酸など．
- **代謝**：腎不全時に腎外クリアランスが変動する薬物がある．
- **排泄**：腎障害の程度により薬物動態が変動．糸球体，尿細管など，部位の障害度により排泄挙動が異なる場合もある．

C 腎機能の評価（腎クリアランスの推定）

① Cockcroft-Gault 式

Ccr(mL/分) = (140 − 年齢) × 体重/72 × Scr
（女性：0.85 倍）

- この式は頻用されるが，筋肉量，蛋白摂取量に影響される．また高齢者ではクレアチニンの産生量が低下しており，クリアランスが過大評価される可能性がある．さらに，定常状態での式であり，急性期の病態には対応できないなどの問題がある．

② 標準化 eGFR（日本腎臓学会）

標準化 eGFR（mL/分/1.73 m²）= $194 \times Scr^{-1.094} \times 年齢^{-0.287}$

（女性：0.739 倍，Scr：酵素法による）

- 小柄な高齢者の場合，eGFR が過大評価されることがある．
- 慢性腎臓病の重症度分類時に使用．

③ 個別 eGFR

(1) 個別 eGFR（mL/分）= 標準化 eGFR × 体表面積/1.73

［体表面積（m²）= 体重（kg）$^{0.425}$ × 身長（cm）$^{0.725}$ × 0.007184（Du Bois 式）］

(2) 個別 eGFR（mL/分）= $0.806 \times 年齢^{-0.287} \times Scr^{-1.094} \times$ 体重（kg）$^{0.425}$ × 身長（cm）$^{0.725}$

（女性：0.739 倍）

- 明らかに標準体格でない症例に対しては，最初から(2)式でも可．
- 薬物投与設計時に使用（ただし，投与量が mg/kg や mg/m² の薬物では標準化 eGFR 使用）．

④ シスタチン C

（Hoek の式）

GFR（mL/分/1.73 m²）= $-4.32 + 80.35 \times 1/$シスタチン C

男性　eGFR（mL/分/1.73 m²）
　　　= (104 × シスタチン C$^{-1.019}$ × $0.996^{年齢}$) − 8

女性　eGFR（mL/分/1.73 m²）
　　　= (104 × シスタチン C$^{-1.019}$ × $0.996^{年齢}$ × 0.929) − 8

18 歳未満　eGFR（mL/分/1.73 m²）
　　　= 104.1 × 1/シスタチン C − 7.8

- 蛋白摂取量や筋肉量に影響されにくく，特異性が高い．
- 個別 eGFR は「体表面積/1.73」倍して算出．

D 投与設計（表 5-1）

- 腎障害時における薬物投与時には，1回投与量の減量，あるいは投与間隔の延長で対応する．簡便な方法として，Giusti-Hayton 法を用いた方法（表 5-2）がある．

投与補正係数（R）= 1 − 尿中排泄率 × (1 − 腎不全患者の Ccr/100)

※ Scr：Jaffe 法による

投与補正係数（R）= 1 − 尿中排泄率 × (1 − 腎不全患者の Ccr/125)

※ Scr：酵素法による

表 5-1 腎障害患者への投与設計例

使用する薬物を選択し，活性体の尿中排泄などの薬物動態パラメータを確認
⬇
患者の腎機能を確認
⬇
初回投与量を設定（通常，腎不全でも減量しない）
初回負荷量＝期待血清濃度×分布容積(L/kg)×体重
⬇
維持投与量，投与間隔の設定（Giusti-Hayton 法）
時間依存性薬物では，1 回投与量減量
濃度依存性薬物では，投与間隔を延長
⬇
薬物相互作用のチェック
⬇ （必要に応じ，TDM）
追加投与量の決定

〔平田純生ほか編著：透析患者への投薬ガイドブック 改訂 3 版, pp179-180. じほう，2017 より〕

表 5-2 腎機能に応じた投与補正係数（Giusti and Hayton 法）

尿中活性体排泄率(%)	Ccr(mL/分)				
	0	10	30	50	100
10	0.9	0.91	0.93	0.95	1.0
20	0.8	0.82	0.86	0.90	1.0
30	0.7	0.73	0.79	0.85	1.0
40	0.6	0.64	0.72	0.80	1.0
50	0.5	0.55	0.65	0.75	1.0
60	0.4	0.46	0.58	0.70	1.0
70	0.3	0.37	0.51	0.65	1.0
80	0.2	0.28	0.44	0.60	1.0
90	0.1	0.19	0.37	0.55	1.0
100	0	0.10	0.30	0.50	1.0

1) 1 回投与量を減量する方法：
   腎障害患者への投与量＝常用量×R
2) 投与間隔を延長する方法：投与間隔＝通常投与間隔×1/R

表 5-3 薬物性腎障害の分類と発生機序・特徴

分類		発生機序	代表的原因薬物
急性尿細管壊死		腎毒性物質の使用が多いほど，腎障害の発生率増加．主に，尿細管に取り込まれ，細胞死をもたらす	アミノ配糖体抗菌薬，セフェム系抗菌薬，シスプラチン，アムホテリシン，造影剤など
腎前性腎不全		腎血流量・糸球体濾過圧低下	利尿薬，ACE 阻害薬，ARB，NSAIDs，造影剤など
急性間質性腎炎		薬剤の使用期間・使用量に関係なく発症	β-ラクタム系抗菌薬，サルファ剤，ニューキノロン系抗菌薬，NSAIDs，利尿薬など
糸球体腎炎		糸球体に炎症性病変を生じる	サルファ剤，アロプリノール，ペニシラミンなど
ネフローゼ症候群	微小変化型	高度の蛋白尿	NSAIDs，プロベネシドなど
	膜性腎症	免疫複合体の形成・沈着	ブシラミン，金製剤など
閉塞性腎障害		尿濃縮機構により尿細管内での薬物濃度が上昇，薬物によっては結晶化により尿細管腔閉塞	メトトレキサート，サルファ剤，アシクロビルなど
溶血性尿毒症症候群		腎糸球体内皮細胞障害により，血栓形成	チクロピジン，キニジン，シクロスポリンなど
慢性尿細管間質性腎炎		病変が慢性に経過．間質の線維化が進行	PPI など

E ノモグラム
□ 投与量や投与間隔をより簡便に設定する方法として，ノモグラムを用いた方法がある．

F 薬物性腎障害
□ 薬物投与により，腎障害が惹起されることがある．**表 5-3** に薬物性腎障害の分類と発症機序を示す．

G 薬物性腎障害の危険因子と発症時の処置
□ **危険因子**：高齢，血管内脱水・腎虚血，糖尿病，先行する腎障害，腎障害を惹起する物質の併用，心不全，多発性骨髄腫，薬剤性アレルギーの既往など．
□ **発症時の処置**：原因物質の中止・減量，水電解質不足や血圧など

の障害促進因子の是正，利尿薬や尿アルカリ化薬による排泄促進，拮抗薬の投与，ステロイド薬の使用，透析導入など．

2 透析

A 透析の種類
- **間欠的血液浄化法**：血液透析(HD)，血液濾過(HF)，血液濾過透析(HDF)，腹膜透析(PD)
- **持続的血液浄化法**：持続的血液濾過(CHF)，持続的血液濾過透析(CHDF)，持続的携帯腹膜透析(CAPD)
- 血液吸着療法(HA)・血漿吸着療法(PA)
- 血漿交換療法(PE)

B 透析(末期腎不全)時における薬物動態の変動
- **吸収**：一般に，透析患者と腎機能正常者で薬物の消化管吸収に著明な差はない．ただし，消化管の浮腫や運動障害により吸収率に変化がみられる場合がある．
- **分布**：腎不全では蛋白結合率が低下．また，分布容積にも変化がみられることがある．
- **排泄**：腎排泄型薬物では排泄が高度に低下．胆汁排泄型薬物では，排泄はほとんど変化しないが，薬物によっては腎外クリアランスが変化する．肝・腎で同程度に排泄される薬物の場合には，中等度に排泄が低下．

C 透析時における注意点
- 薬物の活性体がほぼ肝代謝，あるいは胆汁排泄の場合，透析による動態への影響は小さい．
- 分布容積が大きな薬物(遊離型分率が小さい薬物)は除去されにくい．
- 蛋白結合率が高い薬物は除去されにくい．
- 分子量が2,000以上の薬物は，除去されにくい(膜・時間による)．
- ダイアライザーのポアサイズが大きい，高性能膜では除去されやすい．
- 水溶性薬物は除去されやすい．

3 肝障害

A 肝機能の評価
- 肝障害時における薬物投与量を定量的に補正するための簡便な指標はない. 現時点では, 肝機能の評価にChild-Pugh分類(**表5-4**)を用いることが多い.

B 肝障害時における薬物動態の変動
① 肝血流量
- 健常人では約1,500 mL/分である. 急性肝疾患になっても肝血流量はほぼ不変.

② 肝代謝能
- 肝硬変, 劇症肝炎など重篤な肝障害時には機能する肝細胞量が著明に減少し, 薬物代謝酵素活性は低下. 肝代謝型薬物は低用量から開始する.
- 薬物の肝クリアランスが有意に減少するのはChild-Pugh分類Cの場合.
- 軽・中等度の肝硬変および肝移植待機患者の肝予備能は, MELDスコアで評価.

③ 蛋白結合
- 劇症肝炎では低Alb血症, 腹水, 血液凝固不全, 肝性脳症などが出現. 劇症肝炎では, 肝固有クリアランスが著明に低下, 血漿

表5-4 Child-Pugh分類

	1	2	3
脳症	なし	軽度(1〜2度)	ときどき昏睡(3〜4度)
腹水	なし	軽度(コントロール可能)	中等量以上(コントロール困難)
血清ビリルビン濃度 (mg/dL)	<2.0	2.0〜3.0	3.0<
血清アルブミン濃度 (g/dL)	3.5<	2.8〜3.5	<2.8
プロトロンビン活性 (%)	70<	40〜70	<40

Child-Pugh分類A:5〜6点, 同B:7〜9点, 同C:10〜15点

蛋白結合率も低下.

C 病態別の特徴

- **急性肝炎**：急性黄疸を伴う場合には，血漿ビリルビン濃度が増加し，遊離型濃度が上昇.
- **肝硬変や重篤な肝不全**：門脈体循環シャントの形成と Alb 合成低下から肝血流量が低下，血漿蛋白結合率が変化し，クリアランスが低下する．また，胆汁うっ滞による胆汁からの排泄低下や凝固因子の産生低下がみられる．

D 肝障害時における薬物投与時の対応

- **抗不安薬，抗てんかん薬**：肝硬変患者では，抗不安薬や麻薬性鎮痛薬などで中枢神経抑制効果の増強や，肝性脳症の誘発がしばしば認められる．フェニトインやバルプロ酸は Alb との結合性が強く，分布容積も小さいため，遊離型薬物濃度が上昇しやすく，低 Alb 血症の患者では有効治療域内であっても中毒を起こす可能性がある．遊離型薬物濃度の上昇は，低 Alb 血症（3.0 mg/dL 以下）で著明な薬効の増強をもたらす．必要に応じて Alb の補給により，低 Alb 血症を補正するか，薬物を減量する必要がある．ラモトリギン，レベチラセタム，ラコサミド，ペランパネルでは，肝障害に伴うクリアランス低下などにより用法・用量が制限されている（ラコサミドとペランパネルは重度肝機能障害患者で禁忌）．
- **抗菌薬**：セフェム系，ペニシリン系，アミノグリコシド系抗菌薬の多くは肝障害に伴う薬効への影響は少ない．ただし，胆汁排泄型では排泄が遅延し，薬効が増強することがある．
- **降圧薬**：Ca 拮抗薬の多くは重篤な肝機能障害時に減量する．肝硬変患者ではプロプラノロールの半減期が約3倍に延長．ACE 阻害薬のうち，プロドラッグ型薬物は肝障害時に活性型への変換が遅延し，降圧効果の発現が遅れることがある．肝硬変患者では ARB のクリアランスが低下．
- **その他**：肝障害時，ワルファリンでは効果が増強されるが，テガフールでは効果が減弱．

E 薬物性肝障害

- 薬物性肝障害は大きく2つに分けられる．
- **中毒性肝障害**：用量依存的．自覚症状として，全身倦怠感，悪

心,皮膚掻痒感,黄疸,発熱など.発症機序は,薬物自体,活性代謝物,代謝反応により生じたフリーラジカルなどが肝細胞と直接反応することによる.抗菌薬,サルファ薬,抗結核薬,抗がん薬,解熱薬,鎮痛薬,消炎薬,精神疾患治療薬,ステロイド,循環器用薬,各種サプリメントなどあらゆる薬剤にて起こりうる.
- □ **アレルギー性肝障害**:投与量に関係なく発現.体質依存的なため,発症予測が困難.自覚症状として,発熱,発疹,好酸球増多などのアレルギー症状を呈する.薬物リンパ球幼若化刺激試験で陽性なら有意な所見(陽性率45%).肝で生成した代謝物が蛋白と結合して抗原性を獲得することにより惹起される.起因薬物として,抗菌薬,抗がん薬など.

4 小児

- □ 新生児・小児の特徴を示す(**表5-5, 6**).成人の小型ではない点に注意.

A 薬物動態上の特徴

- □ **吸収**:低出生体重児の表皮は薄いため,薬物の吸収率が高い.また,体表面積の体重に対する比が高いため,特に外用薬の吸収に注意.
- □ **分布**:新生児期には全体水分量が約80%と水分率が高く,かつ細胞外液量が多いため,水溶性薬物の分布容積が大きくなる.新生児は血中アルブミン濃度やα_1-酸性糖蛋白(AAG)濃度が低い(血中薬物の総濃度は下がるが,遊離型濃度はほぼ影響を受けない).新生児では,ビリルビンとAlbの結合を競合する薬物(ST合剤など)は核黄疸を惹起する可能性があるため禁忌.
- □ **代謝**:薬物代謝酵素活性が成熟に伴い変化(生後2歳までは単位肝重量あたりの活性が急速に発達).また,小児の特定の年齢群でクリアランスが成人よりも高くなることがある.例として,カルバマゼピン,テオフィリン,ジゴキシンなど.
- □ **排泄**:GFRおよび尿細管分泌能は出生後8〜12か月で成人値に近づく.発達に伴うGFRの変化は,主に糸球体濾過により排泄される水溶性薬物(アミノグリコシド系薬物,バンコマイシン,ファモチジンなど)の動態に大きな影響を与える.

表 5-5 新生児における変動と成人レベルに到達する時期

薬物動態の過程	影響因子		新生児	成人レベルに到達する時期
吸収	胃内 pH		↑	1～2 年
	胃内容排出		↓	8～12 か月
	経皮吸収		↓	3～5 年
	筋注後吸収		↓	12 か月
分布	血漿蛋白結合	酸性薬物	↓	12 か月
		塩基性薬物	↓↓	3～4 年
	分布容積	水溶性薬物	↑	3～5 年
		脂溶性薬物	↓	3～5 年
	血液脳関門		未発達	1～2 年
代謝	肝血流量		↓	6 か月
	薬物代謝		↓～↓↓↓	1 か月～5 年
排泄	糸球体濾過速度		↓	4～8 か月
	腎尿細管分泌		↓↓	8～12 か月
	腎尿細管再吸収		↓	3 か月
	尿 pH		↓	2～3 か月

〔川上純一：小児薬剤投与法の原則．水口雅ほか編：今日の治療指針 第 17 版．p925, 医学書院, 2020 より〕

表 5-6 日本人における年齢別平均体重

月齢年齢	新生児	3 か月	6 か月	1 歳	2 歳	3 歳	4 歳
体重(kg)	3	6	8	10	12	14	16

月齢年齢	5 歳	6 歳	8 歳	9 歳	10 歳	12 歳
体重(kg)	18	21	27	30	34	44

〔厚生労働省雇用均等・児童家庭局「平成 12 年乳幼児身体発育調査報告書」と文部科学省生涯学習政策局「平成 20 年度学校保健統計調査」より〕

B 小児薬用量

□ 小児薬用量の算出法はいくつかある(表 5-7, 8)．体表面積を指標に用量を補正するほうが望ましい．

表 5-7 体表面積による von Harnack の換算表

月齢年齢	3か月	6か月	1歳	3歳	7歳6か月	12歳	成人
薬用量比	1/6	1/5	1/4	1/3	1/2	2/3	1

表 5-8 代表的な小児薬用量の換算式

換算比	換算式名称	換算式	使用する際の注意
年齢	Young 式	成人薬用量×年齢/(年齢+12)	2歳以上に使用
	Fried 式	成人薬用量×月齢/150	1歳未満に使用
体重	Clark 式	成人薬用量×体重(ポンド*)/150	2歳以上に使用
	Hamburger 式	成人薬用量×体重(kg)/70	
体表面積	Crawford 式	成人薬用量×体表面積(m^2)/1.73	
	AugsbergerⅡ式	成人薬用量×(年齢×4+20)/100	年齢を使用した体表面積近似式

＊1ポンド(lb) = 0.4536 キログラム(kg)

5 妊婦・授乳婦

A 妊婦

□ 妊婦・授乳婦において，胎盤透過性，催奇形性，乳汁への移行性に注意．

① 妊娠中の薬物動態

□ 妊娠初期・中期に腎機能が亢進し，薬物の排泄が早まる．
□ 妊娠中期以降，アルブミン量は不変だが母体血漿容量が増加するため血漿アルブミン濃度は妊娠の進行とともに低下し，遊離型薬物濃度は増加(つまり分布容積が増加)．
□ 胃内容排出時間が低下．
□ 心拍出量，肝臓・腎臓血流量が増加．
□ 薬物代謝能が上昇(CYP1A2 は低下)．

② 出産に伴う母体の変化

□ 妊娠中は血漿アルブミン濃度が低下するため，薬物の蛋白結合が低下するが，分娩後5〜7週間でほぼ正常域に戻る．

③ 胎児毒性

- 母体が摂取した薬剤が胎盤を通過し,胎児に移行して胎児の体内で作用することにより生じる有害作用のこと.
- 胎児毒性が懸念される薬剤として,NSAIDs,ACE 阻害薬,ARB,アルキル化薬,アミノグリコシド系抗菌薬,テトラサイクリン系抗菌薬,抗凝固薬など.

④ 胎盤の通過性を規定する薬剤の性質

- 母体に存在する遊離型薬物が受動拡散によって胎盤を通過して胎児へ移行する.このときの移行速度は母体と胎児間の濃度勾配による.
- 一般に通過しやすい薬物の特徴は,1)分子量が 300〜600 以下,2)脂溶性が高い,である.一方,通過しにくい薬物の特徴は,1)分子量が 1,000 以上,2)イオン化が強い,3)蛋白結合率が高い,である.

⑤ 催奇形性(図 5-1)

- **All or none の法則**:薬剤の影響を受けた精子や卵子は受精能力を失う.受精しても着床せず,流産して淘汰される.
- **妊娠 4 週から 7 週末(絶対過敏期,臨界期)**:胎児の中枢神経,心臓,消化器,四肢などの重要臓器の発生・分化.
- **8 週から 15 週末**:胎児の重要な器官形成が終了.ただし,薬剤に対する感受性が消失するわけでない.
- **16 週から分娩まで**:胎児毒性として胎児の機能的発育に及ぼす影響は,発育の抑制,子宮内胎児死亡.分娩直前では新生児の適応障害,薬剤の離脱障害.

⑥ 妊娠中の服薬に関するリスクのカテゴリー

- リスク分類として,アメリカ FDA 分類やオーストラリア分類があり,薬剤選択時の参考情報となる.

B 授乳婦

① 薬物の乳汁移行

- 脂溶性薬物は,母乳中へ容易に移行.
- 水溶性で分子量が小さい薬物は細孔を通じて母乳中に移行.
- 血漿蛋白結合率が高い薬物は低移行性.
- 母体血漿の pH は約 7.4,成乳の pH は約 7.2 であり,弱塩基性薬物は移行しやすい.

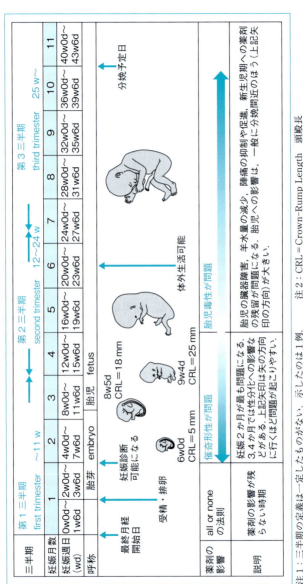

図 5-1 妊娠の経過と薬剤の影響
[佐藤孝道：総論 I 妊娠中・授乳中の薬剤についての基礎知識．林昌洋ほか編：実践妊娠と薬 第2版．p3，じほう，2010 より]

注1：三半期の定義は一定したものがない．示したのは1例．　注2：CRL＝Crown-Rump Length 頭殿長

②乳児の薬剤摂取量

乳児の母乳からの薬物摂取量
　＝哺乳量×M/P 比×授乳時の平均血漿中薬物濃度

（M/P 比：母乳中と母体血中における薬物濃度比）

参考文献

1) 乾賢一ほか編：腎機能別薬剤使用マニュアル 第3版,じほう,2010
2) 平田純生ほか編著：透析患者への投薬ガイドブック 改訂3版,じほう,2017
3) 平田純生編著：腎不全時の薬物投与一覧 腎不全と薬の使い方 Q&A,じほう,2005
4) 福井次矢ほか編：今日の治療指針 2020,医学書院,2020
5) 日本臨床薬理学会編：臨床薬理学 第4版,医学書院,2017
6) 水口　雅ほか編：今日の小児治療指針 第16版,医学書院,2015
7) 林昌洋ほか編：実践　妊娠と薬 第2版,じほう,2010
8) 伊藤真也ほか編：薬物治療コンサルテーション 妊娠と授乳 改訂3版,南山堂,2020

〈安藤　基純〉

第6章 高齢者に対する薬物療法の注意点

□ 高齢者は加齢に伴う生理学的変化や疾患上の要因から若年者と比べて薬物療法の問題が生じやすい.

1 特徴

A 高齢者における薬物動態の変動

□ 高齢者においては各種臓器機能の低下とともに薬物動態に種々の影響を生じる(表6-1). 加齢による吸収過程への影響は少ないとされているが, 薬剤によっては吸収の増加や初回通過効果の低下によるバイオアベイラビリティの増加に注意すべきである. また, 代謝過程においては, 特に第I相が加齢の影響を受ける. さらに, 筋肉量が減少するために, 腎機能が低下しても血清クレアチニンが見かけ上, 正常値を示す場合があることに注意.

B 老年症候群と薬物有害事象[1]

□ 老年症候群:加齢による臓器機能の低下によって引き起こされるさまざまな症状や徴候の総称.
□ フレイル:加齢により生理学的予備能が低下することでストレスに対する脆弱性が亢進した要介護状態の前段階.
□ こうした状態では前述の薬物動態の変化を基に若年者と比較して薬剤の影響が強く現れやすく, 薬剤に起因した老年症候群も引き起こされやすい点に注意が必要である[1]. 主な症候と原因になりやすい薬剤について表6-2に示す. こうした薬剤では服用開始前後の症状変化の慎重な観察が必要である. また, 薬剤に起因した老年症候群が疑われる場合には, 処方の中止・減量あるいは, より安全な薬剤への変更を検討する.

C 高齢者における薬物有害事象の要因

□ 高齢者におけるさまざまな特徴が薬物有害事象の増加に関連する(表6-3). これらのうち薬物動態学的な機能変化に基づく薬剤感受性の増大と多剤服用は重要な要因である.

表 6-1　高齢者における薬物動態の変動

	生理学的変化	基礎疾患/既往疾患	薬物血中濃度	臨床効果
吸収	胃腸管血流量↓	無酸症	減少	減少
	胃内 pH↑	下痢		
	消化管吸収表面積↓	胃切除,膵炎		
	消化管運動↓	吸収不良症候群		
分布	心拍出量↓	心不全	上昇(水溶性薬物)	増強
	体内水分量↓ 体内脂肪↑	脱水,浮腫	不変(脂溶性薬物)	組織への蓄積により増強
	血中アルブミン↓	肝不全,低栄養,腎不全	遊離型が一時的に上昇	一時的に増強
代謝	肝重量↓	肝不全	上昇(特に,肝代謝型薬物)	増強
	肝酵素活性↓	心不全,発熱疾患		
	肝血流量↓			
排泄	腎血流量↓	腎疾患	上昇(特に,腎排泄型薬物)	増強
	糸球体濾過速度↓			
	尿細管分泌↓			

〔大西明弘:高齢者における薬物動態の特徴.臨床薬理 39:5, 2008 より〕

□ 認知機能,視力・聴力,手指機能の低下といった服薬管理能力に直結する症状は服薬アドヒアランスの低下に影響する要因として評価しておく[2].

2　ポリファーマシー

□ 高齢者では複数の疾患が併存することから多剤服用状態になりやすい.薬物有害事象発生に関する報告[3,4]から5〜6剤以上の多剤服用をポリファーマシーの目安にする.

A 原因

□ 併存疾患の増加や,それらに対する単一疾患ごとのガイドラインを中心とした診療,不十分な薬剤情報の把握,対症療法的な処方の増加,患者・家族の薬剤への過度の期待[2].

表6-2 薬剤起因性老年症候群と主な原因薬剤

症候	薬剤
ふらつき・転倒	・降圧薬(特に中枢性降圧薬, α遮断薬, β遮断薬) ・睡眠薬 ・抗不安薬 ・三環系抗うつ薬 ・抗てんかん薬 ・フェノチアジン系抗精神病薬 ・抗パーキンソン病薬(トリヘキシフェニジル) ・抗ヒスタミン薬
抑うつ	・中枢性降圧薬 ・β遮断薬 ・ヒスタミンH_2受容体拮抗薬 ・抗不安薬 ・抗精神病薬 ・抗甲状腺薬
認知機能障害	・降圧薬(中枢性降圧薬, α遮断薬, β遮断薬) ・睡眠薬・抗不安薬(ベンゾジアゼピン) ・三環系抗うつ薬 ・抗てんかん薬 ・フェノチアジン系抗精神病薬 ・抗パーキンソン病薬 ・抗ヒスタミン薬(ヒスタミンH_2受容体拮抗薬含む)
せん妄	・抗パーキンソン病薬 ・睡眠薬 ・抗不安薬 ・三環系抗うつ薬 ・抗ヒスタミン薬(ヒスタミンH_2受容体拮抗薬含む)・降圧薬(中枢性降圧薬, β遮断薬) ・ジギタリス ・抗不整脈薬(リドカイン, メキシレチン) ・気管支拡張薬(テオフィリン, アミノフィリン) ・副腎皮質ステロイド
食欲低下	・非ステロイド性抗炎症薬(NSAIDs) ・アスピリン ・緩下剤 ・抗菌薬 ・ビスホスホネート系薬 ・抗不安薬 ・抗精神病薬 ・トリヘキシフェニジル
便秘	・睡眠薬・抗不安薬(ベンゾジアゼピン) ・三環系抗うつ薬 ・膀胱鎮痙薬 ・腸管鎮痙薬(ブチルスコポラミン, プロパンテリン) ・ヒスタミンH_2受容体拮抗薬 ・α-グルコシダーゼ阻害薬 ・フェノチアジン系抗精神病薬 ・トリヘキシフェニジル
排尿障害・尿失禁	・三環系抗うつ薬 ・腸管鎮痙薬(ブチルスコポラミン, プロパンテリン) ・膀胱鎮痙薬 ・ヒスタミンH_2受容体拮抗薬 ・睡眠薬・抗不安薬(ベンゾジアゼピン) ・フェノチアジン系抗精神病薬 ・トリヘキシフェニジル ・α遮断薬 ・利尿薬

〔秋下雅弘:ポリファーマシーの実態と問題点. 秋下雅弘(編):高齢者のポリファーマシー, p6, 南山堂, 2016より〕

表 6-3　高齢者で薬物有害事象が増加する要因

疾患上の要因	・複数の疾患を有する ➡ 多剤服用，併科受診 ・慢性疾患が多い ➡ 長期服用 ・症候が非定型的 ➡ 誤診に基づく誤投薬，対症療法による多剤併用
機能上の要因	・臓器予備能の低下（薬物動態の加齢変化）➡ 過量投与 ・認知機能，視力，聴力の低下 ➡ コンプライアンス低下，誤服用
社会的要因	・過少投与 ➡ 投薬中断

〔日本老年医学会編：高齢者の安全な薬物療法ガイドライン 2015 より〕

B 問題点

☐ 服薬における QOL の低下，アドヒアランスの低下，服薬過誤の危険性，薬物間相互作用や薬物-疾患間相互作用の増加が挙げられ，これらを背景とした薬物有害事象の危険性を孕んでいる[2]．

☐ 薬剤費の増大は，医療経済的にも患者自身の生計にとっても問題となる．

☐ 6 剤以上のポリファーマシーが薬物有害事象の増加に関連するという日本の高齢入院患者における報告[3]を始め多剤服用は薬物有害事象発生の要因と考えられている．患者にとってよりよい薬物療法を目標に，潜在的に不適切な処方（PIM：potentially inappropriate medications）を把握して現在の処方を見つめ直す姿勢が求められる．

3 ガイドラインと実践的アプローチ

A 高齢者における処方適正化のためのスクリーニングツール

☐ 高齢者にとって薬物有害事象のリスクが懸念される処方を検出するための薬剤リストとして代表的なものを以下に示す．これらはあくまでもスクリーニングツールであり，患者への適応には個別の判断が伴う．

① Beers criteria（米国老年医学会）[5]

☐ PIM を検出するための薬剤リスト．

② STOPP/START criteria[6]

- Screening Tool of Older Persons' Prescriptions(STOPP)と Screening Tool to Alert doctors to Right Treatment(START)の2つの基準からなる．避けるべき薬剤だけでなく，その必要性から使用すべき薬剤についてもSTARTとしてリストアップされている．

③ 高齢者の安全な薬物療法ガイドライン2015[2]

- 「特に慎重な投与を要する薬剤(29項目)」と「開始を考慮するべき薬剤(8項目)」がそれぞれ有害事象の回避，過少医療の回避の目的で列挙されている．薬剤師による薬学的問題点への関与にも言及．リストの使用フローチャートも参考にできる．

B 処方整理の実践

- **Deprescribing(減処方)**：各薬剤におけるリスク・ベネフィットを評価し，処方を減らすプロセス．前述のスクリーニングツールを用いて検出した処方を単に減らすだけでなく，患者の薬物治療に対する価値観・想いを把握すること，およびこれに基づいて全体的な目標を定めることが重要．
- 患者ごとに個々の服薬の妥当性を評価する「deprescribing プロトコル」[7]を以下に示す(図6-1)．

① 患者が使用しているすべての薬剤とその処方理由を確認

- 複数の医療機関からの処方や市販薬を含むすべての服用薬剤をリストアップし，同時に適応やアドヒアランスを確認する．

② 薬物有害事象の全体的なリスクを把握し，積極的介入の必要性について評価

- 薬剤面(薬剤数，ハイリスク薬，副作用歴など)，患者面(年齢，認知機能，多疾患併存，複数処方医の存在，アドヒアランス不良など)のリスクを評価する．

③ 各薬剤の潜在的なリスク・ベネフィットを評価して中止の妥当性を検討

- PIMの可能性のある処方を検出して中止の妥当性を検討する．エビデンスに基づいて作成された前述のスクリーニングツールを利用する．対症療法薬や予防薬についても現在の症状やエビデンスから妥当性を見直す．

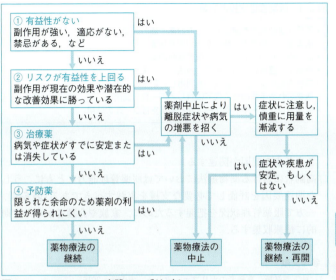

図 6-1 deprescribing 実践アルゴリズム
〔Scott IA, et al：Reducing inappropriate polypharmacy：the process of deprescribing. JAMA Intern Med 175：827-834, 2015 より〕

④中止する薬剤の優先順位を決める
- リスク・ベネフィットのバランス，中断しやすさ（離脱症状や症状増悪を考慮），患者の希望を考慮して中止薬剤を決定する．

⑤ deprescribing を実施し経過（アウトカムの改善や副作用発現）を注意深く観察
- 処方の中止・減量は一度に 1 剤ずつ実践することが望ましい（病態変化の原因を特定するため）．患者に対しては中止・減量に伴い，起こり得る症状と対応について共有する．

C 服薬管理支援[2]
- 服薬アドヒアランスの低下は薬剤の本来の効果を減弱するのみならず，ひいては薬物有害事象の要因になりうる．アドヒアランスの低下には認知機能の低下，視力・聴力，手指の巧緻運動障害，多剤服用，嚥下障害，薬局までのアクセス不良，経済的事情など

表6-4　服薬管理支援の方策

- 不要な重複処方を避けるためのお薬手帳の活用
- 服薬意義や用法の理解のための服薬指導
- 配合剤を利用するなどした服用錠数の減少
- 患者や介護者にとって簡便な用法面の工夫
- 口腔内崩壊錠や貼付剤などを利用した剤型の工夫
- 服薬忘れや手指機能の低下に対しての一包化調剤
- 服薬カレンダーやお薬ケースなど服薬支援ツールの活用

さまざまな要因が関連する.

□ 高齢者における薬物療法においては服薬管理能力とともにこうした関連要因を評価して必要な支援を実践すべきである(**表6-4**). 一方で服薬管理状況を把握するために, 家族や介護者からも定期的に情報収集する.

参考文献

1) 秋下雅弘編：高齢者のポリファーマシー, 南山堂, 2016
2) 日本老年医学会編：高齢者の安全な薬物療法ガイドライン2015, メジカルビュー社, 2015
3) Kojima T, et al：Geriatr Gerontol Int. 2012 Oct；12(4)：761-2.(PMID：22998384)
4) Gnjidic D, et al：J Clin Epidemiol. 2012 Sep；65(9)：989-95.(PMID：22742913)
5) American Geriatrics Society 2019 Beers Criteria Update Expert Panel：J Am Geriatr Soc. 2019 Apr；67(4)：674-94.(PMID：30693946)
6) O'Mahony D, et al：Age Ageing. 2015 Mar；44(2)：213-8.(PMID：25324330)
7) Scott IA, et al：JAMA Intern Med. 2015 May；175(5)：827-34.(PMID：25798731)

(入江 慶)

第7章 病態を理解するための主な検査

※基準値は施設，測定機器により若干異なる．疾患・病態は代表的なもの．

1 生化学検査

検査項目	基準値(単位)	高値となる疾患・病態	低値となる疾患・病態
ナトリウム (Na)	136〜144 (mEq/L)	尿崩症，脱水，原発性アルドステロン症	SIADH，肝硬変，水中毒症，Na摂取減少
クロール (Cl)	96〜107 (mEq/L)	呼吸性アルカローシス，Cl摂取増加	代謝性アルカローシス，嘔吐，アジソン病
カリウム (K)	3.5〜5.0 (mEq/L)	腎不全，アジソン病，低アルドステロン症，薬物(ARB，K保持性利尿剤)	嘔吐，下痢，摂取減少，利尿剤，Mg欠乏
マグネシウム(Mg)	1.9〜2.5 (mg/dL)	腎不全，甲状腺機能低下，ビタミンD投与	P欠乏，高Ca血症，利尿剤投与，アルコール依存症
カルシウム (Ca)	8.5〜10.4 (mg/dL)	甲状腺機能亢進症，サルコイドーシス，多発性骨髄腫，悪性腫瘍(骨転移)	副甲状腺機能低下症，ビタミンD欠乏症，慢性腎不全
リン(P)	2.5〜4.5 (mg/dL)	副甲状腺機能低下症，腎不全，摂取増加	ビタミンD欠乏症，制酸薬(Mg，Al等)投与，低栄養
血漿浸透圧	280〜292 (mOsm/kgH$_2$O)	脱水，尿崩症(中枢性・腎性)，原発性アルドステロン症，Cushing症候群，糖尿病，高窒素血症，高乳酸血症	副腎不全，嘔吐・下痢，SIADH，下垂体機能低下症，うっ血性心不全，肝硬変，ネフローゼ症候群，心因性多飲，輸液過剰
AST	8〜40(IU/L)	肝炎，肝癌，肝硬変，溶血，筋疾患，心筋梗塞	透析

検査項目	基準値（単位）	高値となる疾患・病態	低値となる疾患・病態
ALT	8〜40(IU/L)	肝炎，肝癌，肝硬変	透析
γ-GTP	<50(IU/L)	慢性肝炎，肝硬変，胆汁うっ滞，アルコール性・薬物性肝障害	
コリンエステラーゼ(ChE)	165〜470(IU/L)	脂肪肝，ネフローゼ症候群，甲状腺機能亢進症，糖尿病，肥満	肝硬変，劇症肝炎，消耗性疾患，ChE 阻害剤投与，有機リン中毒，低栄養
血中アンモニア(NH3)	20〜70(μg/dL)	肝硬変等の肝機能障害，アミノ酸代謝異常症	低蛋白血症，貧血
ビリルビン(BIL)	総：0.2〜1.2 直接：0〜0.2 間接：0.2〜1.0 (mg/dL)	直接↑：閉塞性黄疸，肝炎，肝硬変 間接↑：溶血性貧血	
アルカリフォスファターゼ(ALP)	100〜325(IU/L)	肝・胆道・骨疾患，副甲状腺機能亢進症，慢性腎不全	低栄養，亜鉛欠乏
乳酸脱水素酵素(LD, LDH)	124〜222(IU/L)	溶血性貧血，心筋梗塞，白血病，悪性腫瘍，肝炎，多発性筋炎	
アミラーゼ(AMY)	39〜134(U/L)	膵疾患，耳下腺炎，子宮外妊娠，腸閉塞，腎機能障害	膵・唾液腺荒廃，重症糖尿病
クレアチンキナーゼ(CK)	男 50〜200 女 40〜170 (U/L)	筋疾患，脳血管障害・頭部外傷急性期，アルコール依存症，心筋梗塞，心筋炎	甲状腺機能亢進症，長期臥床，妊娠
総コレステロール(TC)	120〜219(mg/dL)	家族性高コレステロール血症，糖尿病，甲状腺機能低下症，ネフローゼ症候群	甲状腺機能亢進症，吸収不良，低栄養
LDL-コレステロール(LDL-C)	65〜139(mg/dL)	糖尿病，肥満，ネフローゼ症候群，家族性高コレステロール血症	肝炎，肝硬変，甲状腺機能亢進症
HDL-コレステロール(HDL-C)	男性 38〜90 女性 48〜103 (mg/dL)	薬物（インスリン，スタチン等），原発性胆汁性胆管炎	糖尿病，肥満，甲状腺機能異常，薬物（プロブコール）

検査項目	基準値（単位）	高値となる疾患・病態	低値となる疾患・病態
中性脂肪(TG)	49〜150 (mg/dL)	糖尿病，甲状腺機能低下症，家族性高リポ蛋白血症（Ⅰ，Ⅱb，Ⅲ，Ⅳ，Ⅴ型），膵炎	甲状腺機能亢進症，肝硬変，悪液質，副腎不全
血中尿素窒素(BUN)	8〜20 (mg/dL)	高蛋白食，薬物（利尿剤，シスプラチン，シクロスポリン等），脱水，腎不全	肝不全，尿崩症，低栄養状態，妊娠
クレアチニン(CRE)	男 0.61〜1.04 女 0.4〜0.8 (mg/dL)	糸球体腎炎，腎不全，うっ血性心不全，脱水	尿崩症，妊娠，筋萎縮，肝障害
シスタチンC	男 0.63〜0.95 女 0.56〜0.87 (mg/L)	腎不全，HIV感染	甲状腺機能低下症
C反応性蛋白(CRP)	0〜0.3 (mg/dL)	細菌・ウイルス感染，関節リウマチ，悪性腫瘍，外傷，外科手術後，心筋梗塞	
総蛋白(TP)	6.6〜8.1 (g/dL)	脱水，多発性骨髄腫，慢性炎症，膠原病	低栄養，ネフローゼ症候群，重症肝疾患，悪性腫瘍
アルブミン(Alb)	4.1〜5.1 (g/dL)	脱水，熱中症	低栄養，ネフローゼ症候群，重症肝疾患，各種炎症
ヘモグロビンA1c	4.3〜5.8 (JDS) 4.6〜6.2 (NGSP) (%)	糖尿病	溶血性貧血
フェリチン	男性 39.4〜340 女性 3.6〜114 (ng/mL)	炎症性疾患，悪性腫瘍，肝炎，膠原病	鉄欠乏性貧血
KL-6	<500(U/mL)	間質性肺炎，過敏性肺臓炎	
SP-D	<110(ng/mL)	間質性肺炎，肺胞蛋白症	

2 血清免疫学的検査

検査項目		基準値（単位）	高値となる疾患	低値となる疾患
免疫グロブリン	IgG	870〜1,700 (mg/dL)	（多クローン性）肝炎，肝硬変，SLE，関節リウマチ，伝染性単核球症	原発性免疫不全症，ネフローゼ症候群，悪性リンパ腫，抗腫瘍薬，免疫抑制薬，抗てんかん薬
	IgA	110〜410 (mg/dL)		
	IgM	男 33〜190 女 46〜260 (mg/dL)		
	IgD	―		
	IgE	≦170 (IU/mL)	Ⅰ型アレルギー性疾患，寄生虫感染症，膠原病	原発性免疫不全症，サルコイドーシス
(1→3)-β-D-グルカン		≦11 (pg/mL)	カンジダ，アスペルギルス，クリプトコッカス等による深在性真菌感染症	

3 内分泌学的検査

検査項目	基準値（単位）	値と疾患
甲状腺刺激ホルモン（TSH）	0.5〜5 (μIU/mL)	TSH↑，FT3↑，FT4↑：TSH産生腫瘍，甲状腺ホルモン不応症 TSH↑，FT3↓，FT4↓：慢性甲状腺炎（橋本病），先天性甲状腺機能低下症（クレチン病） TSH↓，FT3↑，FT4↑：バセドウ病 TSH↓，FT3↓，FT4↓：中枢性甲状腺機能低下症
遊離トリヨードサイロニン（FT$_3$）	2.1〜4.3 (pg/mL)	
遊離サイロキシン（FT$_4$）	0.8〜1.9 (ng/dL)	
バソプレシン（抗利尿ホルモン，ADH）	水制限：≦4.0 自由飲水：≦2.8 (pg/mL)	高値：SIADH，腎性尿崩症，浸透圧利尿，浮腫性疾患 低値：中枢性尿崩症，多飲症，過剰輸液

4 腫瘍関連検査

検査項目	基準値(単位)	高値となる疾患・病態
CA19-9	≦37(U/mL)	膵癌,肝臓癌等各種消化器癌,卵巣嚢腫,肝硬変
CA125	≦35(U/mL)	卵巣癌,子宮体癌,肝臓癌,膵癌,子宮内膜症,腹膜炎,胸膜炎
CEA	≦5(ng/mL)	肺・胃・膵・胆道・大腸・乳癌等の悪性疾患,肝炎,閉塞性黄疸,消化管潰瘍,糖尿病,腎不全
シフラ	≦2(ng/mL)	肺癌(扁平上皮癌),肺腺癌,卵巣癌
PIVKA-Ⅱ	<40(mAU/mL)	肝細胞癌,閉塞性黄疸,ワルファリン投与中(ビタミンK欠乏時)
SCC	≦1.5(ng/mL)	肺癌(扁平上皮癌),子宮頸癌,皮膚疾患
PSA	≦4(ng/mL)	前立腺癌
AFP	≦10(ng/mL)	肝細胞癌,卵黄嚢腫瘍

5 生体検査

A 骨髄検査

- 血液疾患の診断に対して行う.
- 骨髄液を採取する骨髄穿刺吸引と組織を採取する骨髄針生検がある.
- 検査は胸骨または腸骨稜(小児では脛骨の場合もある)で行う.

	基準値(単位)	高値となる疾患	低値となる疾患
骨髄有核細胞数	10万~25万(個/μL)	急性白血病,慢性骨髄増殖性疾患	再生不良性貧血
巨核球数	50~150(個/μL)	特発性血小板減少性紫斑病,慢性骨髄増殖性疾患	再生不良性貧血,急性白血病

B 髄液検査

- 髄膜炎などの中枢神経感染症,脳・脊髄腫瘍の診断・鑑別に対して行う.
- 髄液は一般に腰椎穿刺法にて第3腰椎(L3)-第4腰椎(L4)間または第4腰椎(L4)-第5腰椎(L5)間より採取する.

	基準値(単位)	高値となる疾患・病態	低値となる疾患・病態
圧	60〜180 (mmH$_2$O)	脳腫瘍, 脳膿瘍, 髄膜炎, 脳炎, 薬物投与(ビタミンA, プロゲステロン, テトラサイクリン, リチウム)	脱水状態, バルビタール中毒, 髄液漏, 開頭術後
蛋白量	(腰椎) 15〜45 (mg/dL)	46〜100:無菌性髄膜炎, 脳梗塞, ギラン・バレー症候群, ベーチェット病, 甲状腺機能低下症 101〜400:結核性・真菌性髄膜炎, 急性ウイルス性脳炎 400<:細菌性髄膜炎, 脊髄腫瘍	<15:慢性髄液漏, 甲状腺機能亢進症, 水中毒
糖	(腰椎) 45〜80 (mg/dL)	高血糖	40〜45:ウイルス性脳炎・髄膜炎, サルコイドーシス 20〜40:結核性・真菌性・癌性髄膜炎 <20:急性細菌性髄膜炎
細胞数	≦5 (個/mm^3)	6〜50:癌性髄膜炎, サルコイドーシス, 多発性硬化症 50〜1,000:結核性・真菌性髄膜炎, 単純ヘルペス脳炎, 悪性リンパ腫, 無菌性髄膜炎 1,000<:急性細菌性髄膜炎	

6 画像検査

A CT(Computed Tomography)

- 主な適応:脳出血, くも膜下出血, 肺癌, 肺炎, 肝・胆・膵・腸管領域など.
- 一般にCTといえばX線CTを指す.
- 造影剤を用いない単純CTと造影剤を用いる造影CTがある.
- ビグアナイド系糖尿病薬の服用患者にヨード造影剤を用いる場合, 乳酸アシドーシスを起こす可能性があるため服用の一時中止が必要.

B MRI(Magnetic Resonance Imaging)

- 主な適応:脳梗塞, 脊椎・脊髄領域, 婦人科領域, 泌尿器科領域など.
- 任意の断面の撮像が可能. また, 骨の影響を受けず, 放射線被曝もないが検査時間が数十分と長い.

- 造影剤を用いる場合はMRI用のガドリニウム系.

7 電気生理学検査

- **12誘導心電図**：一般的に用いられる．四肢から記録する肢誘導（6種類）と前胸部から記録する胸部誘導（12種類）がある．
- **負荷心電図**：一定の負荷を与えて心電図変化をみる．狭心症において特に有効である．自転車エルゴメーター試験，トレッドミル試験などがある．
- **ホルター心電図**：24時間携行し，分刻みの心電図を記録する．短時間の検査で見つけにくい変化を発見できる．不整脈の診断に必要不可欠な検査である．

四肢誘導(垂直方向)		胸部誘導(水平方向)	
部位	対応する誘導	部位	対応する誘導
左室側壁	I, aVL	左室側壁	V5, V6
左室下壁	II, III, aVF	左室前壁	V3, V4
右室	aVR	心室中隔	V1, V2

①心電図の変化
- **ST上昇**：急性心筋梗塞，冠攣縮性狭心症，心膜炎．
- **ST低下**：心筋虚血，狭心症，心筋炎．
- **QTc(補正QT間隔)延長**：＞450 msec．先天性以外では，低K血症，低Ca血症，薬剤(抗不整脈薬，マクロライド系抗菌薬，抗真菌薬，三および四環系抗うつ薬，抗アレルギー薬)が原因．
- 高K血症ではT波増高・尖鋭化，低K血症ではT波減高，U波出現などの心電図変化が認められる．

②不整脈の種類
- **心房細動(Af：atrial fibrillation)**：RR間隔不整，P波消失，f波出現．抗凝固薬治療の対象となる場合がある．
- **心室頻拍(VT：ventricular tachycardia)**：心室期外収縮(PVC)3連発以上，HR＞120，規則的RR間隔，幅広いQRS波．ジギタリス・キニジン中毒で起こりうる可能性あり．
- **心室細動(VF：ventricular fibrillation)**：QRS，Tなどの区別のない不規則な波形．血液の駆出がない最も危険な致死性不整脈．

- □ **Torsade de pointes**(トルサード・ド・ポアンツ)：QT 延長時に VT が生じ，QRS が基線の上下をねじれるように変化．VF に移行する場合もある．

8 内視鏡検査

A 消化器領域

① 内視鏡的逆行性胆管膵管造影(ERCP)
- □ **適応**：膵癌，急性膵炎，胆嚢・胆管癌，胆道結石などの診断，治療．
- □ 口より内視鏡を挿入し，十二指腸乳頭(Vater 乳頭)から逆行性に造影剤を注入して膵・胆管を造影する．引き続き内視鏡的乳頭括約筋切開術(EST)や経内視鏡的胆道ドレナージ(EBD)などの治療を行う場合もある．

② 内視鏡的硬化療法(EIS)，内視鏡的静脈瘤結紮療法(EVL)
- □ **適応**：食道静脈瘤の治療．
- □ **EIS**：内視鏡先端の針から，硬化剤(モノエタノールアミンオレイン酸塩)と血管造影用 X 線造影剤を加えたものを X 線透視下に静脈瘤内へ注入，または内視鏡硬化剤(ポリドカノール)を静脈瘤周囲に注入し静脈瘤を塞栓する．
- □ **EVL**：内視鏡で静脈瘤を吸引し，ゴムバンドで静脈瘤を結紮する．
- □ 前処置として胃内有泡性粘液除去剤(ジメチルポリシロキサン)，鎮静薬(ミダゾラム)，鎮痛薬(ペンタゾシン)，鎮痙薬(グルカゴン)を用いる場合がある．

③ 内視鏡的粘膜下層剝離術(ESD)
- □ **適応**：早期胃癌の治療．
- □ リンパ節転移がなく，潰瘍を伴わない粘膜内癌において，病変周囲の粘膜を切開し，粘膜下層を剝離し，病変を切除する．病変の大小にかかわらず一括切除できることから，低侵襲で確実な治療法とされている．

④ 肝動脈塞栓療法(TAE)，肝動脈化学塞栓療法(TACE)
- □ **適応**：肝細胞癌の治療．
- □ **TAE**：肝動脈にカテーテルを挿入し，塞栓物質(多孔性ゼラチン粒など)を注入することにより癌組織を阻血，壊死させる治療法．
- □ **TACE**：TAE の塞栓物質に抗がん薬を加えて塞栓を行う．肝予

備能がきわめて低下した例などでは TACE により肝不全を惹起する可能性があり，適応外とされる．

B 呼吸器領域
① 気管支肺胞洗浄(BAL)
- **適応**：肺結核・ニューモシスチス肺炎などの感染性疾患，肺癌・悪性リンパ腫などの腫瘍性疾患，肺胞蛋白症などの診断．
- 肺の一部に生理食塩液を注入・回収し，その細胞成分の所見により肺疾患の診断を行う．
- **回収液(BALF)の細胞構成**：
  リンパ球↑ ➡ サルコイドーシス，過敏性肺臓炎，
  好中球↑ ➡ 細菌性肺炎，
  好酸球↑ ➡ 好酸球性肺炎．

9 聴力検査

① 難聴の種類および程度を調べる検査
- **標準純音聴力検査**：オージオメーターを用いて気導聴力(125〜8,000 Hz)および骨導聴力(250〜4,000 Hz)を測定．両測定値より感音難聴，伝音難聴を鑑別．

② 難聴の原因(障害部位)を調べる検査
- **ティンパノメトリ**：鼓膜の動きやすさを調べる検査で，中耳腔における貯留液の有無や耳管機能を調べる．小児に多い滲出性中耳炎の診断に有用．
- **耳小骨筋反射検査**：鼓膜に大きな音を加えることによって生じる耳小骨筋反射を利用する検査．正常反射閾値は 70〜100 dB HL．
- **誘発反応聴力検査**：音刺激により引き起こされる各部位の電気的な反応を増幅して記録する他覚的聴力検査．被検者の意思を介さないため，乳幼児の聴力検査や心因性難聴，詐聴の疑いがあるときに行われる．

10 視力検査

□ **視力の表記例**
RV = 0.1 (1.0 × S − 2.0D　C − 0.5D　90°)
RV：右視力，0.1：裸眼視力，1.0：矯正視力，S − 2.0D：球面度数 2.0D の凹レンズ（＋は凸レンズ，絶対値↑ ➡ 度数↑），C − 0.5D：円柱度数 0.5D の凹レンズ，90°：軸 90°

□ **眼圧検査**：正常値 10〜20 mmHg．
□ **眼底検査**：網膜，脈絡膜，視神経，硝子体疾患，視野異常などの場合に行う．本検査では一般に散瞳薬を点眼する．
□ エサンブトール，アミオダロン，テガフール・ギメラシル・オテラシル，ステロイドなどの使用中は視力低下に注意し，定期的な眼科受診をすすめる．
□ カンジダ血症の患者は眼内炎の合併症が多いため，治療開始後早期に眼科医による眼底検査を実施する．

11 その他

□ Glasgow Coma Scale (GCS)，Japan Coma Scale (JCS) は p67 を参照．

参考文献
1) 高久史麿ほか：臨床検査データブック 2019-2020．医学書院，2019
2) 大西宏明ほか：臨床検査ガイド 2020 改訂版，2020
3) 勝見章男ほか：薬剤師が知っておきたい臨床知識 改訂 4 版，じほう，2013

（田村 亮）

第 8 章 フィジカルアセスメント

□ 薬剤師が患者のバイタルサインに注意を払うことは,医薬品による副作用の早期発見や早期対応に非常に重要である.本章では,バイタルサインの基本について概説する.

1 アセスメント時の基本マナー

□ 病歴聴取に引き続き身体診察を行うことが多いが,病歴聴取と身体診察を同時並行で行うほうが,効率的な診療となることもある.病歴聴取と身体診察の際は,プロフェッショナルとして適切な態度と患者への配慮を忘れてはならない.
□ 患者のプライバシーや羞恥心に十分に配慮する.
□ 診察室のドアや,(大部屋の場合)ベッド周囲のカーテンを閉じておく.
□ 患者に不快感を与えないように,身だしなみや言葉遣いに注意し,手や聴診器を温めるなどの工夫をする.
□ 感染予防のため,マスクや手袋の着用,診察前後での手洗いを行う.
□ 身体診察の際には,その都度「脈をみます」「次は血圧を測ります」などの声をかけ,適切に説明し,患者の了解を得ながら進める.
□ 室内の温度や照度にも配慮する.これらは身体診察の質にも影響する.
□ できるだけ静かな環境で診察する.

2 外観のアセスメント

□ 患者を一見したときの外観や印象は重要である.特に以下に注意.
- 表情,あいさつ,声の大きさ
- 身だしなみ,衣服,衛生状態
- 姿勢,歩行,動作

□ その他,身長,体重,栄養状態,皮膚の色調や弾力性などを観察する.

表 8-1 成人における血圧値の分類(mmHg)(診察室血圧)

分類	収縮期血圧		拡張期血圧
正常血圧	<120	かつ	<80
正常高値血圧	120〜129	かつ	<80
高値血圧	130〜139	かつ/または	80〜89
Ⅰ度高血圧	140〜159	かつ/または	90〜99
Ⅱ度高血圧	160〜179	かつ/または	100〜109
Ⅲ度高血圧	≧180	かつ/または	≧110
(孤立性)収縮期高血圧	≧140	かつ	<90

〔日本高血圧学会編:高血圧治療ガイドライン 2019, p18, 2019 より〕

3 バイタルサイン

☐ バイタルサインは,患者の生命に関する最も基礎的な情報である.一般に,血圧,脈拍,呼吸,体温の4つの情報を指すが,意識レベル,尿量を加えた6項目に注意することが大切である.

☐ バイタルサインの測定や監視がデジタル化により簡素化されているが,医療者自ら血圧や脈拍を測定することで,患者の応答や末梢の温感・冷感,皮膚の湿潤・乾燥などの大切な情報を直接知ることができる.

4 血圧

☐ 血液は心臓のポンプ作用により体内に送られるが,その血液の圧力が動脈壁に及ぼす力を血圧という.

A 血圧の正常値と目標値

☐ 成人における血圧値の分類(表 8-1)と血圧の目標値(表 8-2)を示す.血圧の目標値は,年齢や合併症によって異なる.

B 血圧上昇

☐ 血圧上昇を認めたら,1)急性発症か慢性の高血圧か,2)脈圧(収縮期血圧−拡張期血圧)をチェックする.

☐ 脈圧は心臓の1回拍出量により作り出され,脈圧の大小は1回拍

表 8-2　降圧目標(mmHg)

	診察室血圧	家庭血圧
・75歳未満の成人 ・脳血管障害患者(両側頸動脈狭窄や脳主幹動脈閉塞なし) ・冠動脈疾患患者 ・CKD患者(蛋白尿陽性) ・糖尿病患者 ・抗血栓薬服用中	<130/80	<125/75
・75歳以上の高齢者 ・脳血管障害患者(両側頸動脈狭窄や脳主幹動脈閉塞あり, または未評価) ・CKD患者(蛋白尿陰性)	<140/90	<135/85

〔日本高血圧学会編：高血圧治療ガイドライン 2019, p53, 2019 より〕

出量の多寡を反映する.

脈圧が大きい(大脈圧) = 脈圧 > (0.5 × 収縮期血圧)
脈圧が小さい(小脈圧) = 脈圧 < (0.25 × 収縮期血圧)

□ 大脈圧では下記の病態, 小脈圧では血管内脱水, 大動脈弁狭窄症など心臓の問題, 肺高血圧症などを考える.

C 急性の血圧上昇

□ 高血圧緊急症 = 血圧の上昇により, 急性の臓器障害が起こっている状態

□「急性の高血圧 + 大脈圧」は早い対応が求められる病態が多く, 以下の5つを考える.
  1. 呼吸不全(低酸素血症, 高二酸化炭素血症)
  2. 心不全・循環不全
  3. 低血糖
  4. 発熱
  5. 疼痛や不安・運動直後

D 慢性の血圧上昇

□ 慢性の血圧上昇では, 以前から高血圧を指摘されていることも多く, 本人に尋ねたり, カルテを確認したりする.

□ 本態性高血圧と二次性高血圧を考え, 表8-3をチェックする.

□ 二次性高血圧には, 腎実質性高血圧, 腎血管性高血圧, 内分泌性高血圧, 血管性(脈管性)高血圧, 脳・中枢神経系疾患による高血圧, 遺伝性高血圧, 薬剤誘発性高血圧などがある.

表 8-3 慢性の血圧上昇におけるチェックポイント

	本態性高血圧	二次性高血圧
年齢	40歳以上	40歳以下
降圧薬の効果	反応が良い	反応が悪い
電解質異常(内分泌疾患)	ない	あり

- ☐ 薬剤誘発性高血圧の原因薬剤として，NSAIDs，甘草，グリチルリチン，グルココルチコイド，シクロスポリン，タクロリムス，エリスロポエチン，エストロゲンなどがある．
- ☐ 慢性の高血圧では，症状は徐々に代償されて，ほとんど無症状であることが多い．
- ☐ 本態性高血圧では，拡張期血圧も上昇してくるため，脈圧はさほど大きくならない．
- ☐ 「慢性の高血圧＋大脈圧」では以下の病態を検討する．
  大動脈閉鎖不全，慢性貧血，巨大動静脈シャント(肝硬変・先天性)，ビタミン B_1 欠乏症(脚気)，甲状腺機能亢進症，褐色細胞腫

E 血圧低下

- ☐ 血圧低下に主要臓器の循環障害を伴う場合はショックであり，早急な対応が必要である．
- ☐ 臓器の循環障害やその他の症状を伴わない場合，無症候性低血圧であり，経過観察する．
- ☐ 主要臓器循環障害として，脳血流の低下(気分不良，意識レベル低下，痙攣など)，腎血流低下(尿量の低下)，冠血流の低下(心筋虚血)が重要である．
- ☐ ショックの前兆として，あくび，胸部絞扼感，便意，腹痛，四肢痙攣による疼痛などが，現れることがある．
- ☐ ショックの5つの病態(敗血症，低容量，閉塞性，心原性，分配性)を鑑別する(表 8-4)．
- ☐ この5病態を見分けるヒントは以下である．
  - 低容量性ショックと閉塞性ショックでは，小脈圧を伴う心低拍出量状態(low output syndrome)となる．
  - 低容量性ショックでは頸静脈は虚脱し，閉塞性ショックでは

表 8-4　ショック(Shock)の鑑別と覚え方

S	Septic	敗血症性
	Spinal/Neurogenic	脊髄性(神経原性), 迷走神経反射
H	Hypovolemic	低容量性(出血, 脱水)
O	Obstructive	閉塞性(心タンポナーデ, 緊張性気胸, 肺塞栓)
C	Cardiogenic	心原性
K	Anaphylactic(k)	分配性(アナフィラキシー)

難治性の場合は，副腎不全などの内分泌異常も考慮．

頸静脈は怒張する．
- 敗血症性ショックでは，高体温または低体温，呼吸数増加，感染徴候に注意する．
- 分配性ショックの原因には，アナフィラキシーや神経原性などがあり，末梢温感に注意する．
- 心原性ショックは，心臓そのものの機能低下が原因であり，徐脈，末梢冷感に注意する．

F 起立性低血圧

□ 臥位での血圧が正常範囲でも，坐位や立位になると血圧が低下し，ふらつき，めまい，気分不良，意識消失などが生じることがある．

□ 定義は，臥位から立位になった時 2〜5 分以内に次のいずれかを満たすこと．
   a) 収縮期血圧が ≧20 mmHg 低下
   b) 拡張期血圧が ≧10 mmHg 低下
   c) ふらつき，めまいの症状がある

□ 65 歳以上では 20% の人に認められるが，症状がある人は 2%．

□ 原因は，循環血液量の減少(脱水や出血)，自律神経障害，薬剤(三環系やモノアミン酸化酵素阻害薬などの抗うつ薬や α_1 遮断薬)など．

□ 消化管出血の早期発見に，起立性低血圧の所見は重要である(表 8-5)．

表 8-5 消化管出血時の出血量の大まかな判断法

身体所見	循環血液量の喪失割合(%)	推定出血量(mL)
正常	0〜15	0〜750
起立性低血圧	20	1,000
安静時頻拍,収縮期血圧正常,脈圧低下	25	1,250
収縮期血圧低下(< 80mmHg)	>30	>1,500

表 8-6 脈拍の正常値の目安

	乳幼児	子供・小学生	中学・高校生	成人	高齢者
脈拍(/分)	100〜140	70〜110	60〜100	60〜100	60〜80

5 脈拍

- 脈拍は,左心室が収縮する際に,大動脈に送り込まれる血液の圧波が,全身に分岐した動脈内に波動的に伝わり,表在する末梢動脈で触知されるものである.
- 1分間の脈拍数とリズム(整,不整)に注意する.

A 脈拍数

- 脈拍の正常値に正確な基準はなく,年齢により異なる(**表8-6**).成人の平均は60〜80回/分が一般的である.
- 59回/分以下を徐脈(bradycardia),100回/分以上を頻脈(tachycardia)と呼ぶ.

B 頻脈のとき

- リズムが整であれば洞性頻脈,リズムが不整であれば不整脈の鑑別にすすむ.
- 高齢者は(220 − 年齢)以上の洞性頻脈にならない.それを超えた場合,不整脈を考える.
- **脈拍数による鑑別疾患**

   脈拍数≧130の時,心血管系,特に心不全を疑う.
   脈拍数<120の時,心血管系以外(呼吸不全,発熱,疼痛など)も疑う.

C 徐脈のとき

①副交感神経優位となる病態
- 迷走神経反射,コリン作動薬,脊髄損傷(神経原性ショック),脳幹損傷.
- 前の3者は血圧低下を伴う.
- 脳幹損傷では,血圧上昇+徐脈+意識障害のCushing徴候(脳幹ヘルニアのサイン)を認める.

②心筋伝達が障害される病態
- 心筋梗塞,洞結節障害,ショック状態の遷延,低体温による心筋血流低下
- 末梢冷感,冷汗を伴うことが多い.

③心臓に作用するホルモン不足
- 甲状腺機能低下症,副腎皮質機能低下症.

④薬剤性
- β遮断薬,Ca拮抗薬,ジギタリス.

D 不整脈

- 不整脈には大きく分けて,①期外収縮,②絶対性不整脈,③洞性不整脈がある.

①期外収縮
- ベースの基本リズムがある中に,時々不整脈が混じるもの.心臓電気生理学的には,上室性と心室性があるが,脈拍の触診だけで鑑別することは困難.

②絶対性不整脈
- ベースに基本リズムがなく,脈がバラバラに触知されるもの.そのほとんどが心房細動.

③洞性不整脈
- 呼吸性不整脈とも呼ばれ生理的なもの.吸気時に脈が速くなり,呼気時に遅くなる.
- 吸気時には,肺胞内圧の上昇に伴い左心への還流量が増大し,脈が速くなる.

E 発熱の場合
- 体温が0.55℃上昇するごとに,脈拍数は10回/分ずつ増える.
- 発熱を伴う場合,この関係に当てはまるかどうかをチェックする.

- 発熱の割に脈拍数が増えない場合，比較的徐脈という．
- 比較的徐脈では，サルモネラ，腸チフス，レジオネラ，マイコプラズマ，クラミジア，リケッチアなどの感染症や，薬剤熱(薬剤熱の約1割が比較的徐脈)を考える．

6 呼吸

- 呼吸は延髄の呼吸中枢で制御されているが，意識的に変化させることができるので，呼吸回数を測定していることなどを患者に意識させないことが重要である．
- 呼吸回数，呼吸パターン，呼吸の様子，経皮的酸素飽和度(SpO_2)をチェックする．

A 呼吸回数

要注意，または危険	正常(健常人)	頻呼吸	要注意	危険
6回/未満	12〜15回/分	20回/分以上	30回/分以上	40回/分以上

- 「ショック + 頻呼吸」→ 敗血症を考える．
- 「急性腹症で通常の2倍の頻呼吸にはならない」→ 心血管系，呼吸器系の疾患を考える．
- 呼吸抑制をきたす薬剤：ベンゾジアゼピン系に代表される睡眠薬とオピオイド．

B 規則正しい頻呼吸

- **浅速呼吸(1回換気量が小さい)**：急性肺炎，肺水腫，肺塞栓など．
- **Kussmaul呼吸(1回換気量が大きい)**：代謝性アシドーシスでみられる．
- 「頻呼吸 + 発熱」の場合，敗血症を考える．

C 異常な呼吸リズム

① Cheyne-Stokes呼吸

- 「無呼吸 → 4〜5呼吸の間に次第に強く大きな呼吸 → 4〜5呼吸の間に次第に弱くなる → 無呼吸」というサイクルを繰り返すもの．
- 大脳が広範囲に障害されたときにみられる．大脳の循環不全，大脳の低酸素，高尿素窒素血症など．高齢者では生理的にみられることもある．

表 8-7 経皮的動脈血酸素飽和度 (SpO_2) と動脈血酸素分圧 (PaO_2) の関係

SpO_2(%)	100	90	88	75	50
PaO_2(Torr)	80 以上	60	55	40	27

② 下顎呼吸
- 呼吸筋を十分に機能させることができないため,下顎だけを動かして努力性の呼吸をしているもの.状態が非常に悪い患者にみられる.

③ 心因性過換気(hyperventilation)
- 呼吸数,リズム,深さがすべて不規則.女性にみられることが多い心因性の呼吸状態.
- 重症の場合には,呼吸性アルカローシス,血中カルシウム低値となり,手足や舌の知覚異常を伴うことがある.
- 心因性過換気と身体的過換気の鑑別は,息こらえを指示した際に,過換気発作がおさまらなければ心因性,息こらえができれば身体的な病態からの過換気であることが多い.

D 呼吸の様子

① 起坐呼吸
- 患者が坐位で努力性の呼吸をしているもの.臥位では呼吸困難感があるため坐位になる.
- **起坐の姿勢による鑑別診断**
  前傾起坐位:慢性閉塞性肺疾患,気管支喘息発作
  後傾起坐位:心不全,肺水腫

② 慢性閉塞性肺疾患(COPD)(☞ p103)
- 気管短縮,胸鎖乳突筋の発達,吸気時の鎖骨上窩の陥凹,吸気時の頸静脈の collapse,に注意する.

E 経皮的動脈血酸素飽和度(SpO_2)

- 簡易な器械を用いて測定可能であり,積極的に活用する.
- SpO_2 と PaO_2 の関係を理解する(表 8-7).SpO_2<90%で呼吸不全と考える.
- PaO_2 の正常値は坐位では,$PaO_2 = 100 - 0.3 \times 年齢$,臥位では $PaO_2 = 100 - 0.4 \times 年齢$

7 体温

- 体温とは身体の内部の温度(核温)であるが,実際にこの温度を直接測ることは難しいので,腋の下の温度(腋窩温),口の中の温度(口腔温),または直腸温を測定する.
- 一般的には腋窩温は 36.0〜37.0℃ であるが,体温は生理的な影響や個人差があるので正確な評価のためには各人の平熱についての情報が重要である.
- 体温には日内変動があり,午前2時〜6時で最低値となり,午後3時〜10時で最高値となる.その温度差は1℃以内である.

A 発熱

- 体温調節中枢においてサーモスタットが通常より高くセットされ,体温が上昇.IL-1,TNF,INF-γ などのサイトカインが関係.
- 原因として感染症,悪性腫瘍,自己免疫疾患,中枢神経疾患が多い.心血管疾患(心筋梗塞,静脈血栓症,肺塞栓症など)や消化器疾患(炎症性腸疾患,アルコール性肝炎など),薬剤,サルコイドーシス,外傷,血腫なども発熱の原因となる.
- 高熱患者を見たら「敗血症」を必ず念頭において診療する.38.5℃ 以上で悪寒戦慄を伴う場合は,菌血症である可能性が高い.悪寒戦慄を伴えば必ず血液培養をとる.
- 糖尿病患者と透析患者では,感染症の場合でも体温が低めに出ると言われており,注意が必要である.

B 高体温

- サーモスタットのセットレベルが通常のまま,体温調節が効かなくなった状態.脳疾患,悪性症候群,熱中症など.
- 体温が 41.1℃ を超えることもあり,不可逆的な蛋白質の変性や脳障害を起こす.軽度のものは,運動後などにもみられる.

C 体温低下

- 35℃ 以下は「低体温」と定義される.偶発的寒冷曝露によることが多いが,甲状腺機能低下症(粘液水腫),敗血症,溺水,薬物などでも起こることがある.

- **低体温の分類**

    軽度:32〜34℃   **中等度**:28〜32℃   **重度**:28℃以下

表 8-8 Glasgow Coma Scale(GCS)

開眼 (Eye Opening)	E4	自発的に開眼する
	3	呼びかけにより開眼する
	2	疼痛により開眼する
	1	全く開眼しない
最良言語反応 (Best Verbal Response)	V5	見当識あり
	4	混乱した会話
	3	混乱した言葉
	2	理解不能の声
	1	全く声を出さない
最良運動反応 (Best Motor Response)	M6	命令に従う
	5	痛みの刺激部に手足を運ぶ
	4	痛み刺激で逃避する
	3	痛み刺激で手足を異常屈曲する
	2	痛み刺激で手足を伸展する(除脳姿勢)
	1	全く動かない

□ 心電図上,V2〜V5 の ST 波が増高し,Osborn の J 波と呼ばれる.予後との相関はない.
□ 通常,低体温では心筋伝達障害により徐脈になる.「低体温+頻脈」の場合,敗血症,低血糖,出血などを考える.

8 意識

A 意識障害の評価法

□ Glasgow Coma Scale(GCS,**表 8-8**)や Japan Coma Scale(JCS,**表 8-9**)を用いて評価する.
□ 正常状態:GCS では E4V5M6,JCS では 0,昏睡状態:GCS では E1V1M1,JCS では 300,と記載する.
□ 病態の鑑別は AIUEO-TIPS を用いるのが便利である(**表 8-10**).

表 8-9 Japan Coma Scale (JCS)

Ⅰ. 刺激がなくても覚醒している状態	0	清明
	1	清明とはいえない
	2	見当識障害がある
	3	自分の名前，生年月日が言えない
Ⅱ. 刺激がなくなると眠り込む状態	10	普通の呼びかけで開眼する
	20	大声で呼びかけたり強く揺するなどで開眼する
	30	呼びかけを繰り返すとかろうじて開眼する
Ⅲ. 刺激に対しても覚醒しない状態	100	痛み刺激に対して払いのける動作をする
	200	痛み刺激で手足を動かしたり顔をしかめたりする
	300	痛み刺激に対して全く反応しない

表 8-10 意識障害の鑑別診断 (AIUEO-TIPS)

A	Alcohol	アルコール，ビタミン B_1 欠乏症
I	Insulin (hypo/hyper-glycemia)	低血糖，糖尿病性昏睡
U	Uremia	尿毒症
E	Encephalopathy (hypertensive, hepatic) Endocrinopathy (adrenal, thyroid) Electrolytes (hypo/hyper-Na, Ca, Mg)	高血圧性脳症，肝性脳症 内分泌疾患 電解質異常 (Na, Ca, Mg)
O	Opiate or other overdose decreased O_2 (hypoxia, CO intoxication)	薬物中毒 低酸素
T	Trauma Temperature (hypo/hyper)	頭部外傷 低・高体温
I	Infection (CNS, sepsis, pulmonary)	感染症
P	Psychogenic Porphyria	精神疾患 ポルフィリア
S	Seizure Shock Stroke SAH	痙攣 ショック 脳血管障害 (脳梗塞，脳出血 くも膜下出血)

B 意識障害の分類

☐ 下記の分類からのアプローチも有用である.

分類	状態	原因・病態
興奮	不穏, せん妄, 見当識障害	循環不全, 低酸素血症, 低血糖など
傾眠	意識朦朧	高二酸化炭素血症, 高尿素窒素血症, 高アンモニア血症, 薬物中毒など
昏睡	意識障害の遷延	脳血管障害, 薬物中毒, 代謝性意識障害, 脳虚血, 急性の低酸素血症または高二酸化炭素血症など

9 尿量

☐ 尿量は腎臓への血流の多寡を反映し, 主要臓器への循環血液量の良き指標となる. 必要に応じフォーリーカテーテルを留置して計測する.

☐ 正常値は 0.5〜1.0 mL/kg/時(または 30 mL/時). 尿量の低下は以下の 2 つに分けて考える.

A 乏尿

☐ 尿量 30 mL/時以下(500〜600 mL/日以下).

☐ 内科的疾患(循環不全, 急性腎不全, 重篤な急性呼吸不全)が原因.

☐ **循環血液量低下**:脱水, 低アルブミン血症, 出血.

☐ **血管収縮**:心不全, 呼吸不全.

B 無尿または排尿困難

☐ 50 mL/日以下.

☐ 泌尿器科的疾患(閉塞性尿路障害)か両側腎皮質障害が原因.

参考文献

1) 日本高血圧学会高血圧治療ガイドライン作成委員会:高血圧治療ガイドライン 2019, 日本高血圧学会, 2019
2) 青木眞:レジデントのための感染症診療マニュアル 第 3 版, 医学書院, 2015
3) 福井次矢ほか監:ハリソン内科学 第 5 版, メディカル・サイエンス・インターナショナル, 2017

(西岡 弘晶)

第 9 章 薬剤管理指導／病棟薬剤業務

□ 入院患者に対する医薬品適正使用のため，薬剤師は服薬指導のみでなく，服薬アドヒアランスの確認，効果・副作用モニタリングなどを駆使して，総合的に薬物療法を評価する．
□ これらの評価に基づき，医師への疑義照会や医薬品の有効性確保・副作用回避のための処方提案，適正使用のための院内プロトコルや医師との協議に基づく処方設計など，積極的に薬学的介入を行うよう努める．
□ 診療報酬上は，薬剤管理指導と病棟薬剤業務は重複しないが，双方を充実させることで医薬品適正使用サイクルが機能する．

1 治療開始前

A 患者基本情報の収集

□ 入院患者の主病名，入院目的，現病歴，既往歴，常用薬，直近の検査データなどの情報をあらかじめカルテや他院からの診療情報提供書で収集する．その後，患者本人や家族との面談により，処方薬，市販薬を含めた常用薬の使用状況，アレルギー歴および健康食品の摂取状況などを確認する(表9-1)．
□ 休薬日がある薬(経口抗がん薬，メトトレキサート，ビスホスホネートなど)，漸減中の薬(ステロイドなど)の投与スケジュール，検査値や血中濃度に応じて使用量が細やかに変更される薬(インスリン，ワルファリン，タクロリムスなど)は特に注意が必要．

B 情報の評価と問題点の抽出

□ 処方薬は検査値や併用薬に応じた用法・用量か，市販薬や健康食品などとの相互作用がないか総合的に評価する．
□ 侵襲的な検査や治療，術後長期安静状態が必要な場合は，抗血栓薬や女性ホルモン薬の術前中止の必要性を確認する．一方で，経皮的冠動脈形成術(PCI)予定患者に対する抗血小板薬などは，入院前に開始する場合もあるため，各疾患に対する治療方針の把握

表 9-1 患者からの聞き取り項目例

患者基本情報	確認事項
既往歴	発症年齢, 診断名, 治療期間, 入院の有無, 輸血歴, 他院・他科受診の有無
薬剤禁忌	禁忌薬品の有無
妊娠・授乳歴	妊娠・授乳の有無
家族歴	糖尿病, 高血圧, 脂質異常症, 悪性腫瘍など
身体機能	視力, 聴力, 手技力, 理解力など
アレルギー歴	食物(卵など), 環境, アトピーなど
薬物アレルギー	抗菌薬, 造影剤, ピリン系薬剤など
常用薬, OTC薬	薬品名, 用法・用量, 代替薬
健康食品, サプリメント	摂取の有無, 商品名, 摂取理由
嗜好品	タバコ, アルコールなどの摂取
服薬アドヒアランス	処方薬の服薬状況, 常用薬の理解, 飲み残しの有無

が重要.

C 薬学的アプローチの策定

□ 薬剤の種類, 投与量, 投与方法, 投与期間や検査のオーダーなどについて, 専門的知識を活用して, **薬学的アプローチ**を策定する. その際, 医師と事前に協議した上で, 薬物療法プロトコルを提案する. 具体的には下記のような介入を行う.

1) カルテと照合し, 薬歴をチェックする(重複処方・処方もれなど).
2) 当該医療機関の非採用薬について代替薬を提案する.
3) 患者や家族との面談で得られた情報を医師・看護師へ提供し, 処方設計および提案を行う.
4) 注射剤と内用剤の薬物相互作用の有無を確認する.
5) 薬剤の投与に際し, 個々の患者に合った流量, 投与量を計算して, 医師・看護師に提案する.
6) 薬物の特性を踏まえたTDMや検査オーダーを依頼, または医師との合意のもとにオーダーする.

D 患者への説明と指導

- 患者への投薬に際し処方薬について説明する．説明はできる限り資料を用いて十分に理解を得るよう努める．特に抗がん薬などのハイリスク薬では，投与前に副作用等について患者や家族に詳細に説明する．
- 常用薬が同一成分の異なる商品名の製品に切り替わった場合は，その旨を説明し混乱を防ぐ．
- 市販薬や健康食品にも注意が必要である(例：クロレラ製品とワルファリンの相互作用)．

2 治療開始後

A 服薬アドヒアランスの確認

- 治療開始後は，投薬状況や服薬アドヒアランスを確認する．患者背景も十分に考慮して評価する．
- アドヒアランスが不良の場合，その阻害要因を考える．高齢で認知機能に問題がある，PTPからの取り出しが難しい，薬剤数が多いなどの場合には一包化や不要な薬がないか検討する．

B 治療モニタリングと処方へのフィードバック

①投薬の妥当性評価

- 投薬後の薬学的管理(薬剤の投与量，投与方法，相互作用，重複投与，配合変化，配合禁忌などの確認)を行い，投薬の妥当性を評価する．
- 年齢，体重，肝・腎機能，併用薬を考慮し，投与量を確認する．
- 相互作用の可能性がある場合は，その程度を把握．影響の程度に応じて代替薬への変更を検討する．

②効果・副作用モニタリング

- 必要に応じて，病棟ラウンドやバイタルサインの確認・フィジカルアセスメントを行う．その結果に基づいた情報を医師へフィードバックし，必要に応じて処方提案して，薬剤による副作用の軽減と防止に努める．

③ハイリスク薬処方時の注意事項

- ハイリスク薬が処方された場合，行うべき薬学的管理は広範で，しかも緊急対応が求められる．薬剤管理指導料1の算定対象とな

表 9-2 ハイリスク薬の分類一覧と具体例

薬剤名	具体例
抗がん薬	シスプラチン,ゲフィチニブ
免疫抑制薬	プレドニゾロン,タクロリムス
抗不整脈薬	アミオダロン,ベプリジル
抗てんかん薬	フェニトイン,バルプロ酸
血液凝固阻止薬	アスピリン,ワルファリン
ジギタリス製剤	ジゴキシン,メチルジゴキシン
テオフィリン製剤	テオフィリン
カリウム製剤(注射薬に限る)	塩化カリウム,L-アスパラギン酸カリウム
抗精神病薬	エチゾラム,パロキセチン
糖尿病治療薬	メトホルミン,グリメピリド
膵臓ホルモン薬	インスリンアスパルト,インスリングラルギン
HIV治療薬	アバカビル,エファビレンツ

るハイリスク薬の一覧と具体例を**表 9-2** に,主なハイリスク薬の処方時における対応例を**表 9-3** に示す(厚生労働省ホームページ https://shinryohoshu.mhlw.go.jp/shinryohoshu/;「特定薬剤管理指導等の算定対象となる薬剤一覧」を参照).

④ 薬剤管理指導記録
□ 経過記録は POS(problem oriented system)に基づく SOAP 形式(**表 9-4**)での記載が望ましい.

C 医薬品の情報収集と医師への情報提供
□ 医薬品情報の収集と提供を行う.
□ 医薬品情報管理室の薬剤師と連携をとり,当該病棟での問題点など,各病棟で業務を実施するのに必要な情報を収集する.
□ 使用頻度の高い情報は,イントラネットなどを介して薬剤師間で共有し活用する.

D 多職種との連携
□ 病棟カンファレンスへの参加や回診同行,各種チーム医療による活動により,患者情報を収集するとともに薬物療法について評価・提案する.

表9-3 ハイリスク薬の処方時における対応例

	説明・指導	確認	提案
抗がん薬	・レジメンの説明による患者理解度の向上 ・化学療法に対する不安への対応 ・副作用およびその対策	・レジメンに基づく処方内容 ・腫瘍マーカーなどによる治療効果 ・併用薬との相互作用 ・副作用の早期発見	・支持療法についての提案 ・疼痛緩和のための情報収集、処方提案
免疫抑制薬	感染症の発症や悪化防止のための注意事項の説明	・血液検査などによる治療経過 ・併用薬や食事との相互作用 ・症状や検査値による副作用モニタリング	TDMに基づく投与量・投与間隔の提案
抗不整脈薬	服薬の意義(予防目的,治療目的)	・併用薬による症状の変化のモニタリング、必要に応じて心電図や血中薬物濃度 ・体調変化(ふらつき,動悸,低血糖など)の有無 ・発作状況 ・催不整脈作用の有無	TDMに基づく投与量・投与間隔の提案
抗てんかん薬	服薬の意義(予防目的,治療目的)	・脳波検査などの参照による治療経過 ・発作状況(過小投与量設定による効果不十分に注意) ・併用薬との相互作用	TDMに基づく投与量・投与間隔の提案
血液凝固阻止薬	・日常生活での注意点の指導 ・過量投与の徴候(あざ,歯茎からの出血など)の確認とその対策 ・併用薬や食事(納豆など),健康食品などとの相互作用回避のための情報提供	・ワルファリン使用時の血液凝固能検査などの血液検査による治療経過 ・定期的な血液検査による副作用のモニタリング ・服薬管理の徹底(検査・手術前の服薬中止、検査・手術後の服薬再開)	個々の患者に適した治療のための処方提案
ジギタリス製剤	服薬の意義(予防目的,治療目的)	・ジギタリス中毒症状発現の有無 ・TDMによる治療経過 ・血清電解質のモニタリング ・併用薬との相互作用	TDMに基づく投与量・投与間隔の提案
テオフィリン製剤	・服用による悪心、嘔吐、痙攣、頻脈などの副作用症状	・喫煙、カフェイン摂取などの嗜好歴および健康食品の摂取状況 ・併用薬との相互作用 ・体調変化の有無,アドヒアランス ・血中薬物濃度	TDMに基づく投与量・投与間隔の提案

(次頁に続く)

（前頁から続き）

	説明・指導	確認	提案
抗精神病薬	・患者および家族への教育とアドヒアランスの向上 ・薬物の依存傾向を示す患者に対する適切な医薬品情報の提供 ・自殺企図で過量服薬の危険性がある患者の把握と服薬管理の徹底 ・転倒・転落に関する要因の把握と注意喚起	・原疾患の症状と類似した副作用（錐体外路症状，パーキンソン症候群など）や致死的副作用（悪性症候群など）のモニタリング ・特に非定型抗精神病薬では，血液疾患，内分泌疾患などの副作用モニタリング	個々の患者に適した症状緩和のための処方提案
催眠鎮静薬	・睡眠状況の聴取 ・患者への睡眠衛生指導 ・薬物の依存傾向を示す患者に対する適切な医薬品情報の提供 ・自殺企図で過量服薬の危険性がある患者の把握と服薬管理の徹底 ・転倒・転落に関する要因の把握と注意喚起	・併用薬や健康食品などとの相互作用や薬原性不眠症などの有無 ・同一・同効薬が反復処方される場合の残量および重複 ・過剰処方の有無 ・処方薬の不適切使用の有無	個々の患者に適した不眠症治療のための処方提案
糖尿病治療薬・膵臓ホルモン薬	・低血糖および低血糖症状出現時の対処法 ・服用時間，服用忘れ時の対処法 ・薬剤の保管方法，空打ちの意義，投与部位に関する説明 ・注射針の取り扱い方法	・低血糖および低血糖症状出現時の対処法の理解	患者が使用するのに適したデバイスの選択
HIV治療薬	・併用薬や健康食品などとの相互作用 ・アドヒアランス低下による薬剤耐性ウイルス出現のリスク	・服用回数やタイミングと生活サイクルの合致性 ・発熱・発疹など先行症状の指導，体調変化の有無 ・血液検査などによる治療経過と服薬アドヒアランス ・処方薬に対する薬剤耐性出現の有無	患者のライフスタイルに合わせた薬剤の選択

表 9-4 SOAP 形式の概念

S(subjective data) 主観的情報	患者の訴え・質疑	患者が直接提供する，副作用症状など薬に対する訴えや相談事項
O(objective data) 客観的情報	病歴，診察所見，検査データ	・薬剤師としての客観的観察 ・使用薬剤，投与時間・投与量，血中濃度測定値，主要検査値，既往歴，血圧，脈拍など
A(assessment) 評価	判断，考察，評価，目標，意見	・薬剤師としての評価・回答 ・訴えや相談事項と薬剤の関連，投与方法の適否，患者への回答・指導など
P(plan) 計画	診断，治療方針，薬物投与の開始・中止	・薬物療法への情報提供 ・医師や看護師への問題点のフィードバック，患者指導計画，副作用予知，血中濃度測定計画など

〔堀岡正義：調剤学総論第 12 版，p354，南山堂，2015 より〕

- 患者に対して切れ目のない薬物療法を実施するために，必要に応じて，退院先の医療機関・介護保険施設あるいは退院後に関連する保険薬局との連携を図る．

E 副作用などによる健康被害が発生した時の対応

- 医薬品を適切に使用したにもかかわらず，重篤な副作用や感染症などが発生した場合には患者の相談に応じるとともに，PMDAの健康被害救済制度（「医薬品副作用被害救済制度」と「生物由来製品感染等被害救済制度」）について説明し，救済申請を支援する（http://www.pmda.go.jp/kenkouhigai.html を参照）．
- 医薬品などの使用によって発生した健康被害の情報を，行政機関などに報告する．

参考文献

1) 高橋晴美：薬剤師による患者フォローと SOAP チャートの作成．薬剤師のための疾患別薬物療法 I 悪性腫瘍 改訂第 2 版，pp161-164，南江堂，2018
2) 日本病院薬剤師会薬剤業務委員会：ハイリスク薬に関する業務ガイドライン（Ver.2.2），2016

（山本 晴菜）

第10章 感染症

1 呼吸器感染症

A 疫学・病態
- 呼吸器感染症は上気道（鼻炎，咽頭／扁桃炎，気管・気管支炎）と下気道（肺炎）に分けて考える．
- 上気道炎の多くはウイルス性の感染症であり，対症療法が治療の基本となる．
- 下気道炎は肺炎が主であり，発症環境により，市中肺炎，院内肺炎，人工呼吸器関連肺炎に分類される．
- 原因微生物としては，細菌性扁桃炎ではA群β溶連菌，市中肺炎では肺炎球菌，インフルエンザ桿菌，モラクセラ・カタラーリス，マイコプラズマ，レジオネラ，クラミドフィラが多い．院内肺炎では緑膿菌や耐性菌などの関与，人工呼吸器関連肺炎では，MRSAなども起炎菌として想定する必要がある．

B 患者の状態把握
症状
- 細菌性扁桃炎では，発熱と嚥下時痛，肺炎では発熱，咳，痰，呼吸困難．
- 高齢者の肺炎は呼吸器症状よりも，食思不振，意識障害，ADL低下のみの場合もある．

診断・検査
- 扁桃炎では，扁桃の腫大と分泌物（白苔）の付着，頸部リンパ節の腫大．
- 肺炎では，呼吸数の増加，酸素化低下，聴診でラ音聴取し，胸部X線で浸潤影を認める．
- 起炎菌同定のために，扁桃ぬぐい液や喀痰のグラム染色・培養，血液培養を採取．

□ 迅速検査として，レジオネラや肺炎球菌では尿中可溶抗原検査，マイコプラズマや溶連菌ではぬぐい液での抗原検査および抗体検査などがある．

C 治療（標準的処方例）
□ 溶連菌性扁桃炎の場合，リウマチ熱の予防のためにも，10日間の抗菌薬加療を推奨する．なお，抗菌薬加療は溶連菌感染後糸球体腎炎の発症は予防しない．

細菌性扁桃炎
（溶連菌感染と判明している場合）
1) アモキシシリンカプセル（250 mg） 1回2カプセル 1日2回

（伝染性単核球症の疑いがありペニシリン系薬を避けたい時）
2) セファレキシンカプセル（250 mg） 1回2カプセル 1日4回

（ペニシリンアレルギーがある場合）
3) クリンダマイシンカプセル（150 mg） 1回2カプセル 1日3回

＊扁桃周囲膿瘍に至る場合は，アンピシリン・スルバクタム，セフトリアキソンなど経静脈的抗菌薬投与が必要となる．

細菌性肺炎
□ 患者の重症度，発症環境，原因菌により抗菌薬を選択する．治療開始前にグラム染色・培養を行い起炎菌を推定することが大切である．

1. 市中肺炎
□ 年齢にもよるが，非定型肺炎（マイコプラズマ，レジオネラ，クラミドフィラ）も疑う場合は，アジスロマイシンを加える．
□ レボフロキサシンは単剤で非定型肺炎も含めて加療ができるメリットがあり頻用される傾向にある．注意すべき点として結核菌にも効くため，肺結核の診断を遅らせてしまう可能性がある．特に高齢者では，非キノロン系での加療を優先することを考える．

①外来治療
□ **肺炎球菌性肺炎の場合**
1) アモキシシリンカプセル（250 mg） 1回2カプセル 1日3回

□ **肺炎球菌以外も考える場合**
1) アモキシシリン・クラブラン酸配合錠（250 mg・125 mg）
 1回1錠 1日3回
 アモキシシリンカプセル（250 mg） 1回1カプセル 1日3回

(アモキシシリン量として 1,500 mg/日となるように追加)
2) アジスロマイシン錠(250 mg)　1回2錠　1日1回　3日間
3) レボフロキサシン錠(500 mg)　1回1錠　1日1回

② 入院治療
1) セフトリアキソン注　1回2g　1日1回
2) アジスロマイシン注　1回500 mg　1日1回
3) レボフロキサシン注　1回500 mg　1日1回

2. 院内肺炎

① 緑膿菌・耐性菌の関与を考えない場合
☐ 市中肺炎の加療に準ずる.

② 緑膿菌・耐性菌の関与を考える場合
1) タゾバクタム・ピペラシリン注　1回4.5 g　1日4回
2) メロペネム注　1回1g　1日3回

③ ICU 入室を要する重症肺炎
☐ Rp1) または2)に, Rp3) または4) を併用(起因菌が不明の場合. グラム染色で起因菌の同定ができれば起因菌に合わせて抗菌薬を変更)
1) メロペネム注　1回1g　1日3回
2) タゾバクタム・ピペラシリン注　1回4.5 g　1日4回
3) レボフロキサシン注　1回750 mg　1日1回
4) アジスロマイシン注　1回500 mg　1日1回

④ 人工呼吸器関連肺炎
☐ 人工呼吸器装着48時間以降に発症した肺炎であり, 多くは抗菌薬投与がされている中での発症となる. 検体採取の上, 起炎菌と想定されるものに対して抗菌薬投与を強化することになる.
例) メロペネムで加療中に喀痰より MRSA を検出した場合は VCM を追加.

D 薬剤師による薬学的ケア

処方チェック

① 処方薬
☐ 処方薬と同系統の抗菌薬でアレルギー歴がないか確認.
☐ キノロン系の妊婦への使用は避ける.
☐ アジスロマイシン注の調製濃度は 1 mg/mL, 投与時間は 2 時間.

② 相互作用
- **バルプロ酸とカルバペネム系抗菌薬の併用**：バルプロ酸の血中濃度を急速に低下させるため，併用禁忌．
- **キノロン系抗菌薬と金属カチオンの同時服用**：キノロンの消化管吸収が低下 ➡ 同時服用は避ける．

服薬指導
- 内服薬の自己中断や減量は病状を再燃させる可能性があり，決められた期間の内服が重要であることを理解させる．

治療・副作用モニタリング
- アナフィラキシーや薬疹，特にStevens-Johnson症候群(SJS)や中毒性皮膚壊死症候群(TEN)に注意．特にβラクタム系に多い．
- 抗菌薬関連下痢症は抗菌薬投与後に起こる下痢症である．セファロスポリン系(特に第2, 3世代)，ペニシリン系，マクロライド系，キノロン系で発症しやすい．

E 処方提案のポイント
- どの種類の抗菌薬でも肝障害・腎障害・造血障害などが起こりやすく，投与開始後は定期的なモニタリングが必要である．
- 腎機能低下患者に腎排泄型の抗菌薬を投与する場合，薬物動態(PK)および薬力学(PD)に基づき減量する．
    例) レボフロキサシンは1回量を減量し，バンコマイシンはTDMを行って1回量または投与回数を減らす．
- 抗菌薬関連下痢症のうち，特にクロストリディオイデス・ディフィシル(CD)感染症に伴う下痢に注意する．必要に応じてCD抗原(GDH)とCDトキシン検査を行う．

参考文献
1) 青木眞：レジデントのための感染症診療マニュアル 第4版．pp1113-1115, 医学書院, 2020
2) 青木眞：レジデントのための感染症診療マニュアル 第4版．pp586-619, 医学書院, 2020
3) Up to date：Clinical evaluation and diagnostic evaluation of ventilator associated pneumonia

(金森 真紀)

2 尿路感染症

A 疫学・病態

- 尿路とは腎臓から尿管,膀胱,尿道までの尿の通り道であり,通常は無菌状態である.多くは尿道から上行性に菌が侵入し,下部であれば尿道炎,膀胱炎を生じ,上部の多くは腎盂腎炎を生じる.尿の流れを滞らせる閉塞機転(尿路結石や前立腺肥症など)の有無で単純性,複雑性に分けられる.
- 尿道が短いため女性に起こりやすい.男性の場合は前立腺炎や精巣上体炎も起きうる.
- 尿路感染症(UTI:urinary tract infection)の95%は単一の起炎菌により生じ,腸内細菌(大腸菌,クレブシエラ,プロテウス菌など)が大多数を占める.
- 複雑性尿路感染症や院内発症のUTIでは,腸球菌や緑膿菌,エンテロバクター,耐性菌(ESBLやAmpC産生菌)の関与を考えた抗菌薬選択が必要となる.

B 患者の状態把握

▌症状

- 下部であれば排尿時痛,頻尿,残尿感などの膀胱刺激症状,下腹部の痛みや違和感が主となる.
- 腎盂腎炎では背部痛が出現することがあり,肋骨脊柱角部に圧痛がないか確認する.
- 腎盂腎炎は顕微鏡的には小膿瘍の集合体とされ,治療開始後2〜3日は解熱しないことも多い.2〜3日しても解熱しない時は,起因菌の感受性を再確認するとともに,腎実質膿瘍や腎周囲膿瘍などがないかを調べる.
- 前立腺炎や精巣上体炎では,前立腺の圧痛や陰嚢の痛みを認める.

▌診断・検査

- **尿沈渣**:尿に細菌がいる細菌尿,尿中白血球を10/HPF以上認める膿尿の所見がないか
- **細菌検査**:尿グラム染色・培養,血液培養2セット.尿路感染症の3〜4割で血液培養が陽性となる

□ **画像検査**：腹部超音波・腹部 CT による尿路の閉塞・膿瘍の有無を把握.

C 治療（標準的処方例）

単純性膀胱炎
□ 以下のいずれか.
1) セファレキシン錠(250 mg)　1回2錠　1日3〜4回　7日間
2) レボフロキサシン錠(500 mg)　1回1錠　1日1回　3日間
3) スルファメトキサゾール・トリメトプリム配合錠　1回2錠　1日2回　3日間

＊抗菌薬の選択は地域のアンチバイオグラムにより変わる.

単純性腎盂腎炎
□ 腎盂腎炎の治療期間は14日間と言われているが，若年女性の単純性 UTI などではそれより短くてもよいとされる場合もある.

①全身状態がよく経口摂取に問題がない場合.
1) セファレキシン錠(250 mg)　1回2錠　1日4回
2) レボフロキサシン錠(500 mg)　1回1錠　1日1回
3) スルファメトキサゾール・トリメトプリム配合錠　1回2錠　1日2回

②循環動態や意識状態が悪い時，消化器症状などが強い場合
□ 入院加療が原則．院内発症であれば，緑膿菌の関与も考えて Rp3)や 4)を選択する．全身状態の改善を認めれば，感受性を元に経口薬へと変更する.
1) セファゾリン注　1回1〜2 g　1日3回
2) セフトリアキソン注　1回2 g　1日1回
3) セフタジジム注　1回1〜2 g　1日3回
4) タゾバクタム・ピペラシリン注　1回4.5 g　1日4回

複雑性尿路感染症
□ 閉塞起点の解除が可能であれば行う．これまでの治療歴や耐性菌など考慮して，Rp2)，3)の選択肢も考慮する．Rp4)は ESBL 産生菌の重症 UTI でなければ，カルバペネムと同様の治療効果が見込まれる.
1) セフトリアキソン注　1回2 g　1日1回
2) タゾバクタム・ピペラシリン注　1回4.5 g　1日4回

3) メロペネム注　1回1g　1日3回
4) セフメタゾール注　1回1~2g　1日2~4回

急性前立腺炎
□ 急性期はこれまでに挙げられた UTI 治療薬の β ラクタムが使用される．治療期間が4週間と長いため，内服抗菌薬に変更する際には，前立腺への移行がよい下記の抗菌薬へスイッチする．
1) レボフロキサシン錠(500 mg)　1回1錠　1日1回　3~4週間
2) スルファメトキサゾール・トリメトプリム配合錠　1回2錠　1日2回　3~4週間

D 薬剤師による薬学的ケア

処方チェック
①処方薬
□ 疾患ごとの投与期間を確認する．
□ 妊婦に対しキノロン系，ST 合剤は避ける．
□ 腎機能低下症例では，投与量および投与間隔が適切か確認する．

②相互作用
□ **バルプロ酸 Na とカルバペネム系抗菌薬の併用**：バルプロ酸の血中濃度を急速に低下させるため，併用禁忌．
□ **ニューキノロン系抗菌薬と金属カチオンの同時服用**：ニューキノロンの消化管からの吸収低下が起こるため同時服用は避ける．
□ **セフメタゾールとアルコール**：ジスルフィラム様作用が現れることがあるため，投与後1週間まで飲酒を避ける．
□ セフメタゾールは，NMTT 基を有するためワルファリン様作用を起こしやすく，PT 延長に注意する．

服薬指導
□ 確かな治療効果を得るため，決められた服用期間を遵守するよう指導する．

治療・副作用モニタリング
□ 腎機能障害，薬剤性肝障害に注意してモニタリングを行う．
□ 抗菌薬関連下痢症に注意する．
□ ST 合剤では高 K 血症，血球減少，皮膚障害に注意する．一方，Scr 値は腎機能障害を伴わないみかけの上昇であることが多い．

E 処方提案のポイント

- 女性に多い疾患．妊婦に使用可能な代替抗菌薬を把握しておく．
- 腎機能低下患者では，PK/PDに基づき減量または投与間隔の延長を提案する．

参考文献

1) 青木眞：レジデントのための感染症診療マニュアル 第4版，pp639-678，医学書院，2020
2) van Nieuwkoop C, et al：BMC Med. 2017 Apr 3；15(1)：70(PMID：28366170)
3) Doi A, et al：Int J Infect Dis. 2013 Mar；17(3)：e159-63(PMID：23140947)
4) 木村充：NMTT基を有するセフェム系抗生物質の使用後に発症した血液凝固障害の一例．医学検査 68：781-785，2019

(金森 真紀)

3 真菌感染症

A 疫学・病態

- 表在性真菌症・深在性真菌症がある．本項では深在性について言及する．
- 食道カンジダは，口腔や咽頭カンジダ同様表在性の真菌症であるが，AIDS指標疾患の1つであるため取り上げる．
- 深在性真菌症の原因菌には，カンジダ，アスペルギルス，クリプトコッカス，ニューモシスチスがある．
- クリプトコッカス症を除いて，健常成人の市中における感染は稀である．各リスクを表10-1，2に示す．

B 患者の状態把握

症状

- 感染症であるため発熱はきたすが，真菌症に特異的な症状はない．感染部位により各種の症状が認められる．
- カンジダでは菌血症，眼内炎，アスペルギルス，ニューモシスチスでは肺炎，クリプトコッカスでは肺炎，髄膜炎，皮膚結節をきたすことが多い．

表10-1 代表的なカンジダ症の危険因子

一般的なリスク

- 内在的：カンジダの定着，糖尿病，消化管穿孔，高齢，膵炎，敗血症，疾患重症度の高さ
- 医原性：透析患者，広域スペクトラム抗菌薬使用，中心静脈カテーテル使用，免疫抑制剤使用，消化管手術もしくは他の大手術，左室補助人工心臓使用，長期間の病院もしくはICU滞在，人工呼吸器使用，中心静脈栄養

免疫不全患者におけるリスク

- 内在的：GVHD，粘膜炎，高度な好中球減少（好中球数＜500/mm^3）
- 医原性：固形臓器移植，造血幹細胞移植

〔青木眞：レジデントのための感染症診療マニュアル 第4版，pp1238-1291，医学書院，2020より〕

表10-2 アスペルギルス症の危険因子

- 顆粒球減少症（急性白血病，骨髄異形成症候群，再生不良性貧血）
- 同種造血幹細胞移植
- 臓器移植（特に肺移植）
- 進行したAIDS
- 慢性肉芽腫性疾患
- 肺気腫，陳旧性肺結核など既存の肺に解剖学的な異常がある

〔青木眞：レジデントのための感染症診療マニュアル 第4版，pp1238-1291，医学書院，2020より〕

■ 診断・検査

- **各種培養検査**：血液培養（2セット以上），痰，尿，中心静脈カテーテル先端．
- **血清抗原検査**：β-Dグルカン（カンジダ），ガラクトマンナン（アスペルギルス）．
- 症状を起こしやすい臓器に対してCTやMRI，髄液検査などを組み合わせる．

C 治療（標準的処方例）

■ カンジダ

- 菌種によって感受性が異なり注意が必要である．

① 血流感染

- 以下のいずれか．*Candida albicans* と判明していない限りは初期治療としてはRp1)もしくは2)を選択する．

1) ミカファンギン注　1回100 mg　1日1回
2) 注射用アムホテリシンBリポソーム製剤　1回3〜5 mg/kg　1日1回
3) フルコナゾール（経口または点滴静注）　1回400 mg　1日1回

②食道カンジダ

フルコナゾール（経口または点滴静注）　1回200〜400 mg　1日1回

□14〜21日間で治療する．

③眼内炎
1) フルコナゾール（経口または点滴静注）　1回6〜12 mg/kg　1日1回
2) 注射用アムホテリシンBリポソーム製剤　1回3〜5 mg/kg　1日1回

□フルシトシン錠(500 mg)　1回25 mg/kg　1日4回の併用を考慮する．

アスペルギルス

侵襲性アスペルギルス症

□以下のいずれか．
1) ボリコナゾール注　初日1回6 mg/kg　1日2回，その後1回4 mg/kg　1日2回
2) ボリコナゾール錠(50 mg)　体重40 kg以上で初日1回300 mg　1日2回，その後1回150 mg　1日2回，体重40 kg未満で初日1回150 mg　1日2回，その後1回150 mg　1日2回
3) 注射用アムホテリシンBリポソーム製剤　1回3〜5 mg/kg　1日1回

ニューモシスチス

ニューモシスチス肺炎

1) トリメトプリム（1回5 mg/kg）＋スルファメトキサゾール（1回25 mg/kg）　1日3〜4回　点滴静注もしくは内服

低酸素血症を伴う場合は

2) プレドニゾロン錠　1回40 mg　1日2回　内服

□治療は21日間で，プレドニゾロンは徐々に減量していく．

クリプトコッカス

①髄膜炎

□最初は以下の1），2）を2週間以上使用し，寛解導入．

1) 注射用アムホテリシン B リポソーム製剤　1 回 3～4 mg/kg　1 日 1 回
2) フルシトシン錠(500 mg)　1 回 25 mg/kg　1 日 4 回
その後地固め療法として 3)を最低 8 週間
3) フルコナゾールカプセル(100 mg)　1 回 4 カプセル　1 日 1 回
維持療法として 4)を 1 年以上
4) フルコナゾールカプセル(100 mg)　1 回 2 カプセル　1 日 1 回

②髄膜炎以外(肺炎など)
1) フルコナゾールカプセル(100 mg)　1 回 4 カプセル　1 日 1 回
2) 注射用アムホテリシン B リポソーム製剤　1 回 3～5 mg/kg　1 日 1 回

☐ クリプトコッカス症は非常に長期の治療が必要となり,髄膜炎以外でも 6 か月以上,1 年程度の治療が望ましい.

D 薬剤師による薬学的ケア

処方チェック
①処方薬
☐ 初期投与量の設定がある薬剤に注意し,投与量を確認する.
☐ 腎機能低下症例では,投与量および投与間隔が適切か確認する.
☐ **ミカファンギン注**:75 mg 以下は 30 分以上,75 mg を超える場合は 60 分以上かけて投与する.
☐ **注射用アムホテリシン B リポソーム製剤**:注射用水で溶解し,5% ブドウ糖液で希釈する(リポソーム製剤のため生理食塩液は不可).

②相互作用
☐ アゾール系は CYP を介した相互作用に注意する.常用薬を把握し,合剤を服用している場合その成分にも注意する.

服薬指導
☐ 確実な治療効果を得るため,指示通りに服用を継続するよう指導する.
☐ ボリコナゾール錠は空腹時に服用し,なるべく日光を避けるよう指導する.

治療・副作用モニタリング
①アムホテリシン B リポソーム製剤
☐ **腎毒性**:最も注意が必要.K,Mg 値にも注意する.

□ **投与時関連反応**：投与を繰り返すことで反応は軽減する．
② ボリコナゾール
□ 色覚の異常・羞明などの視力障害が特徴的．通常は可逆的．
③ アゾール系，キャンディン系
□ 肝障害の発現に注意する．
④ スルファメトキサゾール・トリメトプリム
□ ニューモシスチス肺炎に対する治療は高用量を用いるため，高K血症，血球減少，皮膚障害に注意する．

E 処方提案のポイント
① アゾール系
□ 通常，真菌症治療を優先し，常用薬を相互作用がないまたはより少ない薬剤へ変更する．
② アムホテリシンBリポソーム製剤
□ 投与時関連反応の予防または治療に，ジフェンヒドラミン，アセトアミノフェンおよびヒドロコルチゾンなどの投与を考慮する．

参考文献
1) 青木眞：レジデントのための感染症診療マニュアル 第4版，pp1238-1291，医学書院，2020
2) JOHNS HOPKINS Abx Guide（スマホで閲覧できる抗菌薬ガイドアプリ）

（金森 真紀）

4 敗血症

A 疫学・病態
□ 敗血症とは，感染によって引き起こされる生体反応が，重篤な臓器障害を引き起こしてしまう状態である．この状態が急性循環不全（ショック）に至ると，敗血症性ショックと呼ばれ，院内死亡率は40％にまで上昇すると言われている
□ 敗血症や敗血症性ショックに移行しつつある状態を早期に発見し，治療を行うことが重要である．
□ 薬剤治療は，感染病原体に対する抗菌薬と，循環動態を安定させる循環作動薬が併用される．

表 10-3 SOFA (Sequential Organ Failure Assessment) スコア

臓器/スコア	0	1	2	3	4
呼吸 (PaO_2/FiO_2)	≧400	<400	<300	<200 ＋人工呼吸	<100 ＋人工呼吸
凝固血小板数 (×10^3/μL)	≧150	<150	<100	<50	<20
肝ビリルビン (mg/dL)	<1.2	1.2〜1.9	2.0〜5.9	6.0〜11.9	>12.0
心血管 平均血圧(MAP) カテコラミンの基準は，最低でも1時間投与，単位はγ	MAP≧ 70 mmHg	MAP< 70 mmHg	ドパミン <5 or ドブタミン	ドパミン 5.1〜15 or エピネフリン≦0.1 or ノルエピネフリン≦0.1	ドパミン >15 or エピネフリン>0.1 or ノルエピネフリン>0.1
中枢神経 (Glasgow coma Scale Score)	15	13〜14	10〜12	6〜9	<6
腎クレアチニン(mg/dL) または 尿量(mL/日)	<1.2	1.2〜1.9	2.0〜3.4	3.5〜4.9 <500	>5.0 <200

B 患者の状態把握

症状

- 感染が契機となるため感染臓器によって症状はさまざまであるが，菌血症を示唆する戦慄を伴う発熱（もしくは低体温）や，意識障害，血圧低下，呼吸数の異常などの症状に注意する必要がある．
- 患者自身の免疫状態も重要であり，既往歴（悪性腫瘍，糖尿病や透析の有無），手術歴（脾臓摘出の有無），入院歴（薬剤耐性菌の関与，人工物やデバイスの有無），内服歴（免疫抑制薬の使用）に注意が必要である．

診断基準

- 2016年に敗血症の診断基準が改訂された
- **敗血症**：感染を疑い，さらにSOFAスコアの合計で2点以上の上昇（**表10-3**）．

□ **敗血症性ショック**：適切な輸液負荷にもかかわらず，平均血圧≧65 mmHg の維持に昇圧薬が必要，かつ血清乳酸値＞2 mmol/L．
□ ICU 以外で敗血症をスクリーニングするためのツールとして quick SOFA がある．以下のうち2つ以上を満たす場合に陽性とする．
　① 収縮期血圧 ≦100 mmHg　② 呼吸数 ≧22 回/分
　③ 意識状態の変化(GCS＜15)

検査
□ バイタルサインで頻呼吸，頻脈，血圧低下，意識レベルの低下，酸素化の悪化がないか確認．
□ 血液検査，血液ガス，各種培養検査(血液培養は2セット以上)
□ 感染臓器の特定のため，各種画像検査は積極的に活用する．
□ 外科的ドレナージが必要な場合は，しっかりとドレナージする．

C 治療(標準的処方例)

循環作動薬
□ 血圧を安定させるために大量の細胞外液補充，ノルアドレナリンなどの循環作動薬，輸血などを併用する．副腎不全が疑われる場合にはステロイド投与も併用する．

抗菌薬
□ 敗血症を疑った場合には早急な抗菌薬投与が必要．感染源や起炎菌が同定される前に，十分に広いスペクトラムの抗菌薬をエンピリックに開始する．起炎菌や感受性が判明したら狭域スペクトラムな抗菌薬に de-escalation するのが基本である．

抗菌薬の選択について
□ グラム陰性桿菌に対するスペクトラムの幅，抗 MRSA 薬の必要性の有無を考える．

①市中発症の場合
□ 大腸菌などの比較的感受性良好なグラム陰性桿菌をカバーする．
　1) セフトリアキソン注　1回2g　1日1回
　2) セフォタキシム注　1回2g　1日3回

②院内発症・医療濃厚曝露患者・免疫不全患者の場合
□ 緑膿菌や耐性グラム陰性桿菌をカバーする
　1) メロペネム注　1回1g　1日3回
　2) セフェピム注　1回2g　1日3回

3) タゾバクタム・ピペラシリン注　1回4.5 g　1日4回
□ ESBL産生菌の分離率が高い地域ではカルバペネム系を用いる.

③ カテーテル関連血流感染症や皮膚軟部組織感染, 肺炎(市中型MRSA肺炎, インフルエンザ後の黄色ブドウ球菌性肺炎)を疑う場合

1) バンコマイシン注　1回1 g　1日2回
2) テイコプラニン注　1回400 mg(6 mg/kg)　1日2回を2日間, その後から1回400 mg　1日1回

④ 真菌感染のリスクがある場合
□ カンジダによる感染を考慮し下記のいずれかを併用.

1) ミカファンギン注　1回100 mg　1日1回
2) 注射用アムホテリシンBリポソーム製剤　1回3～5 mg/kg　1日1回

D 薬剤師による薬学的ケア

処方チェック

① 処方薬
□ PK/PD理論に基づく適切な用法・用量か.
□ 腎機能低下症例では, 投与量および投与間隔が適切か確認する. 特に敗血症では全身状態が変動しうるため, 腎機能の変化に応じて調節する.
□ バンコマイシンは急速な投与によるレッドマン症候群を避けるため, 1時間以上かけて投与する.

② 相互作用
□ **バルプロ酸Naとカルバペネム系抗菌薬の併用**：バルプロ酸の血中濃度を急速に低下させるため, 併用禁忌.
□ **ニューキノロン系抗菌薬と金属カチオンの同時服用**：ニューキノロンの消化管からの吸収低下が起こるため同時服用は避ける.

服薬指導, 治療・副作用モニタリング

治療・副作用モニタリング
□ 感受性結果判明後, 起炎菌と抗菌スペクトルが合致しているか確認する.
□ 状態がよく, 狭いスペクトラムの抗菌薬に変更できそうであれば, de-escalationを提案する.
□ グリコペプチド系(バンコマイシン, テイコプラニン), アミノグ

リコシド系：TDM を行う．
- **抗菌薬関連下痢症**：抗菌薬投与後に起こる下痢症．特にクロストリディオイデス・ディフィシル(CD)感染症に伴う下痢に注意する．セファロスポリン系(特に第2, 3世代), ペニシリン系, マクロライド系, ニューキノロン系で起こりやすい.
- **リネゾリド**：骨髄抑制(好中球減少, 貧血, 血小板減少)に注意.
- **ダプトマイシン**：クレアチンキナーゼの上昇に注意する．

E 処方提案のポイント

バンコマイシン，テイコプラニンの TDM
- **バンコマイシン**：トラフ値 15〜20(μg/mL)(敗血症ではなく, 一般的な感染症の場合：10〜20).
- **テイコプラニン**：トラフ値 20〜30(μg/mL).

抗菌薬投与後の下痢
- CD 抗原(GDH)・CD トキシンの検査を行う．なお, 重症例では併用薬も多く, これらの影響(PPI, 緩下薬, 経口リン酸製剤など)も十分考慮する.

参考文献
1) 青木眞：レジデントのための感染症診療マニュアル 第4版, pp1461-1493, 医学書院, 2020
2) 日本版敗血症診療ガイドライン 2016 日本集中治療医学会雑誌 Vol. 24 Supplement 2, 2017

(金森 真紀)

5 肺結核

A 疫学・病態
- 日本の結核罹患率は年々減少傾向であり, 2021 年度は 9.1 人/10 万人でようやく低蔓延国となった.
- 高齢者が 70% 近くを占めるが, 若年層, 外国生まれの占める割合が増加傾向である.
- 主に肺を介した空気感染(飛沫核感染)による伝染性疾患で, 肺結核が 80% 近くを占めるが, 20% は肺外結核として胸膜やリンパ節, 腸, 脊椎, 腹膜などに発生することもある.

B 患者の状態把握

症状
- 2週間以上持続する咳嗽，2週間以上続く発熱，体重減少のうち2つ以上あれば考える．高齢者では呼吸器症状に乏しく，食欲不振や体重減少のみの場合もある．

診断・検査
- 胸部X線，CT．
- **抗酸菌検査(喀痰など)**：塗抹検査(蛍光法)，PCRと培養検査．
- 一般的に3回喀痰塗抹検査を行う．1回でも塗抹検査が陽性であれば感染隔離の対象となる．培養検査には8週間を要し，薬剤耐性検査にも数か月かかる．
- インターフェロンγ遊離試験(IGRA)としてクォンティフェロン，T-SPOT検査があり，補助的に使用される．

C 治療

- 結核菌の耐性化予防や，再発防止のため多剤併用療法が基本．
- DOTS(直接服薬確認療法)での確実な服薬が理想である．

結核治療に用いられる薬剤(表10-4)
- **First-line drugs**：初回治療や薬剤耐性のない患者に使用．
- **Second-line drugs**：薬剤耐性を有する患者か副作用でFirst-line drugsが使用できない患者に限る．
- できるだけFirst-line drugsを継続使用するのが原則である．

初回治療患者の標準治療(図10-1)
- 原則としてリファンピシン，ピラジナミド，イソニアジド，エタンブトールの4剤を用いる．
- 肝障害合併患者，妊婦，80歳以上の高齢者などピラジナミド使用不可の場合には，2剤使用期間を3か月間延長する．
- 粟粒結核などの重症例,3か月を超える培養陽性例,HIV感染合併例および再発例では標準治療の2剤使用期間を3か月間延長する．
- **標準治療**：Rp1)～3)にRp4)または5)を加えた4剤を2か月併用後，Rp1), 2)を4か月投与．
- **ピラジナミド使用不可の場合**：Rp1), 2)にRp4)または5)を加えた3剤を2か月併用後，Rp1), 2)を7か月投与．
- 実際の投与量は標準量を参考にカプセルや錠剤に合わせて適宜増

表 10-4 抗結核薬のグループ化と使用の原則

	特性	薬剤名
First-line drugs(a)	・最も強力な抗菌作用を示し、菌の撲滅に必須な薬剤 ・RFP, RBT, PZA は滅菌的、INH は殺菌的に作用する	・リファンピシン(RFP)[*1] ・リファブチン(RBT)[*1] ・イソニアジド(INH) ・ピラジナミド(PZA)
First-line drugs(b)	・First-line drugs(a)との併用で効果が期待される薬剤 ・SM は殺菌的、EB は主に静菌的に作用する	・ストレプトマイシン(SM)[*2] ・エタンブトール(EB)
Second-line drugs	First-line drugs に比し抗菌力は劣るが、多剤併用で効果が期待される薬剤	・レボフロキサシン(LVFX)[*3] ・カナマイシン(KM)[*2] ・エチオナミド(TH) ・エンビオマイシン(EVM)[*2] ・パラアミノサリチル酸(PAS) ・サイクロセリン(CS)
新薬	使用対象は多剤耐性結核のみ	・デラマニド(DLM)[*4] ・ベダキリン(BDQ)[*4]

表は上から下に優先選択すべき薬剤の順。なお、RFP と RBT、また SM、KM、EVM の併用はできない。

[*1]: RBT は RFP が使用できない場合に選択。特に HIV 感染者で抗ウイルス薬の投与を必要とする場合に RFP は相互作用のために使用できない場合がある。
[*2]: アミノ配糖体は同時併用できない。抗菌力や交差耐性等から SM → KM → EVM の順に選択する。
[*3]: LVFX はモキシフロキサシンと換えることができる。
[*4]: DLM と BDQ については優先選択の順位付けはない。

〔日本結核病学会治療委員会:「結核医療の基準」の見直し—2018 年. 結核 93(1) p61-68, 2018 より〕

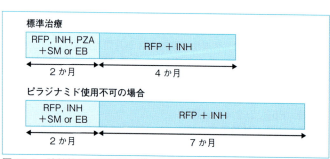

図 10-1 肺結核の初回治療レジメン

減する．内服回数は血中濃度の維持と直接服薬確認療法（DOTS）のため1日1回である．

1) リファンピシンカプセル　成人10 mg/kg/日　小児 10～20 mg/kg/日　最大投与量600 mg
2) イソニアジド錠　成人5 mg/kg/日　小児 10～20 mg/kg/日　最大投与量300 mg
3) ピラジナミド末　25 mg/kg/日　最大投与量1,500 mg
4) エタンブトール錠　15(20) mg/kg/日＊　最大投与量750(1,000) mg＊
5) ストレプトマイシン注　15 mg/kg/日　最大投与量750(1,000) mg＊＊　筋注

＊最初の2か月は（　）量まで増量可能．
＊＊毎日投与なら750 mg，週3投与なら1,000 mgまで

D 薬剤師による薬学的ケア

処方チェック

①処方薬
- リファンピシンを使用する場合，併用薬との相互作用の有無を確認．
- 肝不全，非代償性肝硬変またはそれに準じた状態ではピラジナミドおよびイソニアジドは使用しない．
- 高齢者，腎機能低下者では投与量の減量を検討する．

②相互作用
- **リファンピシン**：薬物代謝酵素誘導．➡ 併用薬血中濃度低下のおそれ．相互作用でリファンピシンが使用できない場合，リファブチンを代替薬として使用する．
- **イソニアジド**：乳糖との配合で黄変するため注意する．

服薬指導
- 長期間の服用が必要であることおよび不規則な服薬や中断は結核菌の耐性化を誘導することを説明する．
- 主な副作用の初期症状とその対策（表10-5）についてあらかじめ説明する．
- イソニアジド服用時に，ヒスチジン含有食物（マグロ・サバなど），チラミン含有食物（チーズ・ワインなど）の摂取によりヒスタミン中毒を引き起こす可能性があるため摂取を控えるよう指導する．

表 10-5 主要薬剤の主な副作用と対策

薬剤	副作用	対策
RFP	尿，糞，唾液，痰，汗，涙液が本剤およびその代謝産物により橙赤色に着色．ソフトコンタクトレンズが変色することもある	情報提供の実施
	胃腸障害	服用タイミング変更の提案
INH	末梢神経障害	ビタミンB_6製剤(30〜60 mg/日)の併用
PZA	肝障害，尿酸値上昇，関節痛	・検査値のモニタリング ・飲酒を控えるよう指導
SM	第8脳神経障害(聴力障害)，腎障害	聴力・腎機能検査
EB	視力障害	視力・中心暗点検査

治療・副作用モニタリング

- **肝機能障害**：治療開始後2か月間に多い．
- **発熱・発疹**：イソニアジドまたはリファンピシン投与による発熱・発疹出現時は，減感作療法を考慮する．
- **視力障害**：新聞を片眼ずつ一定の距離で毎日読むなど，早期発見に努めることを提案．
- **せん妄**：高齢者でビタミンB_6製剤を投与していない場合，ビタミンB_6製剤を併用する．

E 処方提案のポイント

- しびれ，知覚障害など末梢神経炎に注意し，必要に応じてビタミンB_6投与を提案する．
- リファンピシンと相互作用のある併用薬がある場合，血中濃度，バイタルサイン，各種検査値などを活用しながら，必要に応じて併用薬の増量または他剤への変更を提案する．

参考文献

1) 結核予防会結核研究所疫学情報センター：結核の統計年報 2018
https://www.jata.or.jp/rit/ekigaku/toukei/nenpou/

2) IASR 2017 年 12 月 22 日　https://www.niid.go.jp/niid/ja/iasr-vol38/7743-idx454.html
3) 日本結核病学会治療委員会:「結核医療の基準」の見直し― 2018 年．結核 93(1)：61-68，2018

（金森　真紀）

6 HIV

A 疫学
- わが国における患者国籍の内訳は 80％以上が日本人でそのうち男性が 90％以上．
- 約 80％が性的接触（うち同性間が約 60％）による感染．
- わが国における 2019 年末現在の累積報告数は HIV 感染患者 21,739 人，AIDS 患者 9,646 人．年間新規患者数は 2013 年以降横ばいからやや減少傾向．

B 患者の状態把握
症状
- 感染初期（2～6 週間）には発熱，倦怠感，筋肉痛，リンパ節腫脹，発疹が多いが，数週間で消失．
- 数年の無症候期を経た後，治療を行わなければ AIDS を発症．
- AIDS 指標疾患を**表 10-6** に示す．

診断・検査
① **スクリーニング検査**：HIV 抗体の測定
- 感染後約 4 週間以内は陽性とならない．
- PA 法（粒子凝集反応），ELISA 法．イムノクロマトグラフ法（簡易迅速抗体検査キット）は即日検査に用いる．

② **確認検査**
- ウエスタンブロット（WB）法
- RT-PCR 法

③ **血中ウイルス量**（HIV-RNA 量，単位：コピー/mL）
- 感染後急激に増加し，約 6 か月後に一定のレベル（セットポイント）に保たれる．
- 治療の開始・変更，効果判定の判断に有用．

表 10-6 AIDS 指標疾患

A. 真菌症	1. カンジダ症（食道，気管，気管支，肺） 2. クリプトコッカス症（肺以外） 3. コクシジオイデス症[1] 4. ヒストプラズマ症[1] 5. ニューモシスチス肺炎
B. 原虫感染症	6. トキソプラズマ脳症（生後 1 か月以後） 7. クリプトスポリジウム症（1 か月以上続く下痢を伴ったもの） 8. イソスポラ症（1 か月以上続く下痢を伴ったもの）
C. 細菌感染症	9. 化膿性細菌感染症[2] 10. サルモネラ菌血症（再発を繰り返すもので，チフス菌によるものを除く） 11. 活動性結核（肺結核または肺外結核）[1,3] 12. 非結核性抗酸菌症[1]
D. ウイルス感染症	13. サイトメガロウイルス感染症（生後 1 か月以後で，肝，脾，リンパ節以外） 14. 単純ヘルペスウイルス感染症[4] 15. 進行性多巣性白質脳症
E. 腫瘍	16. カポジ肉腫 17. 原発性脳リンパ腫 18. 非ホジキンリンパ腫（a. 大細胞型・免疫芽球型, b. Burkitt 型） 19. 浸潤性子宮頸がん[3]
F. その他	20. 反復性肺炎 21. リンパ性間質性肺炎/肺リンパ過形成：LIP/PLH complex（13 歳未満） 22. HIV 脳症（認知症または亜急性脳炎） 23. HIV 消耗性症候群（全身衰弱またはスリム病）

[1] a：全身に播種したもの，b：肺，頸部，肺門リンパ節以外の部位に起こったもの
[2] 13 歳未満で，ヘモフィルス，連鎖球菌等の化膿性細菌により，以下のいずれかが 2 年以内に，2 つ以上多発あるいは繰り返して起こったもの
a：敗血症，b：肺炎，c：髄膜炎，d：骨関節炎，
e：中耳・皮膚粘膜以外の部位や深在臓器の膿瘍
[3] C11 活動性結核のうち肺結核および E19 浸潤性子宮頸がんについては，HIV による免疫不全を示唆する症状または所見がみられる場合に限る
[4] a：1 か月以上持続する粘膜，皮膚の潰瘍を呈するもの，b：生後 1 か月以後で気管支炎，肺炎，食道炎を併発するもの
〔HIV 感染症及びその合併症の課題を克服する研究班：抗 HIV 治療ガイドライン，2020 年 3 月版　表Ⅲ-1 より〕

④ **CD4陽性リンパ球数**(単位:個/mm^3)
- 免疫力を反映する重要な指標.
- 200/mm^3 未満(正常値:700〜1,300/mm^3)で免疫不全状態となる.

C 治療(標準的処方例)

- 近年では,以下のような理由から,CD4陽性リンパ球数にこだわらずすべてのHIV感染者に抗HIV療法(以下ART)開始が推奨される傾向にある.ただし,治療を受ける意思と能力を確認し,経済的負担軽減のため医療費助成制度の活用についても十分に検討する.
  ① CD4陽性リンパ球数を高く維持できる
  ② HIV増殖により発症・増悪する可能性のある心血管疾患や腎・肝疾患のリスクの低減
  ③ CD4陽性リンパ球数が高くても発症する可能性のあるHIV関連疾患のリスクの低減
  ④ 二次感染予防
- 日和見感染症合併時は,それに対する治療とARTのどちらを先に開始するかを患者の状態によって決定する.合併症の経過が急性の場合は,通常合併症の治療を優先する.
- 適切な治療薬の選択を行うため,治療開始前に薬剤耐性の確認が推奨される.

初回療法として推奨されるART

- プロテアーゼ阻害薬(PI)またはインテグラーゼ阻害薬(INSTI)から1剤(キードラッグ),核酸系逆転写酵素阻害薬(NRTI)から2剤(バックボーン)を選択.アドヒアランスの観点から主に1日1回服用が推奨される.

① 大部分のHIV感染者に対し推奨される組み合わせ

NRTI + INSTI

1) テノホビルアラフェナミド・エムトリシタビン・ビクテグラビル錠(HT) 1回1錠 1日1回

または

2) テノホビルアラフェナミド・エムトリシタビン(HT)
   1回1錠 1日1回
   ドルテグラビル錠 1回1錠 1日1回

または
　　ラルテグラビル錠(600 mg)　1回2錠　1日1回
□ **HLA-B*5701を保有していない場合のみ**
 1) ラミブジン・アバカビル・ドルテグラビル錠　1回1錠　1日1回

② **臨床状況に応じて推奨される組み合わせ**
□ **NRTI + INSTI**(規則正しい食事摂取が可能な場合など)
 1) テノホビルアラフェナミド・エムトリシタビン・エルビテグラビル・コビシスタット錠　1回1錠　1日1回　食事中または食直後
□ **NRTI + PI**(規則正しい食事摂取が可能で脂質・糖代謝異常のリスクが低い場合など)
 1) テノホビルアラフェナミド・エムトリシタビン錠(LT)　1回1錠　1日1回
 2) ダルナビル・コビシスタット錠　1回1錠　1日1回　食事中または食直後

D 薬剤師による薬学的ケア

処方チェック

① 用法用量
□ テノホビルアラフェナミド(またはテノホビルジソプロキシル)を含む薬剤を使用時は、Ccr 30 mL/min(テノホビルジソプロキシル使用時はCcr 70 mL/min)以上を確認.
□ **ダルナビル, エルビテグラビル**：空腹時に服用すると血中濃度低下 ➡ 食事中または食直後に服用.
□ テノホビルアラフェナミドは, コビシスタットまたはリトナビルを含むPIとの併用時にはLT製剤, INSTI製剤との併用時にはHT製剤であることを確認.
□ アバカビル含有製剤を使用する場合は, 海外でHLA-B*5701を保有している場合に過敏症の発現頻度が上昇するとの報告があるため, 外国人患者に使用する場合は事前に確認することが望ましい.
□ リトナビル(近年使用は減少)はPIのブースターとして使用されているため, 併用薬の服用時間と同じか確認.
□ HBV重複感染患者では, 抗HBV活性を併せ持つ抗HIV薬(ラ

ミブジン，テノホビルアラフェナミド，テノホビルジソプロキシル，エムトリシタビン)が2剤含まれているか確認．

② 相互作用
- INSTIはAl・Mg・Caなどの多価カチオンを含む製剤と同時服用すると血中濃度低下．
- PIはCYP代謝の影響を受ける相互作用を確認．
- リトナビル・コビシスタットはCYP3A4阻害作用を持つため，他剤の血中濃度上昇の可能性あり．
- ドルテグラビル・ラルテグラビルはUGT1A1による代謝を受けるため，UGT1A1を誘導または阻害する薬剤との併用に注意．
- ドルテグラビルは血清クレアチニンが上昇しクレアチニンクリアランスが低下することがあるため，テノホビルアラフェナミドフマル酸(またはテノホビルジソプロキシフマル酸)含有製剤を併用時は腎機能の変動に注意．
- アタザナビル・リルピビリンはプロトンポンプ阻害薬と併用禁忌．
- セントジョーンズワートなどのハーブや市販のサプリメントとの相互作用について確認．
- リルピビリン，アタザナビル，ダルナビル，エルビテグラビルは空腹時に服用すると吸収低下．

服薬指導
- ART開始後は，生涯にわたる服薬継続が必要．
- 良好な治療効果には95%以上の服薬アドヒアランスが必要であり，治療開始前に十分な服薬指導を行う．
- INSTIはAl・Mg・Caなどの多価カチオンを含む製剤と併用する場合はINSTI服用後2時間以上あけることが望ましい．
- 食事に影響を受ける薬剤を使用する場合は，食生活の状況を確認．

治療・副作用モニタリング
- ウイルス量のコントロールが不良な場合，まずはアドヒアランスの確認を行う．
- アドヒアランスに問題がない場合，薬剤耐性検査およびARTの変更を考慮．
- HBV重複感染患者では抗レトロウイルス療法中断時にB型肝炎の悪化に注意．

- 肝障害・腎障害・骨粗鬆症(テノホビル),腎結石(アタザナビル),過敏症・心血管疾患(アバカビル,過敏症が発現した場合は再投与厳禁),乳酸アシドーシス(NRTI),うつ(エファビレンツ・リルピビリン),高血糖・脂質代謝異常・リポジストロフィー(PI,家族歴も含む),出血傾向(ジドブジン,PI),中枢神経障害(INSTI)など,各薬剤の副作用に注意.

E 処方提案のポイント

- 生活習慣を考慮の上,可能な限り服薬回数と錠数の少なくなる処方を提案.
- ART変更時は薬剤耐性を確認.
- 免疫再構築症候群(ART開始から約16週以内の炎症を主体とした病態)に注意し,必要に応じてステロイド薬や抗炎症薬,抗菌薬などの投与を提案する.
- 腎機能低下患者のHBV重複感染時はテノホビルアラフェナミド・エムトリシタビンの使用,HBV重複感染がなければラミブジン・アバカビル錠の使用を検討する.
- HCV重複感染時は抗HIV薬と抗HCV薬の直接作用型抗ウイルス薬(DAA)との相互作用に注意する.
- 結核合併時はリファンピシンがPIや非核酸系逆転写酵素阻害薬(NNRTI)の血中濃度を低下させるため一部を除き併用禁忌.代わりに薬物相互作用が軽いリファブチンが推奨されるが,リファブチンの血中濃度はPI・NNRTIにより変化するため用量調節を行うか,INSTIを選択する.

参考文献

1) HIV感染症及びその合併症の課題を克服する研究班:抗HIV治療ガイドライン,2020年3月 http://www.haart-support.jp,2020年5月4日閲覧
2) HIV感染症治療研究会:HIV感染症「治療の手引き」第23版,2019 http://www.hivjp.org/,2020年5月4日閲覧
3) 厚生労働省エイズ動向委員会報告API — Net(エイズ予防情報ネット) http://api-net.jfap.or.jp/status/index.html,2020年11月17日閲覧

〔登 佳寿子〕

第11章 呼吸器疾患

7 喘息・慢性閉塞性肺疾患（COPD）

A 疫学・病態

喘息
- わが国の有病率は成人の6～10%である．
- 20歳未満の患者のほとんどは小児期に発症する．
- 40歳以上の患者の2/3は成人発症型喘息であり，約半数で吸入アレルゲンが関与する．
- 慢性気道炎症とそれに伴う気道狭窄が病態の中心である．

COPD
- 日本人の有病率は8.6%，40歳以上の約530万人，70歳以上では約210万人が罹患している．
- タバコ煙を主とする有害物質を長期に吸入曝露することによって生じた肺の炎症性疾患である．
- 基本的な病態は，末梢気道病変と気腫性病変の進展による進行性の気流閉塞，過膨張．
- COPD患者の15～20%に喘息およびCODPそれぞれの特徴を有するオーバーラップ（ACO：asthma and COPD overlap）をみる．

B 患者の状態把握

症状
① 喘息
- 反復する発作性の喘鳴，咳嗽，呼吸困難など．
- 症状は，夜間や早朝に出現することが多い．
- アレルゲン曝露（ハウスダスト，花粉など），気道感染，冷気，精神的ストレスなどの刺激により誘発される．

② COPD
- 労作時呼吸困難，慢性咳嗽・喀痰など．

- □ 肺性心・右心不全徴候(頻脈・浮腫)
- □ 視診上，口すぼめ呼吸，ビア樽状の胸郭(barrel chest)など．
- □ 増悪期には，咳・痰の増量，膿性化，息切れの増強，喘鳴，発熱などがみられる．

診断・検査

① 喘息

- □ **可逆性気流制限**：ピークフロー値(PEF)の日内変動が20%以上，β_2刺激薬吸入による1秒量(FEV_1)が12%以上の増加かつ絶対量で200 mL以上の増加．
- □ **気道過敏性の亢進**：アセチルコリン，ヒスタミン，メサコリンに対する気道収縮反応の亢進．
- □ **アトピー素因の有無**：アトピー型では環境アレルゲンに対する特異的IgE抗体が陽性．
- □ **気道炎症の存在**：喀痰，末梢血中の好酸球数の増加．喀痰中の好酸球数が3%以上の場合，好酸球性炎症の存在を示唆．

② COPD

- □ スパイロメトリーにより病期の判定および気流閉塞の可逆性を評価する．
- □ 気管支拡張薬投与後のスパイロメトリーで$FEV_1/FVC<70\%$．1秒率(FEV_1/FVC)=1秒量/努力肺活量×100(%)．
- □ 病期分類には予測1秒量に対する比率(対標準1秒量：%FEV_1)を用いる(**表11-1**)．
- □ 気管支喘息，肺結核，間質性肺疾患，肺がんなどを除外．
- □ 喘息との鑑別は，症状，気流閉塞，気道炎症性の相違に基づく(**表11-2**)．

C 治療(標準的処方例)

喘息

- □ 長期管理薬(コントローラー)と発作治療薬(リリーバー)に分類される．
- □ 喘息重症度分類に基づき4つの治療ステップに分けて段階的な薬物療法が行われる(**表11-3，4**)．

① **軽症間欠型**：長期管理薬0〜1剤＋発作治療薬
 1) プロカテロールエアゾール(10 μg) 1回2吸入 発作時

表 11-1 COPD の病期分類

病期		定義
Ⅰ期	軽度の気流閉塞	%FEV$_1$≧80%
Ⅱ期	中等度の気流閉塞	50%≦%FEV$_1$<80%
Ⅲ期	高度の気流閉塞	30%≦%FEV$_1$<50%
Ⅳ期	きわめて高度の気流閉塞	%FEV$_1$<30%

※気管支拡張薬投与後の1秒率(FEV$_1$/FVC)70%未満が必須条件
〔日本呼吸器学会編:COPD(慢性閉塞性肺疾患)診断と治療のためのガイドライン第5版,p50,メディカルレビュー社,2018より〕

表 11-2 喘息と COPD の鑑別

		喘息	COPD
発症年齢		全年齢層	中高年層
要因		アレルギー,感染	喫煙,大気汚染
アレルギー歴,家族歴		-〜+	-
気道炎症に関与する細胞		好酸球,CD4+Tリンパ球	好中球,CD8+Tリンパ球,マクロファージ
症状	持続性	変動性	進行性
	出現形態	発作性	労作性
気流閉塞の可逆性		+	-(〜+)
気道過敏性		+	-(〜+)

2) フルチカゾンドライパウダーインヘラー(100 μg) 1回1吸入 1日2回
3) モンテルカストナトリウム錠(10 mg) 1回1錠 1日1回 就寝前

□ 症状が月1回未満であれば短時間作用型 β_2 刺激薬(SABA)のみ.月1回以上あれば低用量の吸入ステロイド(ICS)のみ.ICSが使用できない場合はロイコトリエン受容体拮抗薬(LTRA)または,テオフィリン徐放製剤で代替可能.病態に応じてLTRA以外の抗アレルギー薬の併用も可.

表11-3 喘息未治療状態の症状と目安になる治療ステップ

	治療ステップ1	治療ステップ2	治療ステップ3	治療ステップ4
対象症状	(軽症間欠型相当) ・症状が週1回未満 ・症状は軽度で短い ・夜間症状は月に2回未満	(軽症持続型相当) ・症状が週1回以上,しかし毎日ではない ・月1回以上日常生活や睡眠が妨げられる ・夜間症状は月に2回以上	(中等症持続型相当) ・症状が毎日ある ・短時間作用性吸入β_2刺激薬がほぼ毎日必要 ・週1回以上日常生活や睡眠が妨げられる ・夜間症状が週1回以上	(重症持続型相当) ・治療下でもしばしば増悪 ・症状が毎日ある ・日常生活が制限される ・夜間症状がしばしば

〔日本アレルギー学会監:喘息予防・管理ガイドライン2018, p102, 協和企画, 2018より〕

② **軽症持続型**:長期管理薬1~2剤+発作治療薬.
1) サルメテロール/フルチカゾンドライパウダーインヘラー (100μg) 1回1吸入 1日2回

□ 低用量ICSと長時間作用型β_2刺激薬(LABA)の併用を推奨. 配合剤を使用したほうが個々に吸入するより有効性は高い. 中用量ICS単剤, またはLABAの代わりに長時間作用型抗コリン薬(LAMA)あるいはテオフィリン徐放製剤, LTRAのいずれかでもよい.

③ **中等症持続型**:長期管理薬:2~3剤+発作治療薬
1) ブデソニド/ホルモテロールドライパウダーインヘラー 1回1吸入 1日2回
2) チオトロピウムソフトミストインヘラー(1.25μg) 1回2吸入 1日1回
3) テオフィリン徐放錠(200 mg) 1回2錠 1日1回 夕食後

□ 中~高用量ICSとLABAの併用を推奨. 不十分な場合, LAMA, テオフィリン徐放製剤, LTRAのいずれかを併用.

④ **重症持続型**:長期管理薬+発作治療薬(+追加療法)
1) プレドニゾロン錠(5 mg) 1回4~6錠 1日1回 朝 5日間
2) オマリズマブ注 1回75~600 mg 2または4週毎 皮下注

□ 高用量ICSを使用し, LABA, LAMA, テオフィリン徐放製剤, LTRAの複数併用. すべて使用でもコントロール困難な場合は,

表 11-4　喘息治療ステップ

		治療ステップ1	治療ステップ2	治療ステップ3	治療ステップ4
長期管理薬	基本治療	吸入ステロイド薬(低用量)	吸入ステロイド薬(低〜中用量)	吸入ステロイド薬(中〜高用量)	吸入ステロイド薬(高用量)
		上記が使用できない場合以下のいずれかを使用	上記で不十分な場合に以下のいずれか1剤を併用	上記に下記のいずれか1剤, あるいは複数を併用	上記に下記の複数を併用
			LABA(配合剤の使用可) LAMA*)	LABA(配合剤の使用可) LAMA*)	LABA(配合剤の使用可) LAMA*)
		LTRA	LTRA	LTRA	LTRA
		テオフィリン徐放製剤(症状が稀なら必要なし)	テオフィリン徐放製剤	テオフィリン徐放製剤	テオフィリン徐放製剤 抗IgE抗体*2) 抗IL-5抗体*2) 抗IL-5Rα抗体*2) 経口ステロイド薬*2) 気管支熱形成術*2)
	追加治療	LTRA以外の抗アレルギー薬			
発作治療		吸入SABA	吸入SABA*3)	吸入SABA*3)	吸入SABA

*) チオトロピウム臭化物水和物のソフトミスト製剤.
*2) LABA,LTRAなどをICSに加えてもコントロール不良の場合に用いる.
*3) ブデソニド/ホルモテロール配合剤で長期管理を行っている場合には,ブデソニド/ホルモテロール配合剤を発作治療にも用いることができる.
〔日本アレルギー学会監:喘息予防・管理ガイドライン2018, p102, 協和企画, 2018より〕

経口ステロイドを内服する.Rp2は,通年性アレルゲンに感作されていて,かつ血清総IgE値が治療標的範囲内(30〜1,500 IU/mL)にある場合に適応.総IgE値と体重をもとに,投与量換算表に基づいて投与量を設定.

COPD

□ 病期のみによらず,症状の程度を加味し,重症度を総合的に判断した上で治療法を選択する(図11-1).

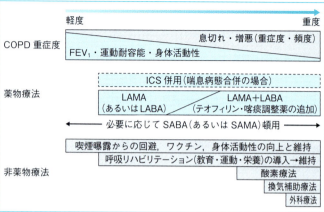

図11-1 安定期COPDの管理指針
〔日本呼吸器学会編:COPD(慢性閉塞性肺疾患)診断と治療のためのガイドライン第5版, p88, メディカルレビュー社, 2018より〕

1. 安定期

①強い労作時のみの呼吸困難
1) プロカテロールエアゾール(10 μg) 1回2吸入 発作時
□ 必要に応じて短時間作用型気管支拡張薬を使用.

②労作時呼吸困難
1) チオトロピウム吸入用カプセル(18 μg) 1回1カプセル 1日1回あるいは チオトロピウムソフトミストインヘラー(2.5 μg) 1回2吸入 1日1回
2) インダカテロール吸入用カプセル(150 μg) 1回1カプセル 1日1回
3) ツロブテロールテープ(2 mg) 1回1枚 1日1回
4) テオフィリン徐放錠(200 mg) 1回2錠 1日1回 夕食後
5) プロカテロールエアゾール(10 μg) 1回2吸入 発作時

□ 第1選択薬としてLAMAまたはLABAを選択. 症状改善が不十分な場合, LAMAとLABAを併用. 効果不十分な場合はテオフィリン徐放製剤を併用. 必要に応じて短時間作用型気管支拡張薬を使用.

③喘息の合併(ACO症例):ICSを追加.
1) サルメテロール / フルチカゾンドライパウダーインヘラー (250 μg) 1回1吸入 1日2回

④痰が多い場合:Rp1〜3のいずれかまたはすべてを併用.
1) カルボシステイン錠(500 mg) 1回1錠 1日3回
2) アンブロキソール錠(15 mg) 1回1錠 1日3回
3) クラリスロマイシン錠(200 mg) 1回1錠 1日2回

2. 増悪期
①呼吸器感染症が疑われる症例:抗菌薬を併用.
1) レボフロキサシン錠(500 mg) 1回1錠 1日1回
2) アンピシリン・スルバクタム注 1回3 g 1日4回 点滴静注

②呼吸困難,喘鳴聴取,$PaCO_2$上昇:短期的なステロイド薬全身投与
1) プレドニゾロン錠(5 mg) 1回6〜8錠 1日1回 朝 10〜14日間
2) 水溶性プレドニゾロン注(10 mg) 1回30〜40 mg 1日1回 朝 点滴静注 10〜14日間

D 薬剤師による薬学的ケア

処方チェック
①処方薬
□ 喘息では患者の治療ステップに,COPDでは患者の重症度に基づく治療薬が選択されているか,また,用法・用量が適切であるかを確認.
□ 症状のコントロール状況と発作治療薬の使用頻度を確認.
□ アスピリン喘息の疑いがないかを確認.
□ 喘息においてLABA,LAMAを長期管理に用いる場合は,必ずICSと併用.
□ 抗コリン薬が処方されている場合,症状を伴う前立腺肥大症や緑内障を合併していないか確認.
□ 吸入薬は,COPDと喘息の両方に適応を有する製剤と片方のみ適応を有する製剤があるため,適応に間違いがないかを確認.

② 相互作用
- □ テオフィリン製剤：CYP1A2を介した相互作用の可能性に注意．血中濃度上昇はシメチジン，マクロライド系抗菌薬，アルコールなど．血中濃度低下はフェノバルビタール，フェニトイン，リファンピシン，喫煙など．

服薬指導
① 喘息
- □ 気道の慢性炎症に基づく病態であり，発作を抑制するためには長期管理薬の継続が必要であることを説明．
- □ 自宅におけるピークフロー値を記録するよう指導．
- □ 発作初期での迅速かつ適切な吸入 β_2 刺激薬使用の重要性を説明．

② COPD
- □ COPDの発症を予防し進行を抑制するためには，タバコ煙からの回避が最も重要．喫煙者である場合，禁煙の重要性を理解しているか確認するとともに，禁煙に関する情報提供などを行う．
- □ LAMAやICS/LABA配合剤などは，呼吸苦などの症状が改善されても使用を中断しないよう説明．
- □ 増悪は予後不良因子であり，感染予防対策が必要であることを説明．

③ 喘息・COPD
- □ 吸入 β_2 刺激薬は，過度の使用により不整脈，心停止を起こすおそれがある．呼吸困難時の吸入可能回数についてあらかじめ説明し，頻回に使用する場合は医師・薬剤師に相談するよう指導．
- □ 吸入薬は，各薬剤・デバイスの特性を考慮し，使用時のポイントを具体的に説明・指導．高齢者など手指筋力の低下が見られる場合は噴霧補助器具の使用を検討．
- □ ICS使用後は，口腔カンジダ症・嗄声予防のため必ずうがいを行うよう指導．

治療・副作用モニタリング
- □ **吸入ステロイド薬**：全身性の副作用発現頻度は低いが，高用量で長期使用の場合は白内障・緑内障，骨粗鬆症などの発現に注意．
- □ **β_2 刺激薬**：振戦，動悸，頻脈などの副作用に注意．中止の考慮も必要．また，キサンチン誘導体，ステロイド薬，利尿薬との併用で血清K値低下のおそれ．

- **キサンチン製剤**：悪心・嘔吐など消化器症状，頻脈・不整脈などの副作用がないか確認.
- **抗コリン薬**：前立腺肥大症，緑内障の合併時には禁忌．口渇の症状が現れる可能性について説明し，症状が出た場合も使用は中断せずに医師に報告するよう指導.

E 処方提案のポイント

デバイスの選択

- 患者の吸気流速や吸入手技に応じた剤形を提案する.
- DPI(dry powder inhaler)は十分な吸気流速が必要となるため，吸入後に残量が見られる場合は p-MDI(pressurized metered dose inhaler)への変更を考慮する.
- p-MDI が小児や高齢者など吸入効率の低い患者に処方された場合，スペーサー(エアロチャンバープラス® など)の使用を提案.

テオフィリンの TDM

- テオフィリンの有効安全域は狭く，相互作用などで血中濃度が変動しやすい．副作用回避のために TDM が有効である.

参考文献

1) 一般社団法人日本アレルギー学会喘息ガイドライン専門部会監：喘息予防・管理ガイドライン 2018，協和企画，2018
2) 日本呼吸器学会 COPD ガイドライン第5版作成委員会編：COPD(慢性閉塞性肺疾患)診断と治療のためのガイドライン第5版，メディカルレビュー社，2018

(藤井 尚子)

8 間質性肺炎

A 疫学・病態

- 肺の間質である肺胞隔壁に炎症・線維化が起こり，ガス交換機能が低下する.
- 原因の明らかなものとして職業性・薬剤性など．全身性疾患に伴うものとして膠原病・サルコイドーシスなど．その他原因が特定できないものは特発性間質性肺炎(IIPs)という.

表11-5 特発性間質性肺炎(IIPs)の分類

臨床病理学的疾患名	病理組織パターン
特発性肺線維症(IPF)	通常型間質性肺炎(UIP)
非特異性間質性肺炎(NSIP)	非特異性間質性肺炎(NSIP)
特発性器質化肺炎(COP)	器質化肺炎(OP)
急性間質性肺炎(AIP)	びまん性肺胞傷害(DAD)
呼吸細気管支炎関連性間質性肺疾患(RB-ILD)	呼吸細気管支炎(RB)
剥離性間質性肺炎(DIP)	剥離性間質性肺炎(DIP)
リンパ球性間質性肺炎(LIP)	リンパ球性間質性肺炎(LIP)

□ IIPsのうち最も多いものは特発性肺線維症(IPF)(**表11-5**).
□ 男性,喫煙者にやや多い.

B 患者の状態把握

症状
□ 乾性咳嗽,労作時呼吸困難.検診発見例では,無症状の場合もある.
□ 進行すればチアノーゼ,肺性心,末梢性浮腫など.
□ 捻髪音(IPFで80%以上),ばち指などの臨床所見.

診断・検査
□ **胸部X線,高分解能CT(HRCT)所見**:両側びまん性陰影,胸膜直下の陰影分布,蜂巣肺,牽引性気管支・細気管支拡張,すりガラス陰影,浸潤影など.
□ **呼吸機能検査**:拘束性障害,拡散障害,低酸素血症.
□ **血清学的検査**:KL-6,SP-D,SP-A,LDH ↑.

C 治療(標準的処方例)
□ IPF治療の処方例を示す.

慢性安定例
□ Rp1)か2)のいずれかを使用.必要に応じてRp1)に3)を併用
  1) ピルフェニドン錠(200 mg) 1回1〜3錠 1日3回 毎食後
     1日3錠から開始,2週間毎に漸増し1日9錠で維持

2) ニンテダニブカプセル(150 mg)　1回1錠　1日2回　朝夕食後
3) N-アセチルシステイン吸入液(20%)　1回2 mL　1日2回　ネブライザー吸入(保険適用外)

急性増悪例
□ Rp1)が無効の場合，Rp2-5)のいずれかの併用を考慮〔Rp2-5)は保険適用外〕

1) メチルプレドニゾロン注　1回500～1,000 mg　1日1回　点滴静注　3日間(反応みながら1週間毎に1～4回繰り返す)とその後0.5～1 mg/kgで維持　状況に応じて2～4週毎に5 mgずつ減量
2) タクロリムスカプセル　1回0.0375 mg/kg　1日2回　朝夕食後
3) シクロスポリンカプセル(50 mg)　1回2～3カプセル　1日2回　朝夕食後
4) アザチオプリン錠(50 mg)　1回1～2錠(最大用量150 mg/日)　1日1回　朝食後
5) シクロホスファミド注　1回500 mg　1日1回　点滴静注　1～2週間毎

D 薬剤師による薬学的ケア

処方チェック
□ 各薬剤の投与計画(投与期間・休薬期間など)を確認．
□ ピルフェニドンは空腹時投与で血中濃度が高値となるため食後投与であることを確認．
□ アザチオプリンはフェブキソスタットとトピロキソスタットと併用禁忌であるため注意．

服薬指導，治療・副作用モニタリング
① 服薬指導
□ 内服の自己中断による悪化のおそれがあるためアドヒアランスの確認を行う．
□ ピルフェニドンは嘔気などの消化器障害が出現することを説明し，その際の対応について指導．
□ ピルフェニドンによる光線過敏症について理解を得るとともに紫

外線対策について説明.
☐ ニンテダニブは高頻度で下痢の副作用が出現することを説明し,その際の対応について指導.
☐ ニンテダニブは 25℃ 以下で保管するよう説明.
☐ シクロスポリン・タクロリムス内服中は血中濃度上昇を避けるため,グレープフルーツジュースを控えるよう指導.
☐ 感冒予防やワクチン接種を推奨.

②治療・副作用モニタリング
☐ ステロイドや免疫抑制薬の長期投与による日和見感染に注意.
☐ **ピルフェニドン**:嘔気や光線過敏症,眠気の出現に注意.
☐ **ニンテダニブ**:下痢や肝障害の出現に注意.
☐ **タクロリムス**:トラフ値を 5〜10 ng/mL に保つように投与量を調節.
☐ **シクロスポリン**:トラフ値を 100〜150 ng/mL 程度に保つように投与量を調節.

E 処方提案のポイント

☐ ステロイド長期投与において,感染症,骨粗鬆症,胃腸障害などに注意し,適宜支持療法を提案する.
☐ ピルフェニドン服用中に嘔気の出現があれば減量や制吐薬(ドンペリドンなど)の併用を考慮する.
☐ ニンテダニブ服用中に下痢の出現があれば止瀉薬(ロペラミドなど)を提案する.止瀉薬の効果が不十分であれば,ニンテダニブの休薬や減量を考慮する.
☐ シクロスポリン・タクロリムスの有効安全域は狭く,相互作用で血中濃度が変動する.副作用回避のために TDM が有用である.

参考文献

1) 日本呼吸器学会びまん性肺疾患診断・治療ガイドライン作成委員会編:特発性間質性肺炎診断と治療の手引き 改訂第 3 版,南江堂,2016
2) 厚生労働科学研究費補助金難治性疾患政策研究事業「びまん性肺疾患に関する調査研究」班 特発性肺線維症の治療ガイドライン作成委員会編:特発性肺線維症の治療ガイドライン 2017,南江堂,2017

(楠田 かおり)

第12章 循環器疾患

9 急性冠症候群

A 疫学・病態

- 冠動脈粥腫破綻,血栓形成を基盤として急性心筋虚血を呈する臨床症候群.急性心筋梗塞,不安定狭心症から心臓急死までを包括する広範な疾患概念.
- 急性心筋梗塞の30日以内の院内死亡率は7～10%.とくにST上昇型心筋梗塞(STEMI)は,発症直後の突然死のリスクが高い.
- 冠動脈疾患のリスク因子として,年齢,男性,喫煙,脂質異常症,糖尿病,高血圧など.

B 患者の状態把握

症状

- **胸痛**:重苦しい,圧迫されるなどの不快感が多い.前胸部,胸骨後部が多く,放散痛は下顎,頸部,左肩ないし両肩,左腕,心窩部に出現する.
- 持続時間は数分程度.長くても15～20分.30分以上持続する場合は重症である.
- 呼吸困難,めまい,意識消失,吐き気・嘔吐,冷汗.

診断・検査

- **心電図**:ST上昇,ST低下,冠性T波など.
- **心エコー検査**(UCG).
- **核医学検査**(^{201}Tl,^{99m}Tc).
- **冠動脈CT**.
- **心臓カテーテル検査**.
- **血液検査**:WBC,心筋トロポニン(トロポニンT,トロポニンI),CK,AST,LDH,CRP,H-FABP(ヒト心臓由来脂肪酸結合蛋白).

図 12-1 急性冠症候群の診断・治療フローチャート
〔日本循環器学会編:急性冠症候群ガイドライン(2018年改訂版), p18図2より〕

C 治療(標準的処方例)

- 各病態に応じて, 治療戦略を決定(**図12-1**).
- 初期診断で不安定狭心症, 非ST上昇型心筋梗塞と診断された場合は短期的生命予後に関するリスク層別化を行う.
- 適応に応じて, 血栓溶解療法, CAG(冠動脈造影), PCI(経皮的冠動脈インターベンション), CABG(冠動脈バイパス術)を施行し, 薬物療法を継続.
- わが国ではPCI施行施設が多く, 再灌流療法における血栓溶解療法の割合は10%以下.
- 塞栓, 狭窄部位の治療後は再発を防ぐことが重要となるため, 二次予防を徹底する.

■ 初期治療
① 発症後早期に投与
1) アスピリン錠(100 mg)　1回2錠　速やかに噛み砕く
□ PCI適用患者には施行前にプラスグレル錠(20 mg)1錠またはクロピドグレル錠(75 mg)4錠を投与する.
② 心筋虚血による発作時
□ 以下のいずれか.
1) ニトログリセリン舌下錠(0.3 mg)　1回1錠　舌下
2) ニトログリセリンスプレー　1回1噴霧　舌下
③ 硝酸薬の代替薬として投与する場合
ニコランジル注　2 mg/時を点滴静注
症状をみながら調節
④ 胸痛の寛解が得られない場合
モルヒネ塩酸塩注　1回2〜4 mg　静注
□ 血圧低下に注意
⑤ 再灌流療法の補助
未分画ヘパリン　5,000〜10,000単位　静注
□ ACTまたはAPTTをモニターしながら持続投与
⑥ ヘパリン起因性血小板減少症を合併した場合
アルガトロバン注　初回0.1 mg/kg　3〜5分静注
□ 術後4時間まで6 μg/kg/分を目安に静脈内持続投与
⑦ 血栓溶解療法
□ 主にST上昇型急性冠症候群に推奨(発症6時間以内に投与)
1) ウロキナーゼ注　48万〜96万IUを約30分間で点滴静注
2) アルテプラーゼ注　29万〜43.5万IU/kgを点滴静注
　　総量の10%は1〜2分で静注し,残りを1時間で点滴静注
3) モンテプラーゼ注　2万7,500 IU/kgを点滴静注
⑧ PCI後の虚血再灌流障害を減少
□ できれば再灌流前から投与開始し,3日間継続
カルペリチド注　0.025 μg/kg/分で持続静注(保険適用外)

■ 二次予防
① PCI後の抗血小板療法
□ ステント留置時はRp1)にRp2), 3)のいずれかを併用.
1) アスピリン錠(100 mg)　1回1錠　1日1回　朝食後

2) プラスグレル錠(3.75 mg)　1回1錠　1日1回　朝食後
  3) クロピドグレル錠(75 mg)　1回1錠　1日1回　朝食後
② 器質的狭窄のある場合
□ 禁忌がなければ初期から投与.
  1) カルベジロール錠(2.5 mg)　1回1〜2錠　1日2回　朝夕食後
  2) ビソプロロールフマル酸塩錠(2.5 mg)　1回1錠　1日1回　朝食後
③ 冠動脈攣縮の疑い,または硝酸薬やβ遮断薬で効果不十分な場合
  1) ジルチアゼム徐放カプセル(100 mg)　1回1〜2カプセル　1日1回　朝食後
  2) ニフェジピン徐放錠(20 mg)　1回1〜2錠　1日1回　朝食後
  3) ベニジピン錠(4 mg)　1回1錠　1日2回　朝夕食後
④ 心不全や左室機能障害がある場合
□ ACE阻害薬不耐例ではARBを考慮.
  1) エナラプリル錠(5 mg)　1回1〜2錠　1日1回　朝食後
  2) カンデサルタン錠(4 mg)　1回1〜2錠　1日1回　朝食後
⑤ 脂質異常がある場合または再発予防
□ HMG-CoA還元酵素阻害薬はLDLコレステロール値にかかわらず投与.
  1) ピタバスタチン錠(1 mg)　1回1〜2錠　1日1回　朝食後
  2) フェノフィブラート錠(53.3 mg)　1回1〜2錠　1日1回　朝食後
  3) エゼチミブ錠(10 mg)　1回1錠　1日1回　朝食後
  4) イコサペント酸エチルカプセル(900 mg/包)　1回1包　1日2回　朝夕食後
  5) エボロクマブ皮下注(140 mg)　140 mgを2週間に1回　または420 mgを4週間に1回　皮下注射

D 薬剤師による薬学的ケア

処方チェック

① 投与量
□ **ACE阻害薬,ARB**:腎機能低下時は少量から投与開始.
□ **β遮断薬**:気管支喘息の既往歴を確認.心筋梗塞後の心不全進行予防には低用量から開始.

② 相互作用
- **ACE阻害薬，ARB**：K保持性利尿薬と併用で高K血症のリスク上昇．
- **グレープフルーツ摂取**：アトルバスタチンやシンバスタチン，Ca拮抗薬等の血中濃度が上昇．
- **脂質異常症治療薬**：腎機能低下時のHMG-CoA還元酵素阻害薬とフィブラート系薬の併用は横紋筋融解症が現れやすいため注意．

③ 適正使用
- **PCSK9阻害薬**：LDLコレステロール低下作用は強いが高薬価のため，心血管イベントの発現リスクが高く，HMG-CoA還元酵素阻害薬で効果不十分，またはHMG-CoA還元酵素阻害薬による治療が適さない患者かどうか確認する．

服薬指導
- 初期治療時のアスピリンは即効性を求めるために噛み砕いて服用．
- 低用量アスピリン長期投与の重要性について説明．
- DAPT（抗血小板薬2剤併用療法）施行時は，特に出血リスク（皮下出血，鼻出血，血尿，頭蓋内出血，消化管出血等）について説明．
- 発作時の硝酸薬は常時携帯し，座って舌下投与するように指導．2～3回使用しても効果がない場合は医療機関を受診させる．
- **ACE阻害薬，ARB**：降圧作用だけでなく，慢性期の心拡大，心不全，心臓死の発生を抑制する目的でも使用していることを説明．
- **HMG-CoA還元酵素阻害薬**：コレステロール値にかかわらず，虚血性心疾患の一次予防，二次予防に重要であることを説明．

治療・副作用モニタリング
- **アスピリン**：アスピリン喘息では禁忌，消化性潰瘍では慎重投与．
- **クロピドグレル**：血栓性血小板減少性紫斑病，無顆粒球症，重篤な肝障害．
- **HMG-CoA還元酵素阻害薬**：肝障害，CPK↑，横紋筋融解症．
- **ACE阻害薬，ARB**：妊婦には禁忌．高K血症に注意．ACE阻害薬による空咳が強い場合はARBへの変更を考慮する．

E 処方提案のポイント
- 抗血栓薬使用時（特に併用例）は消化管出血予防にPPIの使用を考慮．

- 冠動脈攣縮には交感神経の活性化，頻脈，血圧低下による心筋虚血リスクが少ない長時間作用型のCa拮抗薬を投与する．

参考文献
1) 日本循環器学会編：急性冠症候群ガイドライン(2018年改訂版) https://www.j-circ.or.jp/cms/wp-content/uploads/2020/02/JCS2018_kimura.pdf, 2021年1月15日閲覧

(木下 恵)

10 不整脈

A 疫学・病態
- 洞結節の電気的興奮とそれを伝える刺激伝導系による規則正しい心臓の拍動が，洞結節以外の電気的興奮や刺激伝導系の異常によって変化または途切れる病態．
- 心房細動，心房粗動，発作性上室頻拍，上室性期外収縮，心室期外収縮，心室頻拍，心室細動など．
- 心房細動は加齢とともに増加傾向．
- 心房細動を惹起する基礎疾患として，心臓弁膜症，心不全，心筋梗塞，高血圧，糖尿病，甲状腺機能亢進症がある．

B 患者の状態把握
症状
- 動悸，胸部違和感．
- めまい，失神(Adams-Stokes発作)．
- 労作時息切れ，呼吸困難．

検査
- **12誘導心電図**：発作中の記録は不整脈の機序の解明，診断に重要．
- **ホルター心電図**：携帯型，24時間心電図を記録．
- **運動負荷心電図**：運動によって生じる不整脈を検出．
- **加算平均心電図**：不整脈発症の原因となる障害心筋の伝導遅延を判定．
- **心臓電気生理学的検査**：心臓内の伝導異常の検出や，各種不整脈の誘発検査が可能．

表 12-1　Vaughan-Williams 分類

I群薬			II群薬	III群薬	IV群薬
Ia	Ib	Ic			
キニジン プロカインアミド ジソピラミド シベンゾリン ピルメノール	リドカイン メキシレチン アプリンジン	プロパフェノン フレカイニド ピルシカイニド	プロプラノロール メトプロロール ビソプロロール カルベジロール ナドロール アテノロール ランジオロール エスモロール ほか	アミオダロン ソタロール ニフェカラント	ベラパミル ジルチアゼム ベプリジル

C 治療（標準的処方例）

□ 抗不整脈薬の分類方法として，Vaughan-Williams 分類（**表 12-1**）が広く用いられてきたが，現在では Sicilian Gambit の分類法（**表 12-2**）が推奨されている．

心室期外収縮

□ 重篤な不整脈トリガーになる症例や心室期外収縮の多い症例，自覚症状のある症例では治療を考慮する．

1) ベラパミル錠（40 mg）　1回1錠　1日3回　毎食後
2) ビソプロロールフマル酸塩錠（5 mg）　1回1錠　1日1回　朝食後

虚血性心疾患に伴う心室期外収縮

□ 急性冠症候群，特に ST 上昇型心筋梗塞発症時には，心室性不整脈予防のため β 遮断薬が勧められる．

器質的心疾患に合併する持続性心室頻拍

1) アミオダロン注（150 mg）　1回 125 mg　10分間で静注，その後 48 mg/時で6時間，さらに 25 mg/時で 42 時間持続静注．
2) ニフェカラント注（50 mg）　1回 0.3 mg/kg　5分間かけて静注
3) リドカイン注（100 mg）　1回 50〜100 mg　1〜2分間で静注
4) ランジオロール注（50 mg）　低心機能例では少量（1 μg/kg/分）から徐々に漸増（最大投与量 10 μg/kg/分）

表 12-2 Sicilian Gambit が提唱する薬剤分類

薬剤	イオンチャネル					受容体				ポンプ	臨床効果			心電図所見		
	Na			Ca	K	If	α	β	M₂	A₁	Na-K ATPase	左室機能	洞調律	心外性	PR	QRS	JT
	速い	中間	遅い														
リドカイン	○											→	→	◉			↓
メキシレチン	○											→	→	◉			↓
プロカインアミド		●A			◉							↓	→	●	↑	↑	↓
ジソピラミド		●A		◉					○			↓	→	◉	↑↓	↑	↓
キニジン		●A			◉		○		◉			→	↑	◉	↑↓	↑	↑
プロパフェノン		●A						◉				↓	↓	○	↑	↑	
アプリンジン		●I		○	○	○						→	→	◉	↑	↑	→
シベンゾリン			●A	○	◉				○			↓	→	○	↑	↑	→
ピルメノール			●A		◉				○			↓	↑	○	↑	↑	↑→
フレカイニド			●A		○							↓	→	○	↑	↑	
ピルシカイニド			●A									↓	→	○	↑	↑	
ベプリジル	○			●	◉							→	↓	○			↑
ベラパミル	○			●								↓	↓	○	↑		
ジルチアゼム				●								↓	↓	○			
ソタロール					●			●				↓	↓	○			↑
アミオダロン	○			○	●		◉	◉				→	↓	◉	↑		↑
ニフェカラント					●							→	→	○			↑
ナドロール								●				↓	↓	○			
プロプラノロール	○							●				↓	↓	○			
アトロピン									●			→	↑	◉			
ATP										■		?	↓	○	↑		
ジゴキシン									■		●	↑	↓	●	↑		↓

速い・中間・遅い：チャネルに対する結合/解離速度
遮断作用の相対的強さ：○低 ◉中 ●高
臨床効果と心電図変化の方向：↑増大，↓減少，→不変
A：活性化チャネルブロッカー（イオンチャネルの活性化状態をブロック）
I：不活性化チャネルブロッカー（イオンチャネルの不活性化状態をブロック）
■：作動薬

持続性心室頻拍の再発予防

1) アミオダロン錠(100 mg) 1回2錠 1日2回 朝夕食後(初期投与)．1回1~2錠 1日1回 朝食後(維持投与)
2) ソタロール錠(40 mg) 1回1~2錠 1日2回 朝夕食後
3) ベプリジル錠(50 mg) 1回1~2錠 1日2回 朝夕食後

□ 意識消失や血行動態が不安定な重症例では直流通電(DC)を行う．

心房細動

①血栓予防

1) ダビガトランカプセル(75 mg) 1回2カプセル 1日2回 朝夕食後
2) リバーロキサバン錠(15 mg) 1回1錠 1日1回 朝食後
3) アピキサバン錠(5 mg) 1回1錠 1日2回 朝夕食後
4) エドキサバン錠(60 mg) 1回1錠 1日1回 朝食後
5) ワルファリン錠(1 mg) 1回3錠 1日1回 朝食後

□ 非弁膜症性心房細動では$CHADS_2$スコアにより脳梗塞に対するリスク評価を行い適切な抗血栓療法を選択．僧帽弁狭窄症および機械弁ではワルファリンを選択(図12-2)．
□ ワルファリンはPT-INRを測定し用量を調節．

②慢性期の心拍数調節

1) カルベジロール錠(10 mg) 1回1錠 1日1回 朝食後
2) ビソプロロールフマル酸塩錠(5 mg) 1回1錠 1日1回 朝食後
3) ベラパミル錠(40 mg) 1回1錠 1日3回 毎食後
4) ジゴキシン錠(0.125 mg) 1回1錠 1日1回 朝食後

□ 非ジヒドロピリジン系Ca拮抗薬は心機能良好例のみ使用．ジゴキシンは心機能低下例の第2選択として使用．

③除細動

1) ピルシカイニドカプセル(50 mg) 1回1カプセル 1日3回 毎食後
2) ベプリジル錠(50 mg) 1回1錠 1日2回 朝夕食後
3) アミオダロン錠(100 mg) 1回2錠 1日2回 朝夕食後(初期投与)．1回1~2錠 1日1回 朝食後(維持投与)．心不全(低心機能)または肥大型心筋症に伴う心房細動のみ適応あり．

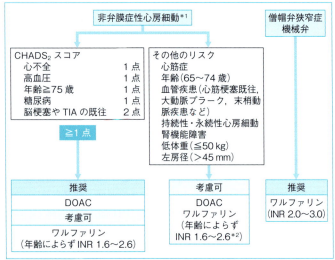

図 12-2 心房細動における抗血栓療法
＊1 生体弁は非弁膜症性心房細動に含める．
＊2 非弁膜症性心房細動に対するワルファリンの INR 1.6〜2.6 の管理目標については，なるべく 2 に近づけるようにする．脳梗塞既往を有する二次予防の患者や高リスク（CHADS$_2$ スコア 3 点以上）の患者に対するワルファリン療法では，年齢 70 歳未満では INR 2.0〜3.0 を考慮．
〔日本循環器学会・日本不整脈心電学会：2020 年改訂版 不整脈薬物治療ガイドライン，p49 より〕

D 薬剤師による薬学的ケア

処方チェック

① 用量
□ **DOAC**（direct oral anticoagulant）：各薬剤の減量基準（年齢・体重・腎機能・CYP3A4 阻害薬や P 糖蛋白阻害薬の併用等）を確認．

② 相互作用
□ **ワルファリン**：ビタミン K との併用により作用減弱．アミオダロンや CYP2C9 阻害薬などとの併用により作用増強．
□ **アミオダロン**：薬物相互作用が多い．また半減期が長く，中止後の相互作用にも注意が必要．
□ **Ca 拮抗薬**：グレープフルーツの摂取で AUC 増大，C_{max} 上昇．

服薬指導

- **DOAC**：ワルファリンと比べ，食事制限はなく頭蓋内出血リスクが低いが，高薬価で服薬忘れによる効果低下が早いことを説明する．
- **ダビガトラン**：速やかに胃に到達させるため十分量の水で服用するよう指導する．
- **ワルファリン**：手術や抜歯などの前に主治医に必ず相談するように説明する．至適治療域にPT-INRをコントロールするまでは服用量が頻回に調節されるため，指示量を把握しているか確認する．
- 抗凝固薬と抗血小板薬が併用されている場合，アドヒアランス向上のために各々の処方意図を理解させる．
- **ベプリジル**：血中濃度が定常状態に達するまで約3週間を要するため，服用開始時に十分な効果が発現しないことがある旨を説明し，服薬アドヒアランスの重要性を指導する．

治療・副作用モニタリング

- **ワルファリン**：PT-INRの目標値を設定し用量調節する．
- **アミオダロン**：間質性肺炎（空咳，息切れ，発熱など），肺線維症，甲状腺機能異常，角膜色素沈着，肝障害．
- **β遮断薬**：徐脈，心不全，喘息の悪化．低血糖症状をマスクするため糖尿病患者では注意する．
- **ベラパミル，ジルチアゼム**：永久的ペースメーカー移植術を受けていない洞機能不全症候群や伝導障害（洞房ブロック，房室ブロック）がある患者では使用を控える．
- **ベプリジル**：伝導障害で心室頻拍や心室細動を誘発．QT延長，間質性肺炎．投与前に低K血症を補正する．
- **ジゴキシン**：腎機能低下例では適宜血中濃度を測定してジギタリス中毒の発現に注意する．

E 処方提案のポイント

- 抗不整脈薬は有効血中濃度域が狭いものが多いため，各薬剤の薬物動態を正しく理解し，肝・腎障害時には適宜投与量の調節を行う．

参考文献

1) 日本循環器学会・日本不整脈心電学会編：2020年改訂版 不整脈薬物治療ガ

イドライン
https://www.j-circ.or.jp/cms/wp-content/uploads/2020/04/JCS2020_Ono.pdf, 2021年1月15日閲覧

(木下 恵)

11 心不全

A 疫学・病態
- 心拍出量が低下し，全身が必要とする循環量を保てない状態．
- 分類として，急性心不全・慢性心不全，左心不全・右心不全，収縮不全・拡張不全がある．新しいガイドラインでは，左室駆出率(LVEF)による分類(**表 12-3**)がある．
- 原因疾患として虚血性心疾患，心筋症，高血圧，弁膜症，先天性心疾患，不整脈など．

B 患者の状態把握

症状
- 左房圧上昇・低心拍出に基づく左心不全，右房圧上昇に基づく右心不全に大別．
- **左心不全(肺静脈うっ血)**：呼吸困難，疲労，起坐呼吸．
- **右心不全(体静脈うっ血)**：浮腫，腹部膨隆(腹水)，上腹部圧痛(肝うっ血)．

検査・診断
- 自覚症状，血液検査，心電図，心エコー，胸部X線写真撮影などから診断．
- 脳性ナトリウム利尿ペプチド(BNP)やヒト脳性ナトリウム利尿ペプチド前駆体N端フラグメント(NT-Pro BNP)は重症度判定に使用．
- 重症度の評価方法には，心係数と肺動脈楔入圧に基づくForrester分類(**図 12-3**)，うっ血と低灌流の有無に基づくNohria-Stevenson分類(**図 12-4**)，自覚症状から判断するNYHA心機能分類(**表 12-4**)，病期(stage)によるAHA/ACC分類(**表 12-5**)がある．

表 12-3 LVEF による心不全の分類

定義	LVEF	説明
LVEFの低下した心不全 (heart failure with reduced ejection fraction；HFrEF)	40%未満	収縮不全が主体．現在の多くの研究では標準的心不全治療下でのLVEF低下例がHFrEFとして組み入れられている．
LVEFの保たれた心不全 (heart failure with preserved ejection fraction；HFpEF)	50%以上	拡張不全が主体．診断は心不全と同様の症状をきたす他疾患の除外が必要である．有効な治療が十分には確立されていない．
LVEFが軽度低下した心不全 (heart failure with midrange ejection fraction；HFmrEF)	40%以上 50%未満	境界型心不全．臨床的特徴や予後は研究が不十分であり，治療選択は個々の病態に応じて判断する．
LVEFが改善した心不全 (heart failure with preserved ejection fraction, improved；HFpEF improved または heart failure with recovered EF；HFrecEF)	40%以上	LVEFが40%未満であった患者が治療経過で改善した患者群．HFrEFとは予後が異なる可能性が示唆されているが，さらなる研究が必要である．

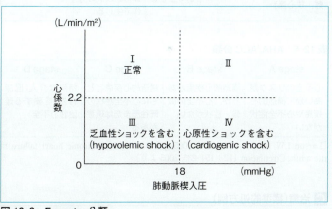

図 12-3　Forrester 分類

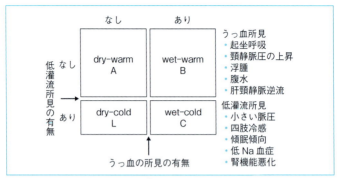

図 12-4 Nohria-Stevenson 分類

表 12-4 NYHA 心機能分類

	Ⅰ度	Ⅱ度	Ⅲ度	Ⅳ度
身体活動制限	なし	軽度	高度	すべて制限
症状(疲労,動悸,呼吸困難,狭心痛)	なし	安静時は無症状,日常的な身体活動で生じる	安静時は無症状,日常的な身体活動以下の労作で生じる	安静時にも出現

表 12-5 AHA/ACC 分類

stage A	stage B	stage C	stage D
心不全のリスクが高いが,構造的心疾患や心不全症状がない	構造的心疾患があるが,心不全の徴候・症状がない	構造的心疾患とともに心不全症状の既往歴または現症がある	特殊な介入(医療行為)を要する難治性心不全

〔Larson LW, et al：ACC/AHA 2005 guideline update chronic heart failure in the adult. Circulation 112：154-235, 2005 より〕

C 治療(標準的処方例)

急性心不全(慢性心不全急性増悪時を含む)

①利尿薬(肺うっ血,浮腫に対して)
 1) フロセミド注　1 回 10〜20 mg　静注
 2) カルペリチド注　0.05〜0.2 μg/kg/分　持続静注

② **バソプレシンV₂受容体拮抗薬**（Na利尿抵抗性に対して）
トルバプタン錠(7.5 mg)　1回1錠　1日1回　朝食後
③ **血管拡張薬**（肺うっ血に対して）
ニトログリセリン注　0.05〜0.1 μg/kg/分で開始，5〜15分ごとに0.1〜0.2 μg/kg/分ずつ増量　持続静注
④ **強心薬**（低心拍出，心原性ショックに対して）
1) ドブタミン注　0.5〜5 μg/kg/分　持続静注
2) ノルアドレナリン注　0.03〜0.3 μg/kg/分　持続静注
3) ミルリノン注　0.05〜0.75 μg/kg/分　持続静注

慢性心不全
□ 病期(stage)に応じた治療を行う(図12-5).
① **stage A**（器質的心疾患のないリスクステージ）
□ 高血圧，耐糖能異常，脂質異常症，喫煙などがある場合は是正する．ACE阻害薬を使用し，これに忍容性がない場合はARBを使用．
1) エナラプリル錠(5 mg)　1回1錠　1日1回　朝食後
2) カンデサルタン錠(8 mg)　1回1錠　1日1回　朝食後
② **stage B**（器質的心疾患のあるリスクステージ）
□ ACE阻害薬を使用し，これに忍容性がない場合はARBを使用．心筋梗塞後の左室収縮機能不全ではβ遮断薬の導入を考慮する．
1) カルベジロール錠(1.25 mg)　1回1錠　1日2回　朝夕食後
（1日量2.5 mgから開始し最大20 mgまで漸増）
2) ビソプロロール錠(0.625 mg)　1回1錠　1日1回　朝食後
（1日量0.625 mgから開始し最大5 mgまで漸増）
③ **stage C**（心不全ステージ）
□ **NYHA Ⅱ度**：ACE阻害薬，β遮断薬を使用する．肺うっ血，浮腫があれば利尿薬を使用する．LVEF<35%では，スピロノラクトンの導入を推奨する．重症心室性不整脈を伴わない非虚血性心筋症の場合は低用量ジゴキシンを考慮する．
1) アゾセミド錠(60 mg)　1回1錠　1日1回　朝食後
2) スピロノラクトン錠(25 mg)　1回1錠　1日1回　朝食後
□ **NYHA Ⅲ度**：NYHA Ⅱ度と同様の治療に加えて，ピモベンダンを追加する．
1) ピモベンダンカプセル(2.5 mg)　1回1カプセル　1日2回　朝夕食後

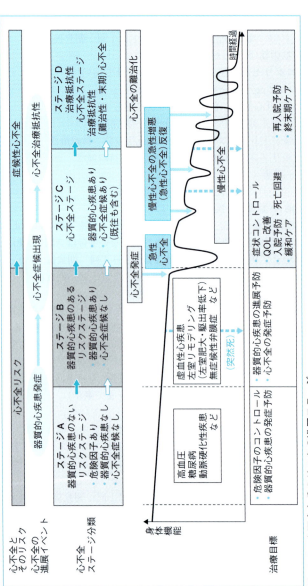

図12-5 心不全とそのリスクの進展ステージ
[日本循環器学会・日本心不全学会：急性・慢性心不全診療ガイドライン（2017年改訂版），p12より]

- **NYHA Ⅳ度**：入院し，カテコラミン，ホスホジエステラーゼⅢ阻害薬，利尿薬，カルペリチドの非経口投与を行う．状態が落ち着けば，ACE阻害薬，β遮断薬，利尿薬，スピロノラクトン，経口強心薬へ切り替える．

④ stage D（治療抵抗性心不全ステージ）
- 体液管理と薬物治療を見直す．心臓移植を考慮．移植の適応でない場合は，緩和ケアやアドバンス・ケア・プランニング（ACP：advance care planning）を行うことが重要とされる．

D 薬剤師による薬学的ケア

処方チェック

① 投与量
- **ACE阻害薬，ARB**：腎機能障害時には少量から開始．
- **ジゴキシン**：腎機能障害時には少量（0.125 mg）から開始し，血中濃度モニタリングを行う．

② 相互作用
- 慢性心不全ではβ遮断薬を使用している場合があり，急性増悪時はドブタミンの使用に注意．

③ 処方
- 利尿薬は無尿患者には禁忌である．

④ 配合変化
- ニカルジピン（酸性）やミルリノン（酸性），フロセミド（アルカリ性），カルペリチドなどの注射薬の配合変化に注意．

服薬指導
- 内服の継続が再発予防や予後に重要であることを理解させる．
- 水分，塩分制限がある場合は，それらを遵守するように指導．
- NSAIDsは心不全を増悪させるため，市販薬等も含めて控えるよう指導．
- ACE阻害薬，ARB，抗アルドステロン薬，β遮断薬は主に心保護作用を期待して使用することを説明する．
- ジギタリス中毒の症状（悪心，嘔吐，食思不振，下痢等）を説明して副作用の早期発見に努める．

治療・副作用モニタリング
- β遮断薬の忍容性を確認．

- □ ACE 阻害薬による空咳が強い場合は ARB への変更を考慮.
- □ ループ利尿薬による低 K 血症,抗アルドステロン薬,ACE 阻害薬,ARB による高 K 血症に注意.特にループ利尿薬とジギタリスの併用時は低 K 血症に注意.
- □ サイアザイド系利尿薬による低 Na 血症,高尿酸血症,脂質異常,高血糖の発現に注意.
- □ スピロノラクトンによる女性化乳房発現時はエプレレノンへの変更を考慮.
- □ トルバプタンによる高 Na 血症,肝障害に注意.

E 処方提案のポイント

検査
- □ **ジゴキシンの TDM**:ジゴキシンの血中濃度の上昇に伴い,不整脈や消化器症状などの中毒症状が発現しやすくなる.

薬剤の選択
- □ 喘息の既往をもつ患者には,カルベジロールよりも β_1 選択性の高いビソプロロールの使用を考慮.
- □ 糖尿病合併の心不全では,SGLT2 阻害薬の有効性が期待されている.
- □ β 遮断薬の最大忍容量が投与されても安静時心拍数が 75 回/分以上ではイバブラジンの投与を考慮.

参考文献
1) 日本循環器学会学術委員会合同研究班:急性・慢性心不全診療ガイドライン(2017 年改訂版),日本循環器学会,2017. http://www.asas.or.jp/jhfs/pdf/topics20180323.pdf,2021 年 1 月 15 日閲覧
2) Page RL 2nd, et al:Circulation. 2016 Aug 9;134(6):e32-69(PMID:27400984)

(町田 遥)

12 高血圧

A 疫学
- □ わが国の患者数は約 4,300 万人.
- □ 本態性高血圧と二次性高血圧がある.

- 血圧値が高いほど，循環器疾患の罹患率・死亡率は高い．
- 食塩摂取量との関連が強く，わが国では依然として摂取量過多の状態が続いている．

B 患者の状態把握

症状
- 高血圧特有の症状はない．

検査・診断
- **診察室血圧測定**：複数回測定し，安定した値を示した2回の平均値を血圧値とする．
- **家庭血圧測定**：仮面高血圧や白衣高血圧の存在や治療効果を知るために測定．
- **診断**：血圧値によって分類．
- 心血管病の危険因子と臓器障害/心血管病の有無により3つのリスクに層別化．

C 治療（標準的処方例）

降圧治療
- 本態性高血圧は下記の治療を行う．二次性高血圧は原疾患（腎性高血圧，原発性アルドステロン症，クッシング症候群，褐色細胞腫，甲状腺機能低下症，甲状腺機能亢進症，副甲状腺機能亢進症など）の治療を行う．
- 初診時の高血圧管理計画に従って治療を開始する．
- 年齢や合併症の有無によって目標血圧が異なる（**表 8-2**，p59）．
- 積極的な適応（**表 12-6**）や禁忌など，病態や合併症に応じて降圧薬を選択する．
- 積極的な適応のない高血圧に対する第1選択薬は Ca 拮抗薬，ARB，ACE 阻害薬，利尿薬．
- 降圧目標達成のため2，3剤の併用が必要になることが多い．一般的に ACE 阻害薬と ARB は併用されないが，腎保護のために併用するときは，腎機能・高 K 血症に留意して慎重に行う．

合併症がない場合
アムロジピン錠（5 mg）　1回1錠　1日1回　朝食後

表 12-6 主要降圧薬の積極的適応

	Ca 拮抗薬	ARB/ACE 阻害薬	サイアザイド系利尿薬	β遮断薬
左室肥大	●	●		
LVEF の低下した心不全		●*1	●	●*1
頻脈	●(非ジヒドロピリジン系)			●
狭心症	●			●*2
心筋梗塞後		●		●
蛋白尿/微量アルブミン尿を有する CKD		●		

*1 少量から開始し,注意深く漸増する. *2 冠攣縮には注意.
〔日本高血圧学会編:高血圧治療ガイドライン 2019,p77,2019 より〕

合併症がある場合

① 糖尿病

　テルミサルタン錠(40 mg)　1回1錠　1日1回　朝食後

② 狭心症(労作性)

　ビソプロロール錠(5 mg)　1回1錠　1日1回　朝食後

③ 狭心症(冠攣縮性)

　ジルチアゼム徐放カプセル(100 mg)　1回1カプセル　1日1回　朝食後

D 薬剤師による薬学的ケア

処方チェック

① 処方薬

☐ **ACE 阻害薬,ARB**:妊婦に禁忌.

☐ **非選択的 β 遮断薬**:喘息患者に禁忌.

☐ 低心機能患者に対する β 遮断薬の投与は少量から開始.

② 相互作用

☐ **ACE 阻害薬,ARB とアルドステロン拮抗薬の併用**:高 K 血症を引き起こす可能性がある.

服薬指導
- 喘息の既往を確認.
- 降圧効果の維持には服薬アドヒアランスが重要であることを理解させ,薬剤のみではなく,運動や減塩などの食事療法も重要であると指導.
- Ca 拮抗薬使用時はグレープフルーツ摂取を避けるよう指導.

治療・副作用モニタリング
- サイアザイド系利尿薬による耐糖能低下や高尿酸血症は用量依存的に起こる.
- **ループ系利尿薬,サイアザイド系利尿薬**:低 Na 血症,低 K 血症発現に注意.
- **ACE 阻害薬,ARB,抗アルドステロン薬**:高 K 血症発現に注意.
- 心不全を合併している患者に β 遮断薬を使用している場合,忍容性を確認.

E 処方提案のポイント

薬剤の選択
- **腎機能低下患者**:Ca 拮抗薬を使用する場合,N 型 Ca チャネル遮断作用のあるシルニジピンの使用を考慮.
- **ACE 阻害薬使用患者**:空咳が強い場合,ARB の使用を考慮.
- **高尿酸血症患者**:ARB では,尿酸低下作用のあるロサルタンの使用を考慮.

参考文献
1) 日本高血圧学会高血圧治療ガイドライン作成委員会:高血圧治療ガイドライン 2019,日本高血圧学会,2019
2) Miao Y, et al:Hypertension. 2011 Jul;58(1):2-7(PMID:21632472)

(町田 遥)

第13章 消化器疾患

13 消化性潰瘍

A 疫学と病態
- 胃液にさらされている消化管壁が粘膜筋層を越えて深く欠損した病態の総称(一般には胃潰瘍と十二指腸潰瘍を指す).
- 防御因子(粘液,重炭酸,粘膜血流など)と攻撃因子(塩酸,ペプシンなど)のバランスが破綻することで発症する.主な原因は *H.pylori* と NSAIDs.
- ストレスや喫煙,アルコール,刺激性食物の過剰摂取も攻撃因子の1つである.

B 患者の状況把握
症状
- 心窩部痛,上腹部不快感,酸症状(胸やけ,げっぷ,呑酸).
- 重篤例では,下血(黒色泥状のタール便),貧血症状,吐血(暗赤色からコーヒー残渣様),嘔吐,背部放散痛.

診断・検査
- 上部消化管内視鏡検査.
- 上部消化管造影検査.
- ***H.pylori* 感染診断**:除菌前に,迅速ウレアーゼ試験,鏡検法,培養法,尿素呼気試験,抗体測定法,便中抗原測定法のいずれかにより診断.除菌療法終了4週以降に除菌判定を行う.

C 治療(標準的処方例)
- 消化性潰瘍診療ガイドラインのフローチャートに基づき治療する(図13-1).
- 治療の目的は,①自覚症状の消失,②潰瘍の治癒,③出血,穿孔,狭窄などの合併症の防止,④治癒後の再発防止.

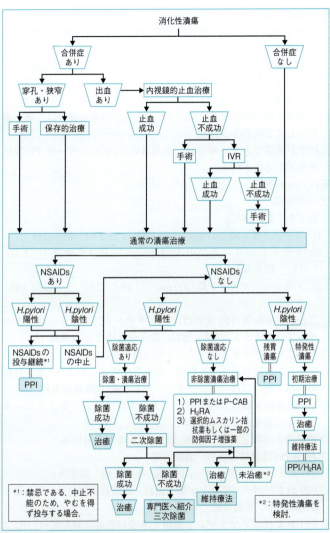

図 13-1 消化性潰瘍治療フローチャート
〔「日本消化器病学会編:消化性潰瘍診療ガイドライン 2020 改訂第 3 版 p.xvi, 2020, 南江堂」より許諾を得て転載〕

NSAIDs潰瘍(NSAIDs継続投与例):以下のいずれか.
1) ランソプラゾール口腔内崩壊錠(30 mg) 1回1錠 1日1回 朝食後
2) ファモチジン錠(20 mg) 1回1錠 1日2回 朝夕食後
3) ミソプロストール錠(200 μg) 1回1錠 1日4回 毎食後・就寝前

□ NSAIDsの中止が原則.NSAIDsの中止が困難な場合は,第1選択としてPPI投与が推奨.
□ PPIが使用できない場合は,高用量のH_2ブロッカーやPG製剤の使用が考慮される.

*H.pylori*潰瘍
①一次除菌
□ 以下を7日間併用.
1) ボノプラザン錠(20 mg) 1回1錠 1日2回 朝夕食後
2) アモキシシリンカプセル(250 mg) 1回3カプセル 1日2回 朝夕食後
3) クラリスロマイシン錠(200 mg) 1回1〜2錠 1日2回 朝夕食後

□ *H.pylori*の除菌(PPIまたはボノプラザン+アモキシシリン+クラリスロマイシン)が第1選択.除菌成功率は90%程度.
□ わが国ではクラリスロマイシン耐性菌率が高いため,クラリスロマイシン耐性菌感染者と判明した場合やクラリスロマイシン使用歴のある場合にはメトロニダゾールを考慮(保険適用外).
□ 1次除菌に失敗した場合は,クラリスロマイシンをメトロニダゾールに変更し2次除菌.
□ 治療効果の判定には,^{13}C尿素呼気試験などを用いる.

②*H.pylori*除菌によらない潰瘍治療
ラベプラゾール(10 mg) 1回1錠 1日1回 朝食後

□ PPIおよびボノプラザンが第1選択.保険適用期間は,胃潰瘍で8週間,十二指腸潰瘍で6週間.
□ PPIおよびボノプラザンを使用できない患者に対しては,H_2ブロッカー,選択的ムスカリン受容体拮抗薬,防御因子増強薬を用いる.

D 薬剤師による薬学的ケア

処方チェック

① 処方薬

- □ **妊婦への投与禁忌**：PG製剤(ミソプロストール), メトロニダゾール(妊娠3か月以内)

② 相互作用

- □ **クラリスロマイシン**：CYP3A4を阻害するため, エルゴタミン含有製剤やタダラフィルなどのCYP3A4で代謝される薬剤の血中濃度上昇.
- □ **オメプラゾール**：CYP2C19を阻害するため, ワルファリンやフェニトインなどのCYP2C19で代謝される薬剤の血中濃度上昇.
- □ **アモキシシリン**：腸内細菌のビタミンK産生抑制によりワルファリンの作用増強.
- □ **シメチジン**：薬物代謝酵素を阻害し(特にCYP3A4, CYP2D6に対する強い阻害)相互作用を発現する薬剤の組み合わせが多い(フェニトイン, ワルファリン, テオフィリンなど).
- □ **スクラルファート**：ニューキノロン系, テトラサイクリン系抗菌薬, ジギタリス製剤などの吸収を阻害→服用時間をずらす.
- □ **メトロニダゾール**：アルコールとの相互作用があるため, エタノール含有製剤(リトナビルなど)との併用に注意.

服薬指導, 治療・副作用モニタリング

- □ **_H.pylori_ 除菌治療**：3剤併用, 原則7日間の服用継続の意義を説明する. 軟便, 下痢, 味覚障害が現れることがあるが, これらの副作用は可逆的なものであることを説明する. ペニシリン系抗菌薬にアレルギーがないかを確認する.
- □ **メトロニダゾール**：飲酒によりジスルフィラム様作用が生じることがあるので, 服用中は飲酒を避ける. 尿が暗赤色となることがある. 併用によりワルファリンの作用が増強する.
- □ **ミソプロストール**：消化管運動の亢進による腹痛, 消化管液分泌亢進による下痢に注意. 下痢の発現を抑えるために, Mg含有制酸剤との併用をできるだけ避ける.
- □ **スクラルファート**：透析患者では長期投与でアルミニウム脳症, アルミニウム骨症が発現するため禁忌.
- □ **PPIやH$_2$ブロッカー**：汎血球減少や内分泌異常などに注意.

E 処方提案のポイント

□ オメプラゾール等のPPIの代謝にはCYP2C19の寄与が大きい．併用薬剤との相互作用により効果の増強・減弱が懸念される場合は，CYP2C19の寄与が少ないラベプラゾールやボノプラザンへの処方変更を提案．
□ 肝障害のある患者に対しPPIが投与されている場合，腎排泄型薬剤であるH_2ブロッカーに変更を提案．
□ NSAIDs継続服用患者の潰瘍防止措置として，非選択型NSAIDsからCOX-2選択型NSAIDsへの切り替えを提案．
□ *H.pylori*除菌治療において，アドヒアランスに不安のある患者では1回分の内服がわかりやすいパック製剤を提案．
□ PPIは腸溶性コーティングされているため，粉砕不可．粉砕が必要な場合はエソメプラゾール懸濁用剤を提案．なおボノプラザンは胃酸に安定なため，粉砕可能(ただし光に不安定)．

参考文献

1) 日本消化器病学会編：消化性潰瘍診療ガイドライン2020 改訂第3版, 南江堂, 2020
2) 日本ヘリコバクター学会ガイドライン作成委員会編：*H.pylori*感染の診断と治療のガイドライン2016改訂版, 先端医学社, 2016

(奥吉 博之)

14 クローン病

A 疫学と病態

□ 口腔から肛門までの全消化管に，非連続性の慢性肉芽腫性炎症を生じる原因不明の炎症性疾患で寛解・再燃を繰り返す．
□ 男女比は2：1, 10歳台後半〜20歳台が全体の60％を占める．
□ 原因は解明されていないが，喫煙は危険因子となる．

B 患者の状態把握

症状

□ **主徴**：疝痛性腹痛(特に右下腹部), 慢性下痢(血便は少ない), 発熱, 体重減少．

■ 検査・診断
- **内視鏡や消化管造影**：非連続性・区域性，縦走潰瘍，敷石像，狭窄，瘻孔など．
- **病理**：非乾酪性類上皮細胞肉芽腫．
- **血液検査**：Hb↓，WBC↑，CRP↑，赤沈↑，アルブミン↓．

C 治療（標準的処方例）
- 早期の寛解導入と再燃を予防する寛解維持を図る（図13-2）．

■ 薬物療法
① 軽症～中等症
1) メサラジン（ペンタサ®）顆粒/錠　1回500～1,000 mg　1日3回　毎食後
2) ブデソニド（ゼンタコート®）カプセル　1回9 mg　1日1回　朝

- 大腸に限局する場合は，サラゾスルファピリジン（4,000 mgまで）増量も可．
- **ブデソニド**：病変の主座が回腸～上行結腸の場合に使用．

② 中等症～重症
プレドニゾロン錠（5 mg）　1回4～6錠　1日2回　朝昼食後開始（改善が得られれば，2週毎に5 mgずつ漸減・減量して離脱を図る）

- メトロニダゾール（1日75 mg）やシプロフロキサシン（1日400～800 mg）を試みることもある（いずれも保険適用外）．
- ステロイド減量・離脱困難時

アザチオプリン錠（50 mg）　1回1～2錠　1日1回　朝食後

③ ステロイド効果不十分例
- 以下のいずれか．1)～3)はステロイド減量・離脱効果もあり．

1) インフリキシマブ（レミケード®）注　1回5 mg/kg　2時間以上かけて点滴静注（初回投与後2，6週目に投与．以降8週毎の寛解維持療法に移行）
2) アダリムマブ（ヒュミラ®）注　初回160 mg，初回投与2週間後80 mg，4週間後以降40 mgを2週に1回　皮下注
3) ウステキヌマブ（ステラーラ®）注　初回　体重55 kg以下：260 mg，55～85 kg以下：390 mg，85 kg超：520 mg点滴静

	軽症～中等症	中等症～重症	重症（病状が重篤、高度な合併症を有する場合）
活動期の治療（病状や感受性により、栄養療法・薬物療法、あるいは両者の組み合わせを行う）	**薬物療法** ・ブデソニド ・5-ASA製剤 　ペンタサ®顆粒/錠 　サラゾピリン®錠（大腸病変） ・6-MP* ・イムラン®、アザニン® ※ステロイド、インフリキシマブ・アダリムマブ・ウステキヌマブ・ベドリズマブ（インフリキシマブ・アダリムマブ・ウステキヌマブ・ベドリズマブにより寛解導入、栄養管理困難例では在宅中心静脈栄養療法を考慮する）	**薬物療法** ・経口ステロイド（プレドニン） ・抗菌剤（メトロニダゾール®、シプロフロキサシン®など） ※ステロイド減量・離脱が困難な場合：アザチオプリン、6-MP* ※ステロイド・栄養療法などの通常療法が不耐な場合：インフリキシマブ・アダリムマブ・ウステキヌマブ・ベドリズマブ **栄養療法（経腸栄養療法）** ・成分栄養剤（エレンタール®） ・消化態栄養剤（ツインラインなど） を第一選択として用いる ※受容性が低い場合は半消化態栄養剤を用いてもよい **血球成分除去療法（アダカラム®）** ※通常療法で効果不十分・不耐で大腸病変に起因する症状が残る症例に適応	**外科治療**の適応を検討した上で以下の内科治療を行う **薬物療法** ・ステロイド経口または静注 ※ステロイド・栄養療法などの通常療法が不耐な場合：インフリキシマブ・アダリムマブ・ウステキヌマブ・ベドリズマブ（通常治療抵抗例） **栄養療法** ・経腸栄養療法、完全静脈栄養療法 ・絶食の上、完全静脈栄養療法 ・合併症が改善すれば経腸栄養療法 ※通過障害や膿瘍がない場合はインフリキシマブ・アダリムマブ・ウステキヌマブ・ベドリズマブを併用してもよい
	寛解維持療法	肛門病変の治療	狭窄/瘻孔の治療	術後の再発予防
	薬物療法 ・5-ASA製剤 　ペンタサ®顆粒/錠 　サラゾピリン®錠（大腸病変） ・アザチオプリン ・6-MP* ・インフリキシマブ・アダリムマブ・ベドリズマブ（インフリキシマブ・アダリムマブ・ウステキヌマブ・ベドリズマブで寛解導入例では選択） **在宅経腸栄養療法** ・エレンタール®、ツインライン®などを第一選択とし、ツインライン®などを第一選択として用いる ※受容性が低い場合は半消化態栄養剤を用いてもよい ※濃縮型検討を要する	まず内科的治療の適応を検討する ドレナージやシートン法などの 内科的治療を行う場合 ・痔瘻・肛門周囲膿瘍：メトロニダゾール、抗菌剤 ・抗生物質 ・インフリキシマブ・アダリムマブ・ウステキヌマブ ・外科的治療：腸管病変に準じる、肛門腫瘍：ウステキヌマブ ・裂肛、肛門潰瘍：腸管病変に準じる ・肛門狭窄：経肛門的拡張術	**【狭窄】** まず外科治療の適応を検討する 内科的治療により炎症を鎮静化し、瘢痕が消失・縮小した時点で、内視鏡的バルーン拡張術 **【瘻孔】** ・内科的治療（外瘻）を検討する ・インフリキシマブ・アダリムマブ・アザチオプリン	**寛解維持療法に準ずる治療** ・5-ASA製剤 　ペンタサ®顆粒/錠 　サラゾピリン®錠（大腸病変） ・アザチオプリン ・6-MP* **栄養療法** ・経腸栄養療法 ・薬物療法との併用も可

図 13-2 クローン病内科治療指針

*：現在保険適応に含まれていない

※（治療原則）内科治療への反応性や薬物による副作用あるいは合併症などに注意し、必要に応じて専門家の意見を聞き、外科治療のタイミングなどを誤らないようにする。

〔潰瘍性大腸炎・クローン病診断基準・治療指針, p35, 令和元年度改訂版より〕

注,初回投与8週間後90 mgを皮下注射,以降12週間隔で90 mgを皮下注
4) ベドリズマブ(エンタイビオ®)注 300 mgを点滴静注(初回投与後2週,6週に投与,以降8週間隔で投与)

栄養療法を中心とする場合

エレンタール®,ツインライン® など 1日の維持投与量として理想体重1 kgあたり30 kcal以上を投与(適宜増減)
□ 成分栄養剤を用いる場合には,10～20%脂肪乳剤200～500 mLを週1,2回点滴静注.亜鉛や銅などの微量元素欠乏にも注意.
□ エレンタール®,ツインライン®の受容性が低い場合は半消化態栄養剤を用いてもよい.

外科的療法

□ **絶対手術適応**:穿孔,大量出血,中毒性巨大結腸症,内科的治療で改善しないイレウス,膿瘍(腹腔内膿瘍,後腹膜膿瘍)

D 薬剤師による薬学的ケア

処方チェック

①投与量
□ 調製後のエレンタール®標準濃度は1 kcal/mL(80 g/300 mL),標準注入速度は100 mL/時とする(高濃度,高速度では投与後にダンピング症候群様の低血糖を起こすおそれ).

②相互作用
□ **アミノサリチル酸製剤**:アザチオプリン,メルカプトプリンとの併用により骨髄抑制のリスク増加.
□ **アザチオプリン**
- **アロプリノール,フェブキソスタット,トピロキソスタット**:キサンチンオキシダーゼ阻害→アザチオプリンの作用増強・骨髄抑制など増加.アロプリノール併用時はアザチオプリンを1/3～1/4に減量.フェブキソスタット,トピロキソスタットは併用禁忌.
- **ワルファリン**:抗凝固作用低下.
- **カプトプリル,エナラプリル**:骨髄抑制のリスク増加.
□ **ステロイド薬**
- **バルビツール酸誘導体,フェニトイン,リファンピシン**:ステロイド薬の効果減弱.

表 13-1 生物学的製剤

一般名 (商品名)	インフリキシマブ (レミケード®)	アダリムマブ (ヒュミラ®)	ウステキヌマブ (ステラーラ®)	ベドリズマブ (エンタイビオ®)
構造	キメラ型抗TNF-α抗体	ヒト型抗TNF-α抗体	ヒト型抗IL-12/23 p40抗体	ヒト化抗$\alpha_4\beta_7$インテグリン抗体
投与方法	点滴注射	皮下注射 (自己注射可)	点滴注射(初回) 皮下注射	点滴注射
副作用	肝機能障害,発疹,感染症,白血球減少など インフリキシマブでは特に Infusion reaction に注意			
注意点	・予防接種のうち,生ワクチンは禁忌 ・治療開始前に,結核やB型肝炎ウイルスの既往感染の有無について検査が必要			

〔各薬剤の添付文書,インタビューフォームより〕

- ワルファリン:抗凝固作用低下.

服薬指導

①アミノサリチル酸製剤
□ 交差アレルギーがあるため,サリチル酸類の過敏症の有無を確認.
□ ペンタサ®錠/顆粒は放出調節製剤であるため噛み砕かない.白色の放出残殻が糞便中に認められても心配は不要.

②免疫調節薬
□ 白血球数が 3,000/μL 以下の場合は,投与禁忌.
□ 生ワクチン施用患者は禁忌.
□ B型肝炎ウイルスキャリアはウイルスの再活性化による肝炎発症のおそれがある.
□ C型肝炎ウイルスキャリアはC型肝炎悪化のおそれがある.
□ アザチオプリンの臨床的な治療効果は 3〜4 か月程度要する場合がある.投与継続の適否は2年を目安に検討する.

③ステロイド薬
□ 感染,糖尿病,消化性潰瘍,血栓症,精神障害,骨粗鬆症などの増悪を生じる可能性があるため,既往症を確認する.
□ 過度に恐れて服薬を躊躇しないよう,効果,副作用とその対策を十分に説明する.

- □ 自己判断による減量・服薬中断の危険性(症状の再燃,離脱症候群の惹起など)について説明する.
- □ 1日2回以上服用の場合,服用時間がずれても1日分をその日のうちに服用する.

④ 生物学的製剤(表13-1)

治療・副作用モニタリング

① ペンタサ®錠/顆粒

- □ 発疹,発熱,下痢,白血球減少,腎機能障害,肝機能障害などの発現に注意が必要である.

② アザチオプリン

- □ NUDT15遺伝子のcodon139における遺伝子多型〔システインホモ(Cys/Cys)型〕の場合,早期に重篤な副作用(重度の白血球減少症や全身脱毛症など)を生じるリスクが高いため使用を回避.投与前にNUDT15遺伝子型検査がされているか確認する.
- □ 使用された場合も定期的な副作用モニタリング(骨髄抑制,肝機能障害,急性膵炎,感染症など)を行う.

③ ステロイド薬

- □ 大量投与の継続は,炎症鎮静化の組織修復を遅延させ寛解導入を妨げるため,2週間を目安に漸減・中止する.

④ 生物学的製剤(表13-1)

E 処方提案のポイント

ペンタサ®錠のアドヒアランス

- □ 服用錠数が多いためにアドヒアランスが得られにくい時は,250 mg錠から500 mg錠への変更や規格の大きい顆粒製剤を提案する.

インフリキシマブのinfusion reaction対策(図13-3)

- □ 投与開始前にジフェンヒドラミンもしくはアセトアミノフェンなどの投与を考慮する.
- □ 過去にinfusion reactionを発現している場合は上記薬剤に加えステロイド薬の投与も考慮する.

```
・禁忌に関する問診，適切な静脈経路を確認し，バイタルサインを測定・
  記録
```

```
・体重を測定後，5 mg/kg の量で調製
```

```
・必要に応じて，インフリキシマブから生理食塩液に切り替えられるよ
  う，Y字接続・ピギーバックセットを使用
```

① 初回投与もしくは投与時関連の副作用がない場合

ジフェンヒドラミン 25〜50 mg
もしくはアセトアミノフェン 650 mg
（再投与の場合のみ）の投与を考慮

250 mL/2 時間（約 2 mL/分）で点滴，または

速度(mL/時間)	10	20	40	80	150	250
時間(分)	15	15	15	15	15	30

② 過去に infusion reaction を経験している場合

ジフェンヒドラミン 25〜50 mg
アセトアミノフェン 650 mg
プレドニゾロン 40 mg またはメチルプレドニゾロン 100 mg
のうち1つ以上の投与を考慮

投与後 15 分おきにバイタルチェック

速度(mL/時間)	10	20	40	80	150	250
時間(分)	15	15	15	15	15	30

```
・投与後 30 分後にバイタルチェックと問診
```

図 13-3　インフリキシマブの infusion reaction 対策
〔クローン病治療におけるインフリキシマブ，臨床医のためのユーザーズガイド，田辺製薬より〕

参考文献

1) 厚生労働科学研究費補助金 難治性疾患等政策研究事業：「難治性炎症性腸管障害に関する調査研究」潰瘍性大腸炎・クローン病 診断基準・治療指針．令和元年度改訂版，2020
2) 日本消化器病学会編：炎症性腸疾患(IBD)診療ガイドライン 2016，南江堂，2016

（溝口　菜摘）

表 13-2 臨床的重症度による分類

	軽症	中等症	重症
1) 排便回数	4回以下	重症と軽症の中間	6回以上
2) 顕血便	(+)～(−)		(+++)
3) 発熱	(−)		37.5℃以上
4) 頻脈	(−)		90/分以上
5) 貧血	(−)		Hb10 g/dL以下
6) 赤沈または CRP	正常 正常		30 mm/時以上 3.0 mg/dL以上

〔潰瘍性大腸炎・クローン病診断基準・治療指針, p2, 令和元年度改訂版より〕

15 潰瘍性大腸炎

A 疫学・病態
□ 主に大腸粘膜の直腸側に潰瘍やびらんができる原因不明の非特異性炎症性疾患である.
□ 多くは,緩徐に発症し慢性的な経過をたどる.
□ 病変の拡がりにより,全大腸炎,左側大腸炎,直腸炎に分類される.
□ 長期,広範囲にわたる大腸の侵襲により大腸がんのリスクが増加する.

B 患者の状態把握
症状(表13-2)
□ 主症状は,持続または反復性の粘血便・血便,腹痛.
検査・診断
□ **内視鏡・消化管造影**:直腸～上行性にびまん性・連続性に血管透見像の消失,多発性のびらん,潰瘍,偽ポリポーシス,ハウストラの消失など.
□ **病理**:粘膜にびまん性炎症細胞浸潤,陰窩膿瘍,杯細胞減少など.
□ **血液検査**:Hb↓,WBC↑,CRP↑,赤沈↑,アルブミン↓.
※感染性腸炎(細菌性赤痢,アメーバ性大腸炎,サルモネラ腸炎など)などの他疾患を除外.

表 13-3 潰瘍性大腸炎に用いる薬剤のドラッグデリバリー

薬剤	投与経路	盲腸〜下行結腸	S状結腸	直腸
メサラジン (ペンタサ®)	経口	◎	○	△
	注腸	×	◎	◎
サラゾスルファピリジン (サラゾピリン®)	経口	◎	◎	○
	坐剤	×	×	◎
ベタメタゾン (リンデロン®)	坐剤	×	×	◎
ベタメタゾン (ステロネマ®)	注腸	×	◎	◎
プレドニゾロン (プレドネマ®)	注腸	×	◎	◎

◎:十分なドラッグデリバリー,○:比較的良好なドラッグデリバリー,
△:ドラッグデリバリーやや不良,×:ドラッグデリバリー不良
〔矢島知治:潰瘍性大腸炎の内科的治療.診断と治療 96:2484-2490,2008 より〕

C 治療(標準的処方例)

薬物療法(表 13-3,図 13-4)

1. 寛解導入療法

①軽症(左側大腸炎型,全大腸炎型)

□ **全身療法**:以下のいずれか.
 1) メサラジン(ペンタサ®)顆粒/錠 1回2,000 mg 1日2回 朝夕食後
 2) サラゾスルファピリジン錠(500 mg) 1回4錠 1日4回 毎食後,就寝前
 3) メサラジン(アサコール®)錠(400 mg) 1回3錠 1日3回 毎食後
 4) メサラジン(リアルダ®)錠(1,200 mg) 1回4錠 1日1回 食後

□ **左側大腸炎型**:ステロイド注腸やブデソニド注腸フォームの併用も可.

□ **全大腸炎型**:効果増強が期待できるメサラジン注腸を併用も可.

□ **局所療法**：以下のいずれか.
1) サラゾスルファピリジン坐剤(500 mg)　1回2～4個　1日2回
2) メサラジン坐剤/注腸(1 g)　1回1個　1日1回
3) プレドニゾロン注腸(20 mg)　1回1個　1日1回
4) ベタメタゾン注腸(3 mg)　1回1～2個　1日1回
5) ブデソニド注腸フォーム(2 mg)　1回1プッシュ　1日2回

□ **局所療法**：直腸～左側大腸の炎症が強いときに有用.
□ **Rp3)～5)**：ステロイド含有製剤.奏効した場合,中止または漸減離脱し寛解維持療法へ移行.

② 中等症
□ 軽症に準じるが,炎症反応や症状が強い場合,2週間以内に明らかな効果がない場合や途中で増悪する場合は下記を追加する.

プレドニゾロン錠(5 mg)　1回6～8錠　1日2回　朝昼食後
(効果が得られれば,20 mgまで漸次減量・以後2週毎に5 mgずつ減量)

③ 重症・劇症

ステロイド大量静注療法：プレドニゾロン注　1回40～80 mg　1日1回　静注
(成人においては,1～1.5 mg/kgを目安.最大80 mg/日程度)
※症状に応じてペンタサ®顆粒/錠,サラゾピリン®錠の経口投与や,アサコール®錠,リアルダ®錠および注腸剤を併用する.

□ **上記で効果が得られない場合**：以下のいずれか.
1) 血漿成分除去療法(体外循環を用いて血球成分を除去)
2) シクロスポリン(サンディミュン®)持続静注療法：2～4 mg/kg/日を24時間持続点滴(保険適用外)
3) タクロリムスカプセル(プログラフ®)　0.025 mg/kg/回　1日2回(0.3 mg/kg/日を上限)
4) インフリキシマブ注(レミケード®)　1回5 mg/kg　2時間以上かけて点滴静注(初回投与後2週,6週目に投与.以降8週毎の寛解維持療法に移行)
5) アダリムマブ注(ヒュミラ®)　初回160 mgを皮下注射,2週間後80 mg,以降40 mgを2週間毎の寛解維持療法に移行　自己注射可能
6) ゴリムマブ注(シンポニー®)　初回200 mgを皮下注射,2週

寛解導入療法				
	軽症	中等症	重症	劇症
全大腸炎型、左側大腸炎型	経口剤：5-ASA製剤 注腸剤：5-ASA注腸，ステロイド注腸 フォーム剤：ブデソニド注腸フォーム剤 ※中等症で炎症反応が強い場合や上記で改善ない場合はプレドニゾロン経口投与 ※さらに改善なければ重症またステロイド抵抗例への治療を行う ※直腸部に炎症を有する場合はペンタサ坐剤が有用		・プレドニゾロン点滴静注 ※状態に応じ以下の薬剤を併用 経口剤：5-ASA製剤 注腸剤：5-ASA注腸，ステロイド注腸 ※改善なければ劇症またはステロイド抵抗例の治療を行う ※状態により手術適応を検討	・緊急手術の適応を検討 ※外科医と連携のもと，状況が許せば以下の治療を試みてもよい． ・ステロイド大量静注療法 ・タクロリムス経口 ・シクロスポリン持続静注療法* ・インフリキシマブ点滴静注 ※上記で改善なければ手術
直腸炎型	経口剤：5-ASA製剤 坐剤：5-ASA坐剤，ステロイド坐剤 注腸剤：5-ASA注腸，ステロイド注腸 フォーム剤：ブデソニド注腸フォーム剤			※安易なステロイド全身投与は避ける
難治例	ステロイド依存例		ステロイド抵抗例	
	免疫調節薬：アザチオプリン・6-MP* ※（上記で改善しない場合）：血球成分除去療法・タクロリムス経口・インフリキシマブ点滴静注・アダリムマブ皮下注射・ゴリムマブ皮下注射・トファシチニブ経口・ベドリズマブ点滴静注を考慮してもよい ※トファシチニブ経口はチオプリン製剤との併用は禁忌		中等症：血球成分除去療法・タクロリムス経口・インフリキシマブ点滴静注・アダリムマブ皮下注射・ゴリムマブ皮下注射・トファシチニブ経口・ベドリズマブ点滴静注 重症：血球成分除去療法・タクロリムス経口・インフリキシマブ点滴静注・アダリムマブ皮下注射・ゴリムマブ皮下注射・トファシチニブ経口・ベドリズマブ点滴静注・シクロスポリン持続静注療法* ※アザチオプリン・6-MP*の併用を考慮する（トファシチニブ以外） ※改善がなければ手術を考慮	
寛解維持療法				
	非難治例		難治例	
	5-ASA製剤（経口剤・注射剤・坐剤）		5-ASA製剤（経口剤・注射剤・坐剤） 免疫抑制剤（アザチオプリン，6-MP*），インフリキシマブ点滴静注**，アダリムマブ点滴静注**，ゴリムマブ皮下注射**，トファシチニブ経口**，ベドリズマブ点滴静注**	

図13-4　潰瘍性大腸炎の内科治療指針
注は次頁．

図13-4の注
＊：現在保険適応には含まれていない
＊＊：それぞれ同じ薬剤で寛解導入した場合に持続療法として継続投与する
5-ASA経口製剤(ペンタサ®顆粒/錠, アサコール®錠, サラゾピリン®錠, リアルダ®錠), 5-ASA注射剤(ペンタサ®注腸), 5-ASA坐剤(ペンタサ®坐剤, サラゾピリン®坐剤)
ステロイド注腸剤(プレドネマ®注腸, ステロネマ®注腸), ブデソニド注腸フォーム剤(レクタブル®注腸フォーム), ステロイド坐剤(リンデロン®坐剤)
※(治療原則)内科治療への反応性や薬物による副作用あるいは合併症などに注意し, 必要に応じて専門家の意見を聞き, 外科治療のタイミングなどを誤らないようにする.
〔潰瘍性大腸炎・クローン病診断基準・治療指針, p11, 令和元年度改訂版より〕

間後100 mg, 以降100 mgを4週間毎の寛解維持療法に移行 自己注射可能
7) トファシチニブ錠(ゼルヤンツ®) 1回10 mg 1日2回 8週間経口投与
8) ベドリズマブ注(エンタイビオ®) 1回300 mgを点滴静注 (初回投与後2週, 6週目に投与, 以降8週毎の寛解維持療法に移行)

□ **劇症型**：Rp2)〜4)のいずれかも検討できるが常に緊急手術の適応が考慮される.

④**難治例**

□ **ステロイド抵抗例**
□ ステロイド投与後, 1〜2週間以内に明らかな改善が得られない場合, 上記③の1)〜8)いずれかを検討する.
□ **ステロイド依存例**

アザチオプリン錠(50 mg) 1回1錠 1日1回 朝食後
(1〜2か月後に経口ステロイドを減量, 中止)

□ 上記で効果得られない場合, ③の1)〜8)いずれかを検討する.
□ トファシチニブ(ゼルヤンツ®)経口投与の場合, チオプリン製剤と併用禁忌.

2. 寛解維持療法

□ **全身療法**：以下のいずれか.
1) メサラジン(ペンタサ®)顆粒/錠 1日1,500〜2,250 mgを2回に分服 朝夕食後

2) サラゾスルファピリジン錠(500 mg)　1回1錠　1日4回　毎食後, 就寝前
3) メサラジン(リアルダ®)錠(1,200 mg)　1回2錠　1日1回　食後

□ 維持療法の場合, コンプライアンスを考慮しメサラジン(ペンタサ®)錠を1日1回への用法変更も可.
□ **局所療法**：以下のいずれか.
1) サラゾスルファピリジン坐剤(500 mg)　1回1~2個　1日2回
2) メサラジン坐剤/注腸(1 g)　1回1個　1日1回

D 薬剤師による薬学的ケア

□ アミノサリチル酸製剤, アザチオプリン, ステロイド製剤, 生物学的製剤に関しては, クローン病の項(☞p140)を参照のこと.

処方チェック
①投与量
□ **タクロリムス**：TDMにより初期は高トラフ10~15 ng/mL, それ以降は低トラフ5~10 ng/mLに調節.
□ **シクロスポリン**：TDMにより200~400 ng/mL程度を目安として調節.

②相互作用
□ **タクロリムス**
- **シクロスポリンとの併用**：血中濃度上昇のおそれ. タクロリムスへの切替え時はシクロスポリン最終投与から24時間以上経過後に投与.
- **K保持性利尿薬との併用時**：高K血症発現のおそれ.

□ **シクロスポリン**
- **タクロリムスとの併用**：血中濃度上昇, 腎障害など発現のおそれ.
- **ピタバスタチン, ロスバスタチン**：併用禁忌(これらの薬剤の血中濃度上昇, 横紋筋融解症など発現のおそれ).

服薬指導
□ **サラゾスルファピリジン**：コップ1杯の水でかまずに服用(腎障害軽減のため). 皮膚や爪, 尿・汗などの体液が黄赤色に着色(心配不要). 副作用は, 頭痛, 倦怠感, 発疹など. 男性不妊の原因

表 13-4 潰瘍性大腸炎に保険適応のある生物学的製剤

一般名(商品名)	構造	投与方法	副作用	注意点
インフリキシマブ (レミケード®)	キメラ型抗TNF-α抗体	点滴注射	・肝機能障害, 発疹, 感染症, 白血球減少など ・インフリキシマブでは特にinfusion reactionに注意	・予防接種のうち, 生ワクチンは禁忌 ・治療開始前に, 結核やB型肝炎ウイルスの既往感染の有無について検査が必要
アダリムマブ (ヒュミラ®)	ヒト型抗TNF-α抗体	皮下注射 (自己注射可)		
ゴリムマブ (シンポニー®)	ヒト化抗α₄β₇インテグリン抗体	点滴注射		
ベドリズマブ (エンタイビオ®)				
トファシチニブ (ゼルヤンツ®)	JAK阻害剤	経口		

(各薬剤の添付文書, インタビューフォームより)

(→メサラジンへの変更).
- □ **タクロリムス, シクロスポリン**:セント・ジョーンズ・ワート含有食品, グレープフルーツジュースの摂取は避ける.
- □ 吸収は食事の影響を受けるため, 血中濃度が上昇しない場合は, 食前投与にすることで吸収が改善することがある.
- □ **その他**:症状が落ち着いても完治していないので, 自己判断で減量や中断しないように指導する.

治療・副作用モニタリング

- □ **サラゾスルファピリジン**:溶血, 無顆粒球症, 肝機能障害などが起こりうるので, 定期的に血液検査や肝機能検査を実施.
- □ **シクロスポリン**:血圧上昇と多毛の頻度が高く, 腎障害, 感染症, 急性膵炎などの副作用に注意.
- □ **タクロリムス**:血中濃度 25 ng/mL 以上で, 腎毒性, 振戦・知覚障害・痙攣などの神経毒性, 糖尿病誘発.
- □ **生物学的製剤**:表 13-4 参照.

E 処方提案のポイント

サラゾスルファピリジンによる副作用出現時の対策

- □ **発疹**:1 日 1 mg から始めて徐々に増量すると, 多くの場合は脱感作に成功.

- 消化器症状には1日250 mg，頭痛には1日500 mgから始め，数週間かけて増量．
- **過量投与時**：悪心・嘔吐，胃腸障害，腹痛，傾眠，けいれんなど出現．症状に応じて，催吐，胃洗浄，瀉下，尿のアルカリ化，強制利尿，血液透析などを施行．

潰瘍性大腸炎の重症例
- 下痢，発熱，腹痛などに対して，抗コリン薬，止痢薬，NSAIDs，麻薬などを投与されている場合は中毒性巨大結腸症の誘因となるため中止．投与が必要な場合は，アセトアミノフェンなど影響が少ない薬剤を提案．

参考文献
1) 厚生労働科学研究費補助金 難治性疾患等政策研究事業：「難治性炎症性腸管障害に関する調査研究」潰瘍性大腸炎・クローン病 診断基準・治療指針，令和元年度改訂版，2020
2) 日本消化器病学会編：炎症性腸疾患(IBD)診療ガイドライン2016，南江堂，2016

（溝口 菜摘）

16 肝炎

A 疫学と病態
B型肝炎
- 肝細胞内で増殖しているウイルスに対する生体の免疫反応によって，肝細胞が傷害を受けるために生じる病態．
- B型肝炎ウイルスの血液・体液感染により起こり，感染経路として母子感染，水平感染，輸血，性交渉，針刺し事故等がある．
- 欧米に多いgenotype Aは日本で近年増加傾向にあり，慢性化率が高い(約10％)．性交渉が主経路．
- 主に幼少期からの持続感染の後，免疫が発達する青年期に肝炎を発症する．後に約90％はセロコンバージョン(HBe抗原陽性からHBe抗体陽性状態に変わる)となり鎮静化するが，残り10％は慢性肝炎となる．
- 慢性肝炎は，年率約2％で肝硬変へ移行，肝細胞癌・肝不全に進展．

▍C 型肝炎
- C 型肝炎ウイルス(HCV)は主に血液を介して感染し，1〜3 か月の潜伏期間を経て急性肝炎を起こす．他の肝炎と比較すると症状は軽く，劇症化することは稀である．
- HCV に感染すると約 30％の人は一過性の感染で治癒するが，残りの 70％では持続感染化(慢性化)する．慢性肝炎からの肝発がんは 10 年間で 12.4％，肝硬変からの肝発がんは平均観察期間 9.2 年で 53.9％と報告されている．
- わが国では genotype 1b 型が約 70％，2a 型が 20％，2b 型が 10％である．

B 患者の状況把握

▍B 型肝炎
① 症状
- **急性肝炎**：1〜6 か月の潜伏期の後，食欲不振，倦怠感，発熱，嘔気，黄疸を生じる．
- **慢性肝炎**：自覚症状はほとんど認めない．急性増悪期には急性肝炎と同様の症状が生じる．

② 診断・検査
- **急性肝炎**：HBs 抗原，IgM 型 HBc 抗体(COI≧10.0)．
- **慢性肝炎**：HBe 抗原，HBe 抗体，HBV DNA 量．

▍C 型肝炎
① 症状
- **急性肝炎**：全身倦怠感，食欲不振，右季肋部痛，黄疸，濃色尿など．無症状もある．
- **慢性肝炎**：ほとんどの症例が無症状．

② 診断・検査
- **急性肝炎**：HCV-RNA 陽性，HCV 抗体陽性．
- **慢性肝炎**：HCV 抗体価(陽性)，HCV-RNA 定性定量検査(陽性)，HCV コア蛋白陽性．

C 治療(標準処方例)

▍B 型急性肝炎
- 基本的には保存的治療(安静，栄養補給)が主体．

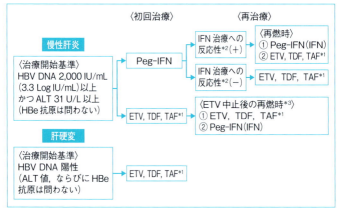

図 13-5 抗ウイルス治療の基本方針
*1：挙児希望がないことを確認した上で，長期継続投与が必要なこと，耐性変異のリスクがあることを十分に説明すること
*2：ALT 正常化，HBV DNA 量低下(HBs 抗原量低下)，さらに HBe 抗原陽性例では HBe 抗原陰性化を参考とし，治療終了後 24～48 週時点で判定する．
*3：ETV 中止後再燃時の再治療基準：HBV DNA 100,000 IU/mL(5.0 LogIU/mL)以上，または ALT 80 U/L 以上．

□ 重症型〔プロトロンビン時間(PT)40％以下〕および劇症肝炎(PT 40％以下かつⅡ度以上の肝性脳症を伴う)の症例に対しては，ラミブジン投与が有効．PT 40％以下になる前を目安としてラミブジン投与が推奨．HBs 抗原が陰性化した段階で中止．
□ genotype A に対して，慢性化阻止のため核酸アナログ投与は有用．

B 型慢性肝炎

□ ウイルス量，ALT 値により分別された治療法から選択(**図 13-5**)．年齢，挙児希望の有無，HBe 抗原，ウイルスの genotype なども考慮する．
□ 核酸アナログ製剤と IFN の sequential 療法(核酸アナログ中止時に IFN を投与)や同時併用療法(add-on 治療)も行われることがある．

①インターフェロン(IFN)治療
□ 以下のいずれか
1) ペガシス® 皮下注(Peg-IFNα-2a)　1回 90 μg(180 μg とする

ことも可）　週1回
2) スミフェロン®注（天然型IFNα）　1回300〜600万IU　皮下または筋注　1日1回
3) フエロン®注（天然型IFNβ）　初日300万IU　以降6日間1日1〜2回，2週目以降1日1回　点滴静注または静注

□ 通常はペガシス®48週を使用．
□ HBe抗原陽性 ➡ 96週投与による有効性が高いと海外で報告あり．わが国でも2クール（計96週）の実施は可．

②核酸アナログ治療

□ 主にRp1)〜3)のいずれか．

1) エンテカビル錠(0.5 mg)　1回1錠　1日1回　空腹時
2) テノホビルジソプロキシルフマル酸塩(TDF)錠(300 mg)　1回1錠　1日1回
3) テノホビルアラフェナミド(TAF)錠(25 mg)　1回1錠　1日1回
4) ラミブジン錠(100mg)　1回1錠　1日1回
5) アデホビル錠(10mg)　1回1錠　1日1回

□ **エンテカビル**：難治例やラミブジン不応例に対しては1日1回1 mgに増量．
□ **TDF**：テノホビルのプロドラッグ．ラミブジン，アデホビル，ないしエンテカビルの治療抵抗例でラミブジンまたはエンテカビルとの併用療法での有効性が示されている．
□ **TAF**：テノホビルのプロドラッグでTDFと比較し，肝臓に選択的に作用するDDS ➡ 腎機能障害や骨密度への影響↓．
□ **ラミブジン**：耐性株の出現が高頻度で，ラミブジン耐性が出現するとエンテカビルなど他の核酸アナログ製剤への耐性も出現しやすくなる ➡ 核酸アナログ製剤未使用例でラミブジンを投与することはない．
□ **アデホビル**：ラミブジンまたはエンテカビル耐性株に対して併用．ラミブジンまたはエンテカビルとアデホビル併用投与での治療抵抗例ではアデホビルのかわりにテノホビルを投与．

■ C型慢性肝炎

　非代償性肝硬変を含むすべてのC型肝炎が抗ウイルス療法の対象．genotypeを問わず初回治療・再治療とも直接作用型抗ウイル

ス薬(DAAs:Direct Acting Antiviral Agents)によるIFN-free治療が推奨.

①genotype 1型(DAA治療歴なし)

□ **慢性肝炎・代償性肝硬変**:1〜3のいずれか.
 1) ソホスブビル/レジパスビル配合錠　1回1錠　1日1回
 2) エルバスビル錠(50 mg)　1回1錠 + グラゾプレビル錠(50 mg)　1回2錠　1日1回
 3) グレカプレビル/ピブレンタスビル配合錠　1回3錠　1日1回　食後

□ Rp1), 2):12週, Rp3):慢性肝炎は8週・肝硬変は12週連日投与.

□ ソホスブビル/レジパスビル配合錠は重度腎機能障害(eGFR<30 mL/min/1.73 m^2)では禁忌.

②genotype 1型(プロテアーゼ阻害薬+Peg-IFN+リバビリン前治療不成功例)

□ **慢性肝炎・代償性肝硬変**:以下のいずれか.
 1) ソホスブビル/レジパスビル配合錠　1回1錠　1日1回
 2) グレカプレビル/ピブレンタスビル配合錠　1回3錠　1日1回　食後

□ いずれも12週連日投与.

③genotype 2型(DAA治療歴なし・プロテアーゼ阻害薬+Peg-IFN+リバビリン前治療不成功例)

□ **慢性肝炎・代償性肝硬変**:以下のいずれか
 1) ソホスブビル錠(400 mg)　1回1錠　1日1回 + リバビリン錠(200 mg)　1回3〜5錠　1日2回　食後
 2) グレカプレビル/ピブレンタスビル配合錠　1回3錠　1日1回　食後
 3) ソホスブビル/レジパスビル配合錠　1回1錠　1日1回

□ Rp1), 3):12週, Rp2):DAA治療歴のない慢性肝炎のみ8週. それ以外は12週連日投与.

□ リバビリンは体重60 kg以下は1日600 mg, 60〜80 kgは1日800 mg, 80 kg超は1日1,000 mg.

④genotype 1型, genotype2型(IFN-free DAA前治療不成功例)

□ **慢性肝炎・代償性肝硬変**:以下のいずれか.

1) グレカプレビル/ピブレンタスビル配合錠　1回3錠　1日1回　食後
2) ソホスブビル/ベルパタスビル配合錠　1回1錠　1日1回＋リバビリン錠カプセル(200 mg)　1日3～5錠を2回に分服　食後

☐ 1)：12週連日投与，2)：24週連日投与．
☐ グレカプレビル/ピブレンタスビル配合錠投与前は，NS3/4およびNS5A変異を測定した上で治療適応を検討すべき．

⑤ 非代償性肝硬変(すべてのgenotype)
1) ソホスブビル/ベルパタスビル配合錠　1回1錠　1日1回

☐ 12週連日投与．
☐ Child-Pugh分類grade C(特にスコア13～15点)は国内臨床試験に組み入れられておらず，安全性が十分に検証されていないことに注意 ➡ 経過観察も選択肢となりうる．

D 薬剤師による薬学的ケア

相互作用

☐ **レジパスビル**：アミオダロンとの併用により，徐脈等の出現リスク．海外では死亡例もあるため原則併用しない．P糖蛋白質の基質であるため，これを誘導する薬剤には特に注意．また，胃内pHの上昇による溶解性↓のため，PPI，H_2拮抗薬，制酸剤との併用時も注意．
☐ **グラゾプレビル**：CYP3A阻害作用を有するため，ワルファリンやタクロリムス併用時には，INRあるいは血中濃度測定を依頼．

服薬指導，治療・副作用モニタリング

☐ **IFN**：副作用の発現時期の傾向と対応について説明．

初期(1～2週間)	インフルエンザ様症状，食欲不振・悪心嘔吐，発疹・紅斑，蛋白尿，血球減少等
中期(3週～3か月)	不眠・抑うつ，貧血，代謝・内分泌異常，自己免疫疾患，循環器症状など．精神症状の副作用は本人に自覚がない場合もあるため，家族の理解と協力が必要
後期(3か月～)	脱毛

☐ **エンテカビル**：内服前後2時間は食事摂取を避ける(食事と同時で吸収20～30％↓)．催奇形性あり ➡ 妊娠の可能性があるあるいは挙児希望のある女性には極力投与は回避．

- **TDF, アデホビル**：長期投与では腎機能障害, 低リン血症(Fanconi症候群を含む), 骨密度低下に注意 ➡ 定期的な検査を依頼.
- 性感染が主たる感染経路であるB型急性肝炎は, HIV感染症を合併している可能性がある. 現在わが国で使用可能な核酸アナログ製剤には, 抗HIV作用が認められるので, 投与前にHIV感染症の合併の有無を確認する.
- IFN-free治療において, HBV再活性化リスクがあるため, 開始前に既往感染の有無を確認. 既往感染があれば, モニタリングを行う.
- **リバビリン**：溶血性貧血は, 血中濃度が安定化する4〜12週目にみられる傾向. 催奇形性あり ➡ 治療中および終了後半年は男女ともに避妊を厳守させる. クレアチニンクリアランスが50 mL/min以下の腎機能障害がある場合, 血中濃度↑ ➡ 重大な副作用の発現リスク↑.
- **グレカプレビル/ピブレンタスビル**：Genotype 1〜6型すべてに有効. 慢性肝炎か代償性肝硬変か, あるいは治療歴により治療期間が異なるので要注意. 既存のIFN-free治療不成功例にも有効だが, NS5A領域のP32欠損の遺伝子変異例には注意.

E 処方提案のポイント

- **発熱時**：NSAIDsの処方を提案. IFN投与時に毎回発現する場合は前投薬を検討.
- **消化器症状**：IFN投与時の嘔気・食欲不振には制吐薬, 六君子湯などの投与を検討. ソホスブビル/レジパスビル配合錠内服中の消化器症状に酸分泌抑制薬, 制酸薬などを投与する場合は服用タイミングに注意.
- **皮膚障害**：抗ヒスタミン薬, 状況に応じステロイド含有軟膏を提案.

参考文献

1) 日本肝臓学会肝炎診療ガイドライン作成委員会編：B型肝炎治療ガイドライン(第3.1版), 2019
2) 日本肝臓学会肝炎診療ガイドライン作成委員会編：C型肝炎治療ガイドライン(第7版), 2019
3) 日本肝臓学会編：慢性肝炎・肝硬変の診療ガイド2019, 文光堂, 2019

(山本 晴菜)

17 肝硬変

A 疫学・病態
- 長期にわたる肝細胞への傷害により，肝細胞の壊死脱落と再生が繰り返され，肝全体に再生結節が形成された状態．多くは不可逆的である．
- 肝線維化，再生結節形成による血流障害によって門脈圧亢進を合併する．
- 原因として，ウイルス性(C型：約49％，B型：約12％)，アルコール性(約18％)，自己免疫性，非アルコール性脂肪肝炎など．C型肝炎ウイルスによるものは年々減少している．
- 機能的分類には代償期と非代償期がある．

B 患者の状態把握

症状

①代償性肝硬変
- 肝機能が保たれており，臨床症状はほとんどない．
- 肝脾腫，くも状血管腫，手掌紅斑，食道静脈瘤などが存在しても無症候性の場合は代償性とする．

②非代償性肝硬変
- 全身倦怠感などの不定愁訴，浮腫・腹水による腹部膨満感，肝性脳症による意識障害，消化管出血など門脈圧亢進による消化管症状．
- 治療を行わない状態で分類し，治療後に無症候性となった症例も非代償性とする．
- **身体所見**：皮膚所見(色素沈着，黄疸，くも状血管腫，手掌紅斑など)，四肢の所見(爪の変形，ばち指，浮腫)，腹部所見(肝脾腫，腹水，腹壁静脈の怒張など)，神経所見(肝性脳症による羽ばたき振戦)，その他(女性化乳房，精巣萎縮，直腸診による痔瘻および直腸静脈瘤など)．

診断・検査

①血液生化学検査
- 血清トランスアミナーゼ↑(AST＞ALT)．

- □ ビリルビン, 胆汁酸↑.
- □ 脾臓機能亢進による汎血球↓(特に PLT↓は慢性肝疾患の進展度評価で重要).
- □ **肝合成蛋白および脂質**：Alb↓, ChE↓, プロトロンビン時間↑, ヘパプラスチンテスト↓, 総コレステロール↓.
- □ 線維化マーカー↑〔ヒアルロン酸, Ⅳ型コラーゲン・7S, Ⅳ型コラーゲン, M2BPGi(Mac-2 binding protein glycosylation isomer), オートタキシン〕.
- □ **肝性脳症**：アンモニア↑, Fischer比↓(分岐鎖アミノ酸(BCAA)/芳香族アミノ酸(AAA)モル比), BTR↓(BCAA/チロシン比).
- □ 低 Na 血症(非代償性肝硬変).
- □ **血糖↑**(耐糖能異常合併が多い. 多くは食後血糖↑).
- □ **ICG 負荷試験**：15 分停滞率(ICG-R$_{15}$)高値.

② **画像検査**
- □ 腹部超音波検査, 腹部 CT・MRI, 上部消化管内視鏡検査(食道胃静脈瘤, 門脈圧亢進症性胃腸症のスクリーニング/進展度評価).

③ **その他**
- □ 超音波肝硬度診断(エストログラフィー), 腹腔鏡, 肝生検.

C 治療(標準的処方例)

- □ ここでは主に, 合併症に対する薬物治療について記載する.

浮腫・腹水
- □ 食塩制限(1日5~7g以下)に加え利尿薬を中心とする薬物療法を行う.
  1) スピロノラクトン錠(25 mg)　1回1~4錠　1日1回　朝食後
  2) フロセミド錠(20 mg)　1回1~4錠　1日1回　朝食後
  3) トルバプタン錠(7.5 mg)　1回0.5~1錠　1日1回　朝食後
  4) カンレノ酸カリウム注　1日200~600 mgを1~2回に分けて静注
- □ Grade 2~3(中等量~大量)の腹水に対しては, 抗アルドステロン薬が第1選択. 効果不十分時はループ利尿薬を少量から併用するが, 高度の腎障害合併時には要注意. 不応例には, 入院の上トルバプタン追加投与を行う. トルバプタン抵抗例で腎障害がない場合は, カンレノ酸カリウムやフロセミドの静注を少量から行う.

アルブミン注5〜25％　1回10〜25 g　1日1回　点滴静注
- □ 利尿薬による効果が不十分で，血清 Alb 濃度が 2.5 g/dL 未満の場合に使用（保険上用量に制限あり，1か月に6バイアル以内）．その他，腹水穿刺で好中球数 250/mL を超える場合は特発性細菌性腹膜炎を考慮し，第3世代セフェム系抗菌薬の静脈内投与を行う．

■ 肝性脳症

①合成二糖類

- □ 以下のいずれか．
  1) ラクツロース・シロップ65％　1回10〜30 mL　1日3回　毎食後
  2) ラクチトール末　1回6〜12 g　1日3回　毎食後
- □ 腸管内の pH を低下させアンモニアの産生・吸収を抑制，浸透圧により排便を促進させる．経口摂取困難例にはラクツロース50〜150 mL を同量の微温湯に希釈し，1日2回注腸を行う（適応外）．

②腸管非吸収性抗生物質〔(1)以外は保険適用外〕

- □ 以下のいずれか．
  1) リファキシミン錠（200 mg）　1回400 mg　1日3回
  2) カナマイシンカプセル（250 mg）　1回500〜1,000 mg　1日3回
  3) 硫酸ポリミキシンB錠　1回100〜200万単位　1日3回
- □ 腸内細菌の減少により腸内アンモニア濃度を低下させる．合成二糖類で高アンモニア血症が改善されない場合に併用し，長期投与は避ける．

③特殊アミノ酸製剤輸液

- □ 以下のいずれか．
  1) アミノレバン®注　1回500 mL　1日1〜2回　点滴静注
  2) モリヘパミン®注　1回500 mL　1日1〜2回　点滴静注
- □ 1週間を目安に投与，覚醒効果は肝予備能に依存する．
- □ 従来治療で効果不十分な場合に，カルニチンの短期〜中期間投与にてアンモニア低下および脳症改善を認める症例もある（保険適用：カルニチン欠乏のみ）．

■ 低アルブミン血症

①蛋白不耐軽度例

リーバクト®配合顆粒　1回1包　1日3回　毎食後

□ 経口摂取可能な軽度の脳症に対して使用する．低アルブミン血症と無イベント/QOL を有意に改善する．

②蛋白不耐高度例
□ 以下のいずれか
  1) アミノレバン®EN(約 210 kcal/包)　1 回 1 包　1 日 3 回　毎食後
  2) ヘパン ED®(約 310 kcal/包)　1 回 1 包　1 日 2 回　朝夕食後
□ 肝性脳症から覚醒して経口摂取可能になれば，輸液製剤より切り替えて使用可能である．エネルギー代謝改善に対しては約 200 kcal 分の就寝前補食(LES：late evening snack)が推奨されている．

D 薬剤師による薬学的ケア

処方チェック

①処方薬
□ 検査値(Alb, 電解質, 腎機能等)を確認し，用法用量を確認．
□ 肝不全用経腸栄養剤の服薬アドヒアランスを確認．
□ ラクツロースにはフルクトースが含まれているため，糖尿病患者にはラクチトールを使用．

②相互作用
□ **K 保持性利尿薬**：高 K 血症を惹起するため，タクロリムスまたはエプレレノンと併用禁忌．特に腎障害患者や高齢者で注意．
□ **合成二糖類**：αグルコシダーゼ阻害薬との併用で消化器系副作用↑の可能性．

服薬指導, 治療・副作用モニタリング

①服薬指導
□ 栄養療法，薬物療法の重要性を理解させる．
□ 利尿薬の怠薬により腹水の増悪等の危険性 ➡ 指示通りに服薬するよう指導．
□ 便秘は肝性脳症の誘因となるため，排便コントロールをチェックする．

②治療・副作用モニタリング
□ 利尿薬服用中は電解質, 腎機能のモニタリングを行う．
□ 利尿薬の増量により肝性脳症をきたす可能性→羽ばたき振戦や意

識変容に注意.
□ 肝不全時は，代謝能，肝血流量，血漿蛋白低下による薬物動態の変化に注意.

E 処方提案のポイント
□ 合成二糖類服用時は1日2〜3回の軟便になるよう増減を提案.
□ 肝不全用経腸栄養剤のアドヒアランス維持のため，フレーバー使用や希釈など服用方法を工夫し提案. ただし，酸性下ではゲル化するためジュースとの混合は回避.

参考文献
1) 日本消化器病学会編：肝硬変診療ガイドライン 2020 改訂第3版, 南江堂, 2020
2) 日本肝臓学会編：慢性肝炎・肝硬変の診療ガイド 2019, 文光堂, 2019

(山本 晴菜)

18 膵炎

A 疫学・病態

急性膵炎
□ 成因はアルコール摂取が約35％，胆石が約27％，特発性が約17％となっており，男性はアルコール，女性は胆石が多い. その他成因では高トリグリセリド血症，内視鏡的逆行性膵胆管造影（ERCP），自己免疫性，薬剤性等がある.
□ 男性の発生頻度は女性の約2倍.
□ 死亡率は全体で約2％，重症例では約10％.
□ アルコール性急性膵炎の再発率は46％，胆石性膵炎では32〜61％（胆石に対する処置が行われなかった場合）.
□ 慢性膵炎への移行率は3〜15％.
□ 消化酵素の膵内活性化による膵臓の自己消化が病態の中心である.
□ 膵酵素や炎症により生じたサイトカインが血中や腹腔内に放出されると，全身性炎症反応症候群（SIRS）をきたし臓器不全やDIC

慢性膵炎
- 膵臓の炎症の持続により膵実質の壊死・脱落と線維化が起こり膵外内分泌機能の低下をきたす非可逆的な病態.
- 成因はアルコール性が60％以上, 原因不明の特発性が約20％, 胆石性が5％前後.
- 男女比は約3:1, 男性ではアルコール性, 女性では特発性の頻度が高い.

B 患者の状況把握

急性膵炎
① 症状
- **主症状**：上腹部の急性腹痛発作・圧痛, 背部への放散痛, 嘔気・嘔吐, 発熱, 腸雑音減弱.
- **重症例**：呼吸困難, 意識障害, ショック症状, 出血傾向など.

② 診断・検査
- **血液検査**：血中リパーゼ, 血中アミラーゼ(診断).
  CRP↑, LDH↑, BUN↑, 白血球数↑, PLT↓, Ca↓など(重症度).
- **画像診断**：胸腹部単純X線, 超音波, CT, MRI.

慢性膵炎
① 症状
- 代償期は持続または断続的な腹痛が主症状.
- 非代償期では腹痛軽減, 膵内外分泌機能障害(糖質代謝障害, 脂肪便, 体重減少など)が進行.

② 診断・検査
- **血液検査**：膵型アミラーゼ, トリプシン, ホスホリパーゼ A_2.
- **外分泌機能検査**：BT-PABA試験(PFD試験).
- **画像検査**：ERCP, CT, 腹部超音波検査(US), 腹部MRI(MRCP), 超音波内視鏡(EUS), 腹部X線検査(結石を有する場合).
- **遺伝子検査**：カチオニックトリプシノーゲン遺伝子(PRSS1).

C 治療(標準的処方例)

■ 急性膵炎
□ 初期治療は絶食による膵の安静,輸液,除痛が基本となる.

①輸液療法
□ 急性膵炎では有効循環血漿が著しく減少するため,発症早期から細胞外液(酢酸リンゲルあるいは乳酸リンゲル)を中心に十分な輸液投与を行う.脱水の程度に応じ150～600 mL/時程度(上限10 mL/kg/時)で開始,数時間から24時間以内に輸液速度を段階的に低下する.

②鎮痛薬
□ 以下のいずれか.
> 1) ブプレノルフィン注　初回0.3 mg 静注,2.4 mg/日　持続静注
> 2) ペンタゾシン注　1回30 mg　6時間ごと　1日4回　静注

□ 急性膵炎による疼痛は激しく持続的であるため,発症早期より十分な除痛が必要となる.

③予防的抗菌薬投与
□ 以下のいずれか(軽症例には不要).
> 1) イミペネム注　1回0.5 g　1日3回　点滴静注
> 2) メロペネム注　1回0.5 g　1日3回　点滴静注

□ 重症例や壊死性膵炎には,発症後72時間以内の早期投与により生命予後を改善する可能性がある.膵組織内移行の高いカルバペネム系やニューキノロン系を使用する.

④蛋白分解酵素阻害薬
□ 以下のいずれか.
> 1) ガベキサートメシル酸塩注　1日600 mg　持続点滴静注
> 2) ナファモスタットメシル酸塩注　1日10～60 mg　持続点滴静注(5%ブドウ糖に溶解)
> 3) ウリナスタチン注　1回25,000～50,000単位　1日1～3回　点滴静注

□ 軽症膵炎に対する有用性のエビデンスはない.重症例におけるガベキサートメシル酸塩の大量持続点滴が有用との報告はあるが,保険診療上認められている使用量を超えており,今後,投与量や有効性の再検討が必要である.

慢性膵炎

1) カモスタットメシル酸塩錠(100 mg) 1回2錠 1日3回 毎食後
2) ファモチジン錠(20 mg) 1回1錠 1日2回 朝夕食後
3) ベリチーム®配合顆粒 1回1g 1日3回 毎食後
4) フロプロピオン錠(80 mg) 1回1錠 1日3回 毎食後

□ 代償期の急性増悪時には急性膵炎に準じた治療を行う．間欠期では，膵の炎症の沈静化と急性増悪の予防目的で経口蛋白分解酵素阻害薬の使用と日常生活の管理を行う．疼痛がある場合はNSAIDsやCOMT阻害薬(Oddi筋弛緩)，抗コリン薬(膵外分泌刺激抑制)を使用する．

1) パンクレリパーゼ製剤 1回600 mg 1日3回 毎食直後
2) パンクレアチン(局方) 1回1g 1日3回 毎食後

□ 非代償期の消化吸収不全に対し，消化酵素の大量投与もしくは高力価の膵消化酵素を使用する．膵液内の重炭酸塩分泌が低下し十二指腸での胃酸中和が不十分となるため，胃酸分泌抑制薬を併用する．なお，慢性膵炎に合併する膵性糖尿病では，インスリン療法を基本とする．

D 薬剤師による薬学的ケア

処方チェック

□ 薬剤性膵炎の可能性を考え，膵炎と関連のある薬剤の使用有無を確認(表13-5)．
□ **膵炎での禁忌薬剤を確認(表13-6)**：アクチバシン®，インドメタシン，カルニチン塩酸塩，経腸栄養剤(ツインライン)など．
□ パンクレリパーゼ製剤あるいはパンクレアチン使用時は，ブタまたはウシアレルギーがないかを確認．

服薬指導，治療・副作用モニタリング

1. 服薬指導

①急性膵炎

□ 蛋白分解酵素阻害薬を使用する際，投与中注射部位に違和感があれば，医療スタッフへ伝えるよう指導．
□ アルコール性急性膵炎の場合は，アルコール摂取をやめるよう指導．

表 13-5 薬剤(医療用医薬品)による急性膵炎

Class Ⅰa	Class Ⅰb	Class Ⅱ
・α-メチルドーパ ・ベザフィブラート ・コデイン ・エナラプリル ・フロセミド ・イソニアジド ・メサラジン ・メトロニダゾール ・ペンタミジン ・プラバスタチン ・プロカインアミド ・シンバスタチン ・スルファメトキサゾール ・スリンダク ・テトラサイクリン ・バルプロ酸	・アミオダロン ・アザチオプリン ・クロミフェン ・デキサメタゾン ・イホスファミド ・ラミブジン ・ロサルタン ・6-MP ・メグルミン ・チアマゾール ・ネルフィナビル ・オメプラゾール ・プレマリン ・トリメトプリムスルファメトキサゾール	・アセトアミノフェン ・クロナゼパム ・DDI(ジダノシン) ・エリスロマイシン ・エストロゲン ・L-アスパラギナーゼ ・プロポフォール ・タモキシフェン

Class Ⅲ	Class Ⅳ	
・アレンドロン酸 ・アトルバスタチン ・カルバマゼピン ・カプトプリル ・セフトリアキソン ・シメチジン ・クラリスロマイシン ・シクロスポリン ・金 ・ヒドロクロロチアジド ・インドメタシン ・インターフェロン/リバビリン ・イルベサルタン ・リシノプリル ・メトホルミン ・ミノサイクリン ・ミルタザピン ・ナプロキセン ・パクリタキセル ・プレドニゾロン	・副腎皮質ホルモン ・アンピシリン ・ベタメタゾン ・カペシタビン ・シスプラチン ・コルヒチン ・シクロホスファミド ・シプロヘプタジン ・ダナゾール ・ジアゾキシド ・ジクロフェナク ・ドキソルビシン ・エタクリン酸 ・ファムシクロビル ・フィナステリド ・5-FU ・フルバスタチン ・インターロイキン-2 ・ケトプロフェン ・メフェナム酸	・オクトレオチド ・ペニシリン ・ラニチジン ・リファンピシン ・リスペリドン ・リトナビル ・ロキシスロマイシン ・ロスバスタチン ・セルトラリン ・ストリキニン ・タクロリムス ・ビガバトリン ・ビンクリスチン

Class Ⅰa:rechallenge test 陽性例がある1例以上の症例報告で他の原因(アルコール,高トリグリセリド血症,胆石,他の薬剤など)が除外できるもの
Class Ⅰb:rechallenge test 陽性例がある1例以上の症例報告で他の原因(アルコール,高トリグリセリド血症,胆石,他の薬剤など)が除外できないもの
Class Ⅱ:少なくとも4例の症例報告,75%以上の症例で発症期間が一致しているもの
Class Ⅲ:少なくとも2例の症例報告,発症期間が一致していないもの,rechallenge test のないもの
Class Ⅳ:上記を満たさないもの,1例のみの報告

表 13-6 膵炎に禁忌の薬剤

一般名	主な商品名	記載内容	禁忌理由
アルテプラーゼ	アクチバシン	急性膵炎の患者	急性膵炎が悪化したり，出血するおそれがある
	グルトパ		
インドメタシン	インテバン	重篤な膵炎の患者	インドメタシンで急性膵炎が発現したと報告
	インフリー		
プログルメタシン	ミリダシン	重篤な膵炎の患者	活性代謝物のインドメタシンで急性膵炎が報告されており症状悪化のおそれ
アセメタシン	ランツジール	重篤な膵炎の患者	NSAIDs による膵炎が報告されており，症状悪化のおそれ
カルニチン	エントミン	急性膵炎または慢性膵炎で急性増悪がみられる患者	膵液分泌を亢進する
	ツインライン NF	急性膵炎の患者	膵炎が増悪するおそれ
膵外分泌機能検査用薬	PFD 内用液	急性膵炎の急性期	庇護療法が優先され，本検査の対象でない

② 慢性膵炎
- 膵性糖尿病では低血糖が起きやすいため，低血糖症状と対策について指導．
- 脂肪便の有無を確認し，消化酵素薬と胃酸分泌抑制薬が適正に使用されているか確認．
- 膵外分泌に対する刺激を減らすため，禁酒禁煙し，コーヒーや香辛料は制限．腹痛が著しい場合には脂肪だけではなく蛋白も制限．急性増悪を繰り返す患者に対しては，1 回の食事量を少なくし，1 日に 4〜5 回摂取するよう指導．

2. 治療・副作用モニタリング

- 蛋白分解酵素阻害薬による血清 K 値の上昇，静脈炎，血管外漏出と潰瘍形成がないかを確認．静脈炎が起こった場合は，患部を氷冷し，ステロイド軟膏を塗布．
- アルコール性膵炎患者では，アルコール離脱症状による不穏に注意．
- 疼痛緩和の確認を行う．
- ペンタゾシンやブプレノルフィン塩酸塩では，副作用の過鎮静や

眠気，ふらつきに注意．連用により薬物依存が生じるため，投与量，投与間隔をモニタリングし，連用後の中止の際には徐々に減量．

E 処方提案のポイント

□ 注射用蛋白分解酵素阻害薬は配合変化を起こしやすいため，配合変化情報を提供する．
□ 慢性膵炎で，疼痛の持続によりうつ状態を合併している場合，マイナートランキライザーなどの処方提案を行う．

参考文献
1) 日本消化器病学会編，慢性膵炎ガイドライン 2015(改訂第 2 版)
2) 日本膵臓学会編，急性膵炎診療ガイドライン 2015 第 4 版

(山本 晴菜)

第14章 腎泌尿器疾患

19 前立腺肥大症

A 疫学・病態
- 前立腺の良性過形成により下部尿路機能障害を呈する疾患で，通常は前立腺腫大と下部尿路閉塞を示唆する下部尿路症状を伴う．
- 高齢男性が下部尿路症状を訴える疾患として最も頻度が高い．
- 60歳男性の50％以上，85歳までに90％が肥大を認め，その1/4に臨床症状が出現する．
- **病態**：①前立腺の解剖学的増大，②排尿障害を主とした下部尿路症状，③下部尿路通過障害の組み合わせにより決定される．
- 重症例では尿閉，尿路感染症，膀胱結石，腎不全などの合併症を引き起こす原因となる．

B 患者の状態把握
症状
- 前立腺肥大の程度と症状の重症度は必ずしも一致しない．
- 重要な下部尿路症状として残尿感，尿勢低下，頻尿，腹圧排尿，尿線途絶，夜間頻尿，尿意切迫感

診断・検査
- **尿検査**：尿潜血および肉眼的血尿，膿尿の有無．
- **直腸診**：前立腺の形態(大きさ，硬さ，硬結の有無)，神経因性膀胱の合併の有無．
- **尿流測定，残尿測定**：閉塞の評価．
- **前立腺超音波検査**：腫大の評価．
- **Scr測定**：腎機能の評価．
- **国際前立腺症状スコア(IPSS)，QOLスコア**：症状の定量的評価．
- **血清前立腺特異抗原(PSA)測定**：前立腺がん除外目的．

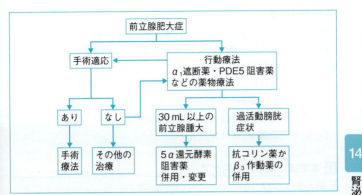

図 14-1 前立腺肥大症の診療アルゴリズム
〔日本泌尿器科学会編:男性下部尿路症状・前立腺肥大症診療ガイドライン.リッチヒルメディカル,2017 より〕

C 治療(標準的処方例)

□ 前立腺肥大症診療ガイドライン[1]のアルゴリズムを**図 14-1**に示す.

初期薬物療法

□ 下記の α_1 遮断薬または PDE5 阻害薬を基本とする.

① α_1 遮断薬

1) タムスロシン錠(0.2 mg) 1回1錠 1日1回 朝食後
2) シロドシン錠(4 mg) 1回1錠 1日2回 朝夕食後
3) ナフトピジル錠(25 mg) 1回1錠 1日1回 朝食後,漸増

② PDE5 阻害薬

1) タダラフィル錠(5 mg) 1回1錠 1日1回 朝食後

前立腺腫大が 30 mL 以上の場合

□ 5α還元酵素阻害薬への変更または併用を考慮.

1) デュタステリドカプセル(0.5 mg) 1回1カプセル 1日1回 朝食後

過活動膀胱症状が明らかな場合

□ β_3 作動薬または抗コリン薬の併用を考慮.

① β_3 作動薬

1) ミラベグロン(50 mg) 1回1錠 1日1回 朝食後
2) ビベグロン(50 mg) 1回1錠 1日1回 朝食後

② 抗コリン薬
1) プロピベリン錠(20 mg)　1回1錠　1日1回　朝食後
2) ソリフェナシン錠(5 mg)　1回1錠　1日1回　朝食後

その他の治療薬：下記のいずれか
1) 抗アンドロゲン薬(プロスタール®, アリルエストレノール)
2) 植物エキス製剤(セルニルトン®, エビプロスタット®)
3) 漢方製剤(八味地黄丸, 牛車腎気丸)
4) アミノ酸製剤(パラプロスト®)

D 薬剤師による薬学的ケア

処方チェック
① 投与量
- $α_1$ 遮断薬：血圧低下や起立性低血圧が生じやすいため, 低用量から開始.
- **抗アンドロゲン薬, 5α還元酵素阻害薬**：重篤な肝障害・肝疾患のある患者は禁忌.
- **PDE5 阻害薬**：心血管障害, 重度の腎・肝障害のある患者は禁忌, 硝酸薬, 一酸化窒素(NO)供与体は併用禁忌.

② 相互作用
- $α_1$ 遮断薬：PDE5 阻害薬との併用により血圧低下が増強.
- **シロドシン, デュタステリド**：CYP3A4 阻害薬との併用で本剤の作用増強.
- **PDE5 阻害薬**：CYP3A4 阻害薬との併用で本剤の作用増強. CYP3A4 阻害薬との併用で本剤の作用増強.

③ 薬剤の取り間違えリスク
- タダラフィルは同一成分薬で異なる商品名の製品があり, 適応と商品名を再確認する.
- 前立腺肥大症治療薬(タダラフィル：ザルティア®錠)と前立腺がん治療薬(アビラテロン酢酸エステル：ザイティガ®錠)は商品名が似ており, 取り間違えないよう注意喚起されている[2].

服薬指導
- 前立腺肥大症に対する薬物療法は, 対症療法であることを理解してもらう.
- **抗コリン薬, 総合感冒薬, 抗うつ薬, 抗パーキンソン病薬**：尿

閉・排尿困難を引き起こす可能性があるため，かかりつけ医，かかりつけ薬局に前立腺肥大症治療の投与を受けていることを伝えるよう指導．
- **$α_1$遮断薬**：副作用として術中虹彩緊張低下症候群があるため，白内障などの眼科手術時は内服歴があることを伝えるよう促す．
- **デュタステリド**：経皮吸収するため女性や小児はカプセルから漏れた薬剤に触れないよう指導．触れた場合はただちに石鹸と水で洗い流すよう指導する．
- **タダラフィル**：4時間以上持続する勃起，急な聴力低下や突発性難聴，急な視力低下や視力喪失などが現れた場合はただちに受診を指導する．

治療・副作用モニタリング
- **$α_1$遮断薬**：血圧低下や起立性低血圧に注意する．
- **クロルマジノン**：投与開始3か月までは少なくとも1か月に1回，それ以降も定期的に肝機能検査を行う．
- **抗アンドロゲン薬，5α還元酵素阻害薬**：PSA値の低下を引き起こし，前立腺がんをマスクするおそれがあるので注意する．

E 処方提案のポイント

- タダラフィルは心血管障害のある患者には禁忌で，硝酸薬および一酸化窒素(NO)供与体は併用禁忌．常用薬を把握し，$α_1$遮断薬や他剤への変更を提案する．
- シロドシン(1日2回服用)の飲み忘れによる治療効果の低下が懸念される高齢患者等では，1日1回服用のタムスロシンまたはナフトピジルへの変更を考慮する．

参考文献
1) 日本泌尿器科学会編：男性下部尿路症状・前立腺肥大症診療ガイドライン．リッチヒルメディカル，2017
2) 「ザイティガ錠」と「ザルティア錠」の販売名類似による取り違え防止のお願い．2019年9月．https://www.pmda.go.jp/files/000231368.pdf

(池末 裕明)

20 慢性腎臓病（CKD）

A CKD の病態・疫学
- 腎障害や腎機能の低下が持続する疾患で，CKD が進行すると末期腎不全（ESKD：end-stage kidney disease）に至り，透析療法や腎移植が必要となる．
- 加齢，IgA 腎症，多発性嚢胞腎などの病気が進行し CKD に至る場合もあるが，多くが糖尿病や高血圧などの生活習慣病が危険因子となって発症する．
- 脳梗塞，心筋梗塞・心不全などの心血管病（CVD）の発症および死亡リスクが高くなる．
- わが国の患者数は 2005 年現在で 1330 万人（成人約 8 人に 1 人）と推計されている．

B 患者の状態把握
症状
- 初期は蛋白尿や高血圧など，自覚症状が乏しい．進行してくると，貧血，浮腫，骨障害，尿毒症症状が出現する．

診断・検査
①診断
- 下記 Rp1），2）のいずれか，または両方が 3 か月以上持続する場合．CKD の重症度分類を**表 14-1** に示す．
  1) 尿異常・画像診断・血液・病理で腎障害の存在が明らか．特に 0.15 g/gCr 以上の蛋白尿（30 mg/gCr 以上のアルブミン尿）の存在が重要．
  2) eGFR 60 mL/分/1.73 m^2 未満．

②検査
- 尿沈渣・蛋白尿．
- **血液検査**：血清シスタチン C↑，血清クレアチニン↑，推算 GFR（eGFR）↓，高 K 血症，高尿酸血症，Ca・P 代謝異常，代謝性アシドーシス，貧血．
- **画像検査**：超音波．
- 腎生検．

表 14-1 CKD の重症度分類

原疾患	尿蛋白区分		A1	A2	A3
糖尿病	尿アルブミン定量(mg/日) 尿アルブミン/Cr 比 (mg/gCr)		正常	微量アルブミン尿	顕性アルブミン尿
			< 30	30〜299	300 ≦
高血圧・腎炎・ 多発性嚢胞腎 ・移植腎・その他	尿蛋白定量(g/日) 尿蛋白/Cr 比(g/gCr)		正常	軽度蛋白尿	高度蛋白尿
			< 0.15	0.15〜0.49	0.50 ≦
GFR 区分 (mL/分/ 1.73 m^2)	G1	正常または高値	≧ 90		
	G2	正常または軽度低下	60〜89		
	G3a	軽度〜中等度低下	45〜59		
	G3b	中等度〜高度低下	30〜44		
	G4	高度低下	15〜29		
	G5	末期腎不全(ESKD)	< 15		

重症度は原疾患・GFR 区分・尿蛋白区分を合わせたステージにより評価する．CKD の重症度は死亡・末期腎不全・心血管死亡発症のリスクを ■ のステージを基準に ■，■，■ の順にステージが上昇するほどリスクは上昇する．
〔KDIGO CKD guideline 2012 より〕

C 治療(標準的処方例)

□ CKD の進展を抑制し，透析導入や CVD の発症・進展予防を治療目標とする．

□ CKD のリスク因子である高血圧や糖尿病などの生活習慣病を改善するとともに，低下した腎臓の機能を補うための薬物療法や各症状に対する対症療法を行う．

高血圧の治療

□ 厳格な降圧療法は CKD と高血圧の悪循環を断ち切るためには必要で，中でも RAS 系は蛋白尿減少効果に優れており，汎用されている．

①高血圧のみ

□ 降圧薬の種類は問わない．

シルニジピン錠(10 mg)　1回1錠　1日1回　朝食後

②高血圧・蛋白尿

□ 第1選択薬は RAS 系，第2選択薬は Ca 拮抗薬．

1) カンデサルタン錠(8 mg)　1回1錠　1日1回　朝食後
2) シルニジピン錠(10 mg)　1回1錠　1日1回　朝食後

③糖尿病合併の高血圧・浮腫・CKDステージ1〜3
□第1選択薬はRAS系，第2選択薬はサイアザイド系利尿薬・Ca拮抗薬(併用可).
1) テルミサルタン錠(40 mg)　1日1錠　1日1回　朝食後
2) トリクロルメチアジド錠(2 mg)　1回1錠　1日1回　朝食後
3) ベニジピン錠(4 mg)　1回1錠　1日1回　朝食後

貧血に対する治療
□CKDステージが進むにつれ，主に腎尿細管でのエリスロポエチン産生低下により腎性貧血を発症する．貧血はCKD進行のリスク因子であると同時にCVDリスク因子でもある.
□Rp1)〜3)のいずれかに鉄欠乏があればRp4)を併用.
1) エポエチンβ注　初期量：6,000 IU/週　皮下注
　維持量：6,000〜12,000 IU/2週　皮下注
2) ダルベポエチン注　初期量：30 μg/2週　皮下または静注
　維持量：30〜120 μg/2週または60〜180 μg/4週　皮下または静注
3) エポエチンβペゴル注　初期量：25 μg/2週　皮下または静注　維持量：25〜250 μg/4週　皮下または静注
4) クエン酸第一鉄Na錠(50 mg)　1回1錠　1日2回

CKD-MBD(骨ミネラル代謝異常)に対する治療
□血管の石灰化など全身の広範な異常を生じ，生命予後にも影響を及ぼす．最も頻度の高い病態は二次性副甲状腺機能亢進症である.

①高P血症
□以下のいずれか，または併用.
1) 炭酸カルシウム錠(500 mg)　1回2錠　1日3回　毎食後すぐ
2) セベラマー塩酸塩錠(250 mg)　1回2錠　1日3回　毎食直前
3) 炭酸ランタン錠(250 mg)　1回1錠　1日3回　毎食後すぐ
4) ビキサロマーカプセル(250 mg)　1回2カプセル　1日3回　毎食直前
5) クエン酸第二鉄水和物錠(250 mg)　1回2錠　1日3回　毎食後すぐ
6) スクロオキシ水酸化鉄錠(250 mg)　1回1錠　1日3回　食

直前

②ビタミンD活性化障害による低Ca血症

□ 以下のいずれか.
1) アルファカルシドール錠(0.25 μg)　1回2錠　1日1回　朝食後
2) カルシトリオール錠(0.25 μg)　1回1錠　1日1回　朝食後
3) ファレカルシトリオール錠(0.3 μg)　1回1錠　1日1回　朝食後
4) エルデカルシトール錠(0.75 μg)　1回1錠　1日1回　朝食後
5) マキサカルシトール注(2.5 μg)　1回2.5〜10 μg　週3回　透析回路静脈側に注入

③二次性副甲状腺機能亢進症
1) シナカルセト塩酸塩錠(25 mg)　1回1錠　1日1回　朝食後
2) エボカルセト錠(1 mg)　1回1錠　1日1回　朝食後
3) エテルカルセチド注　初期量：1回5 mg　週3回　維持量：1回2.5〜15 mg　週3回　透析回路静脈側に注入

高尿酸血症に対する治療

□ 高尿酸血症はCKDの発症や進行, CVDの発症と関連する.
□ 以下のいずれか.
1) アロプリノール錠(100 mg)　1回1錠　1日1回　朝食後
   ＊腎機能に応じて減量
2) フェブキソスタット錠(10 mg)　1回1錠　1日1回　朝食後
3) トピロキソスタット錠(20 mg)　1回1錠　1日2回　朝夕食後

尿毒症に対する治療

□ 体外へ排出されるべき老廃物や毒素が血液中に蓄積され, 貧血やむくみ, 倦怠感, 頭痛, 食欲不振などさまざまな症状が出現する.

球形活性炭(2 g)　1回1包　1日3回　毎食後2時間

その他の対症療法

①高K血症

□ 以下のいずれか.
1) ポリスチレンスルホン酸カルシウム　1回5 g　1日3回　毎食後
2) ポリスチレンスルホン酸ナトリウム　1回10 g　1日3回　毎食後

②代謝性アシドーシス

炭酸水素ナトリウム　1回0.5 g　1日3回　毎食後

D 薬剤師による薬学的ケア

処方チェック
①投与量・投与時間
- 腎排泄薬剤は減量や投与間隔延長などを検討.
- 腎機能低下時は ACE 阻害薬,ARB は少量から開始.

②相互作用
- 抗菌薬,NSAIDs など腎機能障害の可能性のある薬剤の併用による腎機能増悪.
- 腎排泄薬剤の併用による各薬剤の血中濃度の変化.
- ACE 阻害薬・ARB と抗アルドステロン薬の併用による高 K 血症.

服薬指導・治療・副作用モニタリング
①服薬指導
- CKD の進行により使用薬剤が多くなる場合があり,良好なアドヒアランス維持の重要性を説明.
- 投与タイミング:炭酸 Ca・炭酸ランタン・クエン酸第二鉄水和物(食直後),セベラマー塩酸塩・ビキサロマー・スクロオキシ水酸化鉄(食直前),球形活性炭(食間).
- 炭酸ランタン・スクロオキシ水酸化鉄チュアブル:噛み砕いて服用.
- クエン酸第一鉄 Na・クエン酸第二鉄水和物・スクロオキシ水酸化鉄による黒色便の可能性.
- 薬物療法と同時に,病期に応じた塩分,蛋白制限,K 制限などの食事療法が不可欠.

②治療・副作用モニタリング
- **高 K 血症**:ACE 阻害薬,ARB,抗アルドステロン薬による悪化の可能性.
- **高尿酸血症**:高用量のループ利尿薬併用による増悪.
- **便秘**:高 P 血症,高 K 血症,尿毒症などの治療薬による薬剤性による影響もあり,早めの対応が必要.高 Mg 血症回避のため酸化 Mg の使用は最小限にとどめる.
- **胃障害**:Mg,Al の蓄積回避のため,これらを含有する胃薬の使用は控える.
- **過剰造血**:クエン酸第二鉄水和物・スクロオキシ水酸化鉄による鉄過剰の可能性.

E 処方提案のポイント

- 当該時点での腎機能を把握した上で腎臓への影響の少ない薬剤の選択.
- 腎機能に応じた投与量・投与間隔の確認.

参考文献
1) 日本腎臓学会編：CKD 診療ガイド 2018，東京医学社，2018
2) 日本腎臓病薬物療法学会編：腎臓病薬物療法専門・認定薬剤師テキスト，じほう，2013

(土肥 麻貴子)

21 透析

A 疫学

- わが国の透析患者数は 2005 年頃までは年間約 10,000 人ずつ増加していたが，近年では患者数の伸びが鈍化しており，2018 年末現在で 339,841 人.
- 現在の透析患者の特徴として，①糖尿病性腎症を原疾患とする患者が多い，②透析患者の高齢化，③透析期間の延長などが挙げられる.
- 透析導入原因の第 1 位は糖尿病性腎症，2 位は慢性糸球体腎炎，3 位は腎硬化症.
- 血液透析(HD)と腹膜透析(CAPD)の 2 種類があり，わが国ではHD が 95％以上.

B 患者の状態把握
症状

- 嘔気，皮膚掻痒感などの尿毒症症状
- 高血圧または特に透析中の低血圧
- 貧血
- 浮腫
- 透析アミロイドーシス
- 骨代謝異常
- 栄養障害

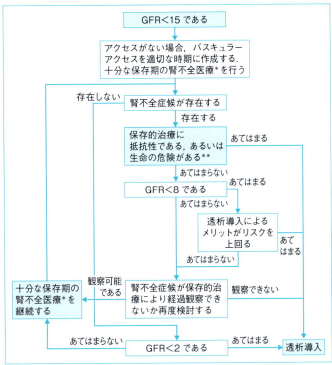

図 14-1 透析導入基準
* ：多職種による包括的な医療を指す
** ：高カリウム血症，うっ血性心不全の存在，高度アシドーシス，尿毒症による脳症，心膜炎など
〔日本透析医学会：維持血液透析ガイドライン．透析会誌 46(12)：1138, 2013 より〕

診断・検査

□ 慢性腎不全の透析導入基準を**図 14-1** に，血液透析と腹膜透析の比較を**表 14-2** に示す．

C 治療(標準的処方例)

□ 透析により代替できる腎機能は尿毒素除去・電解質の調節・水分コントロールのみ．それ以外は CKD に準じた治療を行う．

表 14-2 血液透析と腹膜透析の比較

	血液透析（HD）	腹膜透析（CAPD）
透析場所	病院・透析クリニック	自宅や会社で清潔な場所ならば可能
治療時間	週3回，1回4〜5時間	原則連続的に24時間
拘束時間	透析の日は5〜8時間（治療時間＋通院時間＋着がえ）	・1日3〜4回バッグ交換に1回30分 ・APDは夜間機械で自動的にバッグ交換
透析実施人	医療スタッフ	患者自身または家族，ヘルパーなど
通院回数	週3回	月1,2回
必要手術	腕へシャント作成	腹部へカテーテルの植込み
治療による苦痛や自覚症状	透析の穿刺痛，血圧低下，シャントによるボディイメージの変化	腹部膨満感，カテーテルによるボディイメージの変化
入浴	シャント穿刺部の止血が確認できれば可能	カテーテル出口部の保護が必要
運動	可能	可能
旅行	可能 （旅行先の透析施設予約が必要）	可能 （透析液バッグの事前手配が必要）
食事療法	カリウム，リン，塩分，水分の制限が必要	塩分，リン，カリウム制限は軽度（残腎機能による）
持続可能期間	心臓の働きが安定していれば原則として一生可能	数年で血液透析に移行することが多い
合併症	心血管系に対する負荷 抗凝固薬による出血	細菌性腹膜炎 被囊性腹膜硬化症（8年以上PD継続）

腹膜透析

□ CAPD

1) レギュニールLCa 1.5 1回1袋 1日4回
2) ニコペリック®1.5 L 1回1袋 1日1回 眠前

□ APD（夜間のみ）

レギュニールLCa 1.5 1回4袋 1日1回

貧血に対する治療

□ CKD時に使用する注射の赤血球造血刺激因子製剤（ESA）に加え内服薬も使用可能．

ロキサデュスタット
- ESA 未治療：1回 50 mg　週3回　1回 3.0 mg/kg を超えないこと
- ESA から切り替え：1回 70 mg または 100 mg　週3回　1回 3.0 mg/kg を超えないこと

透析患者の便秘

□ 水分制限や透析による除水，K 制限などによる食物繊維の不足，運動不足，加齢に伴う腸管蠕動運動低下などが原因で便秘になりやすい．また，陽イオン交換樹脂やリン吸着薬など透析患者で汎用される薬剤が原因でも起こりうる．浸透圧下剤である酸化 Mg は透析患者では高 Mg 血症をきたしやすいため注意が必要．

□ 病態に応じた下剤を選択する．以下のいずれか，または併用．

(刺激性下剤)
1) ピコスルファートナトリウム内用液(0.75%)　1回 10〜15 滴　1日1回
2) センノシド A・B 錠(12 mg)　1回 1〜2 錠　1日1回

(浸透圧下剤)
3) D-ソルビトール液　1回 5〜10 mL　1日 1〜3 回
4) ラクツロースゼリー(12 g/包)　1回 1〜2 包　1日 1〜3 回

(過敏性腸症候群治療薬)
5) ポリカルボフィルカルシウム錠(500 mg)　1回 1〜2 錠　1日3回

(その他)
6) ルビプロストンカプセル(12 μg)　1回1カプセル　1日2回
7) リナクロチド錠(0.25 mg)　1回2錠　1日1回　食前

HD 時に血圧が低下する場合

□ 透析中の血圧低下は DW (ドライウエイト) の下方設定，体液量が過剰で透析による除水量の多さが原因になることが多い．

□ 以下のいずれか，または併用．
1) アメジニウムメチル硫酸塩錠(10 mg)　1回1錠　透析開始時
2) ドロキシドパ錠(200 mg)　1回 1〜2 錠　透析前
3) ミドドリン錠(2 mg)　1回1錠　透析前 30 分〜60 分前
4) エチレフリン注　1回 2〜10 mg　皮下注または静脈内注射

HD時の穿刺部疼痛緩和

□ 以下のいずれか.
1) リドカインテープ 1枚 透析開始30分前にシャント部へ貼付
2) リドカイン・プロピトカイン配合クリーム 1g 密封法により60〜120分間塗布

皮膚掻痒感

□ HD導入後は頻度が増加し, 透析歴が長いほど皮膚掻痒感は増強する. 慢性, 難治性のかゆみは患者にストレスを与え, 不眠などのQOL低下, 掻破行動による細菌性感染症の原因となりうる.
□ 以下のいずれか, または併用.
1) ヘパリン類似物質クリーム 1日数回 患部に塗布
2) ジフェンヒドラミンクリーム 1日数回 患部に塗布
3) ロラタジン錠10mg 1回1錠 1日1回 眠前
4) ナルフラフィン塩酸塩錠(2.5μg) 1回1錠 1日1回 眠前
   ＊HD患者にのみ使用可

D 薬剤師による薬学的ケア

処方チェック

①処方薬
□ 透析患者への投与可否, 投与量を確認する.
□ 服用のタイミングが合理的であるか確認する.

②相互作用
□ CAPD時にアゼルニジピンを服用すると排液混濁を起こす可能性あり.
□ ACE阻害薬とAN69膜によるHDやLDLアフェレーシスなどを施行中は, アナフィラキシー様反応の可能性があるので使用回避.

服薬指導・治療・副作用モニタリング

①服薬指導
□ 透析は腎機能のすべてを補うものではなく, 薬物療法の継続が重要であることを理解させる.
□ HD導入開始直後は, 不均衡症候群が起こる可能性を事前に説明する.
□ 排便コントロールの重要性を説明. ただし, 透析前日の下剤の服用は透析中に影響を及ぼすことがあるため注意する.

②治療・副作用モニタリング
- 透析中に血圧が低下する場合は透析日の降圧薬の服用調整や昇圧薬を服用.
- 血液透析時は活性化全血凝固時間など,抗凝固薬の効果をモニタリング.
- 腹膜透析で腹痛・排液混濁などの腹膜炎症状が見られる場合,早急な受診を勧める.

E 処方提案のポイント
- 透析時に使用可能な薬剤の選択および投与量の提案.

参考文献
1) 日本透析医学会:維持血液透析ガイドライン:血液透析導入.透析会誌 46:1107-1155, 2013
2) 日本透析医学会:我が国の慢性透析療法の現況. 2018年12月31日現在
3) 日本腎臓病薬物療法学会編:腎臓病薬物療法専門・認定薬剤師テキスト, じほう, 2013

(土肥 麻貴子)

22 ネフローゼ症候群

A 病態・疫学
- 腎糸球体係蹄障害による蛋白透過性亢進に基づく大量の蛋白尿とこれに伴う低蛋白血症を特徴とする症候群.
- 糸球体原発性である1次性と,全身疾患に伴う糸球体疾患による2次性に大別され,それぞれ治療方針が異なる.1次性では初期治療としてステロイド,治療反応性をみて免疫抑制薬の併用を検討する.2次性では原疾患に対する治療を行う.
- **1次性**:微小変化型ネフローゼ症候群,巣状分節性糸球体硬化症,膜性腎症など.
- **2次性**:全身性疾患(全身性エリテマトーデスなど),代謝性(糖尿病など),血液疾患(多発性骨髄腫など),薬剤性(ブシラミン・金製剤・NSAIDsなど)などに起因して発症する.

表 14-3 成人ネフローゼ症候群の診断基準

① 蛋白尿：3.5 g/日以上持続（随時尿で尿蛋白/クレアチニン比 3.5 g/gCr 以上の場合もこれに準ずる）
② 低アルブミン血症：血清 Alb 値 3.0 g/dL 以下：血清総蛋白量 6.0 g/dL 以下も参考になる
③ 浮腫
④ 脂質異常症（高 LDL コレステロール血症）

このうち①と②の両所見を満たすことが診断必須条件
〔丸山彰一監：エビデンスに基づくネフローゼ症候群診療ガイドライン 2017，東京医学社，2017 より〕

B 患者の状態把握

症状
- 腎機能低下
- 高度のタンパク尿，低アルブミン血症に伴う合併症
- 浮腫
- 血液凝固異常による血栓傾向
- 脂質異常症
- 免疫能低下

診断・検査
□ 蓄尿（24 時間尿）あるいは随時尿（gCr 換算：グラムクレアチニン換算）による尿蛋白量と血清 Alb 値を用いて**表 14-3** のように定められている．

C 治療（標準的処方例）

経口ステロイド療法
プレドニゾロン錠　0.5〜1 mg/kg/日（最大 60 mg/日）　1 日 1〜2 回

□ 尿蛋白の反応をみながら 4〜8 週間継続後，漸減．漸減速度は症例によって異なるが，高用量投与時は速やかに（5〜10 mg/2〜4 週間），低用量になれば緩徐に（1〜5 mg/3 か月）行う．

ステロイドパルス療法
□ 通常のステロイド療法で寛解導入が困難，内服薬の吸収が不良な場合

メチルプレドニゾロン注　0.5〜1 g/日　点滴静注　1〜2 時間かけて

□ 3 日間連続投与を 1 コースとし，1〜3 週間ごとに 1〜3 コース行

う．コース間は経口ステロイドを病状に応じて投与する．

免疫抑制薬
☐ ステロイド抵抗性・依存性ネフローゼ，頻回再発型ネフローゼ，ステロイド副作用の場合，ステロイドに加えて下記のいずれか．
1) シクロスポリンカプセル　1回1.5〜3.0 mg/kg　1日1回　食前
2) タクロリムスカプセル　1回1.5〜3 mg　1日1回
   ＊ループス腎炎にのみ適応
3) アザチオプリン錠(50 mg)　1〜3錠/日　1日1〜2回
4) ミゾリビン錠(50 mg)　1回1錠　1日3回
5) ミコフェノール酸モフェチル　1回250〜1,000 mg　1日2回
   ＊ループス腎炎にのみ適応
6) シクロホスファミド錠(50 mg)　1回1〜2錠　1日1回
7) シクロホスファミド注(500 mg)　500 mg/日　点滴静注　月1〜2回
   ＊静注は経口と効果は同じだが，副作用が少ないとされている．
8) リツキシマブ注　1回375 mg/m^2(最大500 mg)　点滴静注　1週間間隔で4回

補助療法
☐ **ACE阻害薬・ARB**：高血圧を合併するネフローゼ症候群では投与が推奨されている．
☐ **抗凝固薬**：ネフローゼ症候群では凝固亢進状態となっており，血栓予防のために必要に応じて投与を検討する．
☐ **脂質異常症治療薬**：HMG-CoA還元酵素阻害薬やエゼチミブなどの投与を検討する．
☐ **利尿薬**：浮腫を伴う場合，ループ系を中心とする利尿薬の投与を検討する．

D 薬剤師による薬学的ケア
処方チェック
①投与量
☐ **ステロイド**：投与量の調節と減量のタイミングに注意．
☐ **ミゾリビン**：十分な血中濃度を維持するためには1回100〜150 mgを1日1回投与する方法の有用性が報告されている．た

だし腎機能の程度によって用量調節が必要.
- **シクロホスファミド**：腎機能の程度によって用量調節が必要.
- **ACE 阻害薬, ARB**：腎機能低下時は少量から開始.

② 相互作用
- **プレドニゾロン**：バルビツール酸誘導体, フェニトイン, カルバマゼピン, リファンピシン, エフェドリン, イミダゾール系抗真菌薬により作用減弱. 経口避妊薬により効果増強.
- **シクロスポリン**：ピタバスタチン, ロスバスタチンは禁忌. CYP 阻害薬・誘導薬との併用で血中濃度が変化するおそれ.
- **タクロリムス**：K 保持性利尿薬は禁忌.
- **アザチオプリン**：フェブキソスタット, トピロキソスタットは禁忌.
- **ACE 阻害薬**：LDL アフェレーシス施行時, AN69 膜を用いた透析時はアナフィラキシー様症状が発現するため投与を中止.
- **HMG-CoA 還元酵素阻害薬**：シクロスポリンなどの免疫抑制剤と相互作用があるため注意する.

服薬指導・治療・副作用モニタリング

1. 服薬指導
- ステロイドの急な服用中止や急激な減量は, 急性副腎機能不全を引き起こすおそれ. また, 治療は長期にわたるため, 副作用について十分な情報提供・モニタリングを行い, 治療を継続できるようにサポートする.

2. 治療・副作用モニタリング

① ステロイド薬
- **易感染**：プレドニゾロン換算 20 mg/日以上を 1 か月以上投与する場合は, ニューモシスチス肺炎などの予防に ST 合剤を併用. また, マスク着用や手洗い・うがいの励行なども指導. アレルギーなどで ST 合剤が使用できない場合, アトバコンを検討.
- **骨粗鬆症**：プレドニゾロン換算で 5 mg/日以上を 3 か月以上使用予定の場合, 骨折リスクに応じてビスホスホネート製剤・活性型ビタミン D_3 製剤などを併用.
- **消化性潰瘍**：プロトンポンプ阻害薬, H_2 拮抗薬などの併用を考慮.
- **血糖上昇**：グルココルチコイド作用により用量依存的に発症しやすい. インスリンなどを適宜使用.
- **ステロイド精神病**：不眠・不安・抑うつ・多弁などの軽症から,

幻聴・幻視・錯乱・自殺企図などの重症まで幅広い．プレドニゾロン換算 0.5 mg/kg/日以上で発症しやすく，減量とともに症状は軽快消失する．ステロイドの減量が困難な場合は向精神薬を用いる．
- □ **B 型肝炎の再燃**：既感染者では HBV-DNA の測定を行い，再燃が確認された場合核酸アナログの投与を行う．

② **免疫抑制薬**
- □ **シクロスポリン**：薬理効果と副作用は血中濃度に依存する．服用後 2 時間の血中濃度(C2)が 600〜900 ng/mL となるように調整する．
- □ **シクロホスファミド**：静注の場合は出血性膀胱炎予防のため十分な補液とメスナの投与を検討する．

E 処方提案のポイント

- □ ステロイドの副作用モニタリングを行い，適宜支持療法を提案する．
- □ 免疫抑制薬の血中濃度モニタリングを行い，用量を提案する．

参考文献
1) 丸山彰一監：エビデンスに基づくネフローゼ症候群診療ガイドライン 2017，東京医学社，2017

(土肥 麻貴子)

第15章 血液疾患

23 貧血

□ 貧血の原因にはさまざまな要因が考えられる．本項では，鉄欠乏性貧血および再生不良性貧血について示す．

A 貧血の疫学・病態
□ 赤血球の産生と消失のバランスが負に傾き，末梢血中のヘモグロビン(Hb)濃度が基準値以下に低下した状態(**表15-1**)
□ 鉄欠乏性貧血は全貧血の70%．
□ 再生不良性貧血は20歳代と60～70歳代に好発．
□ 赤血球の大きさとヘモグロビン濃度により形態学的に分類される(**表15-2**)．
□ 血液疾患以外の基礎疾患に続発した貧血を二次性貧血という．

B 患者の状態把握
症状
□ 倦怠感，立ちくらみ，息切れ，動悸，顔面蒼白など．
□ 鉄欠乏性貧血では，匙状爪(spoon nail)，舌乳頭萎縮，嚥下困

表15-1 ヘモグロビンの基準値

成人男性	13 g/dL
成人女性	12 g/dL
思春期前小児	11 g/dL
80歳以上	11 g/dL
妊娠中 前期・後期	11 g/dL
妊娠中 中期	10.5 g/dL

〔日本鉄バイオサイエンス学会治療指針作成委員会，p23より〕

表 15-2 貧血の形態学的分類

小球性低色素性貧血 MCV<80(fL) MCHC<31(%)	TIBC 高値・フェリチン低値	鉄欠乏性貧血
	TIBC 低値・フェリチン高値	サラセミア・鉄芽球性貧血
正球性低色素性貧血 80≦MCV≦100(fL) 31≦MCHC≦35(%)	網赤血球高値	溶血性貧血・急性出血による貧血
	網赤血球低値	腎性貧血・再生不良性貧血
大球性低色素性貧血 MCV>100(fL) 31≦MCHC≦35(%)	ビタミン B_{12} 欠乏	悪性貧血
	葉酸欠乏	葉酸欠乏性貧血
	その他	骨髄異形成症候群・肝硬変

MCV：Mean corpuscular volume（平均赤血球容積）
MCHC：Mean corpuscular hemoglobin concentration（平均赤血球ヘモグロビン濃度）
TIBC：Total iron binding capacity（総鉄結合能）

難，異食症など．
□ 再生不良性貧血では，血小板減少に伴う出血傾向（皮膚・粘膜の点状出血や歯肉出血），好中球減少に伴う易感染性など．

診断・検査
□ **鉄欠乏性貧血**：Hb 12 g/dL 未満，血清フェリチン 12 ng/mL 未満，総鉄結合能（TIBC）360 μg/dL 以上．
□ **再生不良性貧血**：有核細胞数，特に幼若顆粒球・赤芽球・巨核球の著しい減少．

C 治療（標準的処方例）

鉄欠乏性貧血
□ 鉄欠乏の原因や基礎疾患を特定し治療するとともに欠乏した鉄の補充が原則．
1) クエン酸第一鉄ナトリウム錠（50 mg）　1回1〜2錠　1日2回　朝夕食後
（鉄の吸収阻害や消失が多い場合）
2) 含糖酸化鉄注（40 mg）　1〜3アンプル　1日1回　点滴静注

再生不良性貧血
□ 重症度分類に応じて治療薬を選択する（**表 15-3**）．

表 15-3 再生不良性貧血の重症度分類（平成 16 年度改訂）

重症度	網赤血球	好中球	血小板
stage 1：軽症	下記以外		
stage 2：中等症	以下の 2 項目以上を満たす		
	60,000/μL 未満	1,000/μL 未満	50,000/μL 未満
stage 3：やや重症	以下の 2 項目以上を満たし定期的な赤血球輸血を必要とする		
	60,000/μL 未満	1,000/μL 未満	50,000/μL 未満
stage 4：重症	2 項目以上を満たし定期的な赤血球輸血を必要とする		
	20,000/μL 未満	500/μL 未満	20,000/μL 未満
stage 5：最重症	好中球 200/μL 未満に加えて以下の 1 項目以上を満たす		
	20,000/μL 未満	−	20,000/μL 未満

〔厚生労働科学研究費補助金難治性疾患政策研究事業特発性造血障害に関する調査研究班：再生不良性貧血診療の参照ガイド 2016 年改訂より〕

①軽症
□ 無治療観察もしくは薬物療法.
   メテノロン酢酸エステル錠(5 mg)　1回1〜2錠　1日2回　朝夕食後

②中等症
□ 以下のいずれかもしくは併用.
1) 抗胸腺細胞グロブリン注(ATG)　1回 2.5〜3.75 mg/kg　1日1回　5日間
2) メテノロン酢酸エステル錠(5 mg)　1回1〜2錠　1日2回　朝夕食後

③やや重症，重症・最重症(40 歳以上)
1) 抗胸腺細胞グロブリン注　1回 2.5〜3.75 mg/kg　1日1回　点滴静注　5日間
2) シクロスポリン注　1回 3 mg/kg　1日2回
3) エルトロンボパグ錠(25 mg)　1回1錠　1日1回　空腹時（1日最大量 100 mg）
   ※既存治療で効果不十分時
4) エルトロンボパグ錠(25 mg)　1回3錠　1日1回　空腹時
   ※抗胸腺細胞免疫グロブリンとの併用時

5) ロミプロスチム注　週1回10 μg/kg を皮下投与（最大投与量週1回20 μg/kg）

④ 重症・最重症（40歳以下）
- **HLA 適合同胞ドナーがいる場合**：同種造血幹細胞移植が第1選択.
- **同胞ドナーがいない場合**：上記免疫抑制療法が第1選択.

D 薬剤師による薬学的ケア

処方チェック
① 処方薬
- **ATG 製剤**：投与前に試験投与（2.5 mg/100 mL, 60分以上）が実施されているか確認. 投与中は急性アレルギーや血清病の予防としてプレドニゾロンなどの投与が必要な場合がある.

② 相互作用
- **キノロン系，テトラサイクリン系，セフジニル**：鉄剤との併用で錯体形成し吸収↓.
- **胃酸分泌抑制薬（H$_2$受容体拮抗薬・PPI），制酸薬（酸化Mgなど）**：胃内 pH↑により鉄の吸収阻害.
- 注射用鉄剤は電解質輸液で希釈するとコロイドが不安定となる.
- **シクロスポリン**：CYP3A4 による代謝を受ける薬剤との併用で血中濃度が変化.
- **制酸剤，乳製品，多価陽イオン（鉄，Ca，Al，Mg，セレン，亜鉛等）含有製剤**：エルトロンボパグの血中濃度↓, 服用前4時間および後2時間は避ける.

服薬指導，治療・副作用モニタリング
① 服薬指導
- 症状が改善しても貯蔵鉄を反映する血清フェリチン値が正常化するまで服用を続けることが重要となる.
- 経口鉄剤は約10〜20％に消化器症状が発現するが数日で軽減する場合が多い. また, 便が黒くなることをあらかじめ伝えておく.
- **食事とともに服用するとエルトロンボパグの血中濃度↓**：食事の前後2時間を避け空腹時に服用.

② 治療・副作用モニタリング
- **静注用鉄剤**：発疹, アナフィラキシー, 肝機能障害に注意.

- **メテノロン酢酸エステル**：女性に投与する際の男性化作用，大量投与での肝障害に注意．
- **ATG 製剤**：ショック，アナフィラキシー様症状のほか，ほぼ全例にインフルエンザ様症状の発熱と血球減少が出現．
- ATG 製剤やシクロスポリン投与後は強い免疫抑制状態になるため感染症の発現に注意．

E 処方提案のポイント

- 感染症リスクの高い症例には支持療法として G-CSF を使用．
- 貧血症状に応じて赤血球輸血が行われるが，血清フェリチン値が 1,000 ng/mL 以上となる場合には経口キレート薬の投与を行う．

参考文献
1) 日本鉄バイオサイエンス学会治療指針作成委員会編：鉄剤の適正使用による貧血治療指針(改訂第 3 版)，響文社，2015
2) 日本造血細胞移植学会編：造血細胞移植ガイドライン 再生不良性貧血(成人)(第 2 版)，2019

(内田 まやこ)

24 DIC(播種性血管内凝固症候群)

A DIC の疫学・病態

- 種々の基礎疾患に起因した，全身性の持続的な凝固活性化による細小血管内の微小血栓形成とそれに伴う線溶亢進の病態．
- 病型は以下の 3 つに分類される．

線溶抑制型	凝固優位型，線溶抑制・臓器障害型〈敗血症〉
線溶亢進型	線溶過剰亢進型，線溶優位型，出血型〈急性前骨髄性白血病〉〈腹部大動脈瘤〉
線溶均衡型	中間型〈固形癌〉

B 患者の状態把握

症状
- 血小板減少や凝固因子低下による出血．
- 多数の微小血栓形成による虚血性臓器症状．

診断・検査
- **一般止血検査**：血小板数減少，フィブリノゲン低下，FDP 上昇，プロトロンビン時間延長．
- **分子マーカー**：アンチトロンビン活性低下，トロンビン-アンチトロンビン複合体(TAT)，可溶性フィブリン(SF)またはプロトロンビンフラグメント1+2(F1+2)上昇．

※詳細は，DIC 診断基準 2017 年版参照．

C 治療(標準的処方例)
- 基礎疾患の治療が最優先．原疾患がコントロールされた状態で凝固検査値が正常化することが治療の目標．基礎疾患の治療以外に抗凝固療法・補充療法・抗線溶療法を行う．

抗凝固療法
①線溶抑制型
- 以下のいずれか．
  1) ヘパリン注　5〜10 単位/kg/時　持続静注
  2) ダルテパリン注　75 単位/kg/時　持続静注
  3) ダナパロイドナトリウム注　1回 1,250 単位　12 時間毎静注
  4) 乾燥濃縮人アンチトロンビンIII注　外科，産科：1回40〜60単位/kg　その他のDIC：1回30単位/kg　1日1回点滴静注(原則，ヘパリン製剤と併用)
  5) トロンボモデュリン アルファ注　1回380単位/kg　点滴静注

②線溶亢進型
- 以下のいずれか．
  1) ナファモスタットメシル酸塩注　0.06〜0.20 mg/kg/時　持続静注
  2) ガベキサートメシル酸塩注　20〜39 mg/kg/日　持続静注

補充療法
- **新鮮凍結血漿**：輸血基準に適合した場合．
- **濃厚血小板輸血**：血小板数が 50,000/μL 以下の場合．

線溶療法
- DIC における線溶活性化は原則禁忌．
- 組織型プラスミノゲンアクチベーター，ウロキナーゼ型プラスミノゲンアクチベーターを使用．

D 薬剤師による薬学的ケア

処方チェック

①処方薬
- ヘパリンは脳出血や消化管出血など重篤な出血症状のある例では使用しない.
- DIC に対する線溶を抑制する抗線溶薬（トラネキサム酸）の使用は，線溶亢進型でヘパリン製剤併用下の重症出血症例以外禁忌である.

②相互作用・配合変化
- ヘパリン製剤と，テトラサイクリン系抗菌薬またはジギタリス製剤の併用でヘパリン製剤の作用↓（機序不明）.
- ダルテパリンナトリウムと NSAIDs の併用（特に腎不全患者）で抗凝固作用↑.
- ナファモスタットメシル酸塩は無機塩類と混合すると凝固の可能性あり.

服薬指導，治療・副作用モニタリング

①服薬指導
- ガベキサートメシル酸塩の静脈炎・血管痛に注意を促す.
- 乾燥濃縮人アンチトロンビンⅢは特定生物由来製剤であり，感染症伝播のリスクを完全に排除することができないことを説明し理解を得る.

②治療・副作用モニタリング
- 各所に塞栓が生じさまざまな症状が現れるため，脳梗塞や意識障害，呼吸苦，循環障害などに注意.
- ヘパリン製剤は腎機能低下により排泄遅延するため，APTT のモニタリングとともに出血にも注意.
- ヘパリン使用時にヘパリン起因性血小板減少症（HIT）が生じる可能性あり.
- ナファモスタットメシル酸塩は腎臓からの K 排泄を抑制，Na 排泄を促進するため，高 K 血症，低 Na 血症に注意.

E 提案のポイント

- トロンボモデュリン アルファ（遺伝子組換え）製剤は出血の副作用が少なくヘパリン類と同等以上の抗凝固活性を示し有用性が高

い.また,抗炎症作用も報告されており炎症性疾患に合併したDICに対して効果が期待されている.

参考文献

1) 日本血栓止血学会学術標準化委員会 DIC 部会:科学的根拠に基づいた感染症に伴う DIC 治療のエキスパートコンセンサス,血栓止血誌 20:第 1 号別刷,2009
2) 日本血栓止血学会学術標準化委員会 DIC 部会ガイドライン作成委員会:科学的根拠に基づいた感染症に伴う DIC 治療のエキスパートコンセンサスの追補,血栓止血誌 25:123-125,2014
3) 日本血栓止血学会:DIC 診断基準 2017 年版,血栓止血誌 28:369-391,2017

〈内田 まやこ〉

第16章 内分泌代謝疾患

25 糖尿病

A 疫学・病態
- インスリン作用不足による慢性の高血糖状態を主徴とする代謝疾患群.
- 治療の目的は,急性合併症・慢性合併症の発症予防と進展阻止.
- 分類として,1型糖尿病,2型糖尿病,その他の特定の機序・疾患によるもの,妊娠糖尿病がある.
- 推定糖尿病患者数は約1,000万人,予備軍を含め約2,000万人.

B 患者の状態把握

症状
① 急性症状
- 口渇,多飲,多尿,体重減少,易感染,疲労.
- 重度では,意識障害(糖尿病性ケトアシドーシス・高浸透圧高血糖症候群を疑う症状).

② 慢性合併症
- **細小血管障害**:網膜症,腎症,末梢神経障害(三大合併症).
- **大血管障害**:冠動脈疾患,脳血管疾患,末梢動脈性疾患.
- 糖尿病性足病変.重度では潰瘍・壊疽.
- 他に手の病変・骨病変・歯周病・認知症・サルコペニア・フレイル.

診断・検査(図16-1)

1. 糖代謝異常の判定区分と判定基準
- 以下の1)〜4)のいずれかが確認された場合は「糖尿病型」と判定,また1)〜3)のいずれかと4)または典型的な症状や確実な糖尿病網膜症が確認された場合には「糖尿病」と診断.
  1) 空腹時血糖値126 mg/dL以上
  2) 75 gOGTT 2時間値200 mg/dL以上

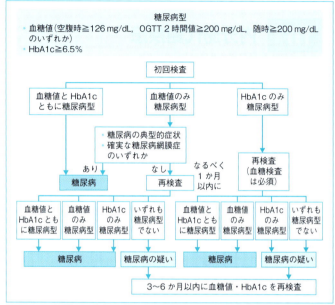

図 16-1 糖尿病の臨床診断のフローチャート
〔清野裕ほか:糖尿病の分類と診断基準に関する委員会報告(国際標準化対応版). 糖尿病 55(7), pp485-504, 2012 より〕

3) 随時血糖値 200 mg/dL 以上
4) HbA1c 6.5% 以上

- また,5) 早朝空腹時血糖値 110 mg/dL 未満および 6) 75 gOGTT 2 時間値 140 mg/dL 未満の血糖値が確認された場合は「正常型」と判定.
- 上記の「糖尿病型」「正常型」いずれにも属さない場合は「境界型」と判定.

2. インスリン分泌能の指標

- インスリン分泌指数.
- C-ペプチド(インスリン生合成過程の副生物)で自己分泌能の指標.

3. インスリン抵抗性の指標

- 空腹時血糖値が 140 mg/dL 以下の場合.

表 16-1 血糖コントロール目標

目標	血糖正常化を目指す際の目標	合併症予防のための目標	治療強化が困難な際の目標
HbA1c(%)	6.0 未満	7.0 未満	8.0 未満

$$\mathrm{HOMA-R} = 空腹時インスリン値(\mu U/mL) \times 空腹時血糖値(mg/dL)/405$$

☐ 1.6 以下の場合は正常,2.5 以上の場合にインスリン抵抗性があるとする.

4. 血糖測定

① **SMBG**(自己血糖測定:Self-Monitoring of Blood Glucose)

☐ 自己検査用グルコース測定器で患者が自己の血糖値を測定.家庭での日常の血糖を確認し,より厳密な血糖コントロールを目指すことが可能.

② **CGM**(持続血糖測定:Continuous Glucose Monitoring)

☐ 連続して皮下の間質液のブドウ糖濃度を測定し,血糖値を推定.SMBG では発見しがたい夜間・早朝の低血糖や高血糖をモニターすることが可能であるが,SMBG による補正が必要.

③ **FGM**(Flash Glucose Monitoring)

☐ 腕に貼り付けたパッチに機械をかざすだけ(非接触)で,CGM のように補正のための血液を採取することなく血糖値をリアルタイムで測定することが可能.

C 治療

コントロールの指標(表 16-1)

☐ 血糖コントロール目標は,年齢,罹患期間,臓器障害,低血糖の危険性,サポート体制などを考慮して個別に設定.

☐ 65 歳以上の高齢者では認知機能や身体機能(基本的 ADL や手段的 ADL),並存疾患なども考慮して,重症低血糖が危惧される薬剤〔スルホニル尿素薬(SU 薬),速効型インスリン分泌促進薬(グリニド薬)〕の有無により,目標値を設定.

薬物療法
①注射薬療法
- **インスリン製剤**(表16-2).
- **インスリン以外**：GLP-1受容体作動薬(表16-3).
②経口薬療法
- 2型糖尿病の病態と経口血糖降下薬の選択(図16-2, 表16-4).

D 薬剤師による薬学的ケア
処方チェック
①使用上の注意点
- **SU薬, グリニド薬**：低血糖(腎・肝障害患者や高齢者では遷延性低血糖をきたす危険性がある).
- **α-グルコシダーゼ阻害薬**：食直前に服用, 多剤併用での低血糖にはブドウ糖投与.
- **ビグアナイド薬**：乳酸アシドーシスに注意, ヨード造影剤検査の前あるいは造影時に中止して48時間後にeGFRを再評価して再開する.
- **チアゾリジン薬**：浮腫・貧血に注意, 体重増加時には中止を検討.
- **DPP-4阻害薬**：食事摂取の影響を受けない, SU薬との併用で重篤な低血糖例あり.
- **GLP-1受容体作動薬**：インスリン依存状態患者には禁忌, 投与初期に胃腸障害, 食欲抑制効果を期待しての使用もある.
- **SGLT2阻害薬**：脱水, 尿路感染症・性器感染症(特に女性)の発現に注意, 尿糖陽性(尿糖や1,5-AGの検査結果は参考とならない), 腎不全と透析例には使用しない, ダパグリフロジンは, 慢性心不全の適応もあり.

服薬指導, 治療・副作用モニタリング
①服薬指導
- 患者自身が治療法を理解し実践することが重要(効能効果・注意事項の熟知を促す).
- 血糖自己測定(SMBG)による血糖値の日内変動や食後の高血糖の体感も有効.
- **インスリンやGLP-1受容体作動薬注射手技の説明と確認**：製剤の特徴について理解, 針の装着, 空打ち, 単位設定などの一連の

表 16-2 主なインスリンペン型注入器
（他にカートリッジ製剤，バイアル製剤もある）

分類名	商品名	発現時間	最大作用時間	持続時間
超速効型	フィアスプ注フレックスタッチ※	ノボラピッド注より約5分速い	1～3時間	3～5時間
超速効型	ノボラピッド注フレックスペン，フレックスタッチ，イノレット	10～20分	1～3時間	3～5時間
超速効型	ヒューマログ注ミリオペン	15分未満	30分～1.5時間	3～5時間
超速効型	アピドラ注ソロスター	15分未満	30分～1.5時間	3～5時間
速効型	ノボリンR注フレックスペン	約30分	1～3時間	約8時間
速効型	ヒューマリンR注ミリオペン	0.5～1時間	1～3時間	5～7時間
混合型	ノボラピッド30～70ミックス注フレックスペン	10～20分	1～4時間	約24時間
混合型	ノボリン30R注フレックスペン	約30分	2～8時間	約24時間
混合型	イノレット30R注	約30分	2～8時間	約24時間
混合型	ヒューマログミックス25注ミリオペン ヒューマログミックス50注ミリオペン	15分未満 〃	30分～6時間 30分～4時間	18～24時間
混合型	ヒューマリン3/7注ミリオペン	0.5～1時間	2～12時間	18～24時間
配合溶解	ライゾデグ配合注フレックスタッチ	10～20分	1～3時間	42時間超
中間型	ノボリンN注フレックスペン	約1.5時間	4～12時間	約24時間
中間型	ヒューマリンN注ミリオペン	1～3時間	8～10時間	18～24時間
持効型溶解	レベミル注フレックスペン，イノレット	約1時間	3～14時間	約24時間
持効型溶解	トレシーバ注フレックスタッチ	該当なし	明らかなピークなし	42時間超
持効型溶解	ランタス注ソロスター インスリングラルギンBS注ミリオペン「リリー」	1～2時間	明らかなピークなし	約24時間
持効型溶解	ランタスXR注ソロスター	1～2時間	明らかなピークなし	24時間超

※フィアスプ注は食後投与も可能

〔日本糖尿病学会編：糖尿病治療ガイド2020-2021．pp140-141，文光堂，2020より〕

表16-3 主なGLP-1受容体作動薬

分類	短時間作用型	長時間作用型
商品名	バイエッタ®, リキスミア®	ビクトーザ®, トルリシティ®, オゼンピック®
半減期	1~2時間	14時間~6.0日
効果・特徴 空腹時血糖値	わずかな低下作用	強い低下作用
食後血糖値	強い低下作用	わずかな低下作用
空腹時インスリン分泌	わずかに促進	強く促進
食後インスリン分泌	低下	わずかに促進
グルカゴン分泌	低下	低下
胃排泄能への影響	強い	弱い
体重減少	1~5 kg	2~5 kg
悪心の発現	20~50% 緩徐に(数週間~数か月で)減弱	6.0~13% すみやかに(4~8週間までに)減弱

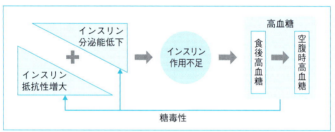

図16-2 2型糖尿病の病態
〔日本糖尿病学会編:糖尿病治療ガイド2020-2021, p37, 文光堂, 2020より〕

過程を説明.
- **インスリンやGLP-1受容体作動薬取り扱いの説明**:未使用時は2~8℃,使用中は室温保管(遮光).30℃以上になるときは,保冷が必要.
- 低血糖時,シックデイ時の対処法について説明.基本的にブドウ糖携帯.
- **単独での使用で低血糖のリスクが高い薬剤**:インスリン各種,

表 16-4 作用機序による経口血糖降下薬の選択

機序		種類	主な作用	単独投与による低血糖のリスク	体重への影響
インスリン分泌非促進系		ビグアナイド薬	肝臓での糖新生の抑制	低	なし
		チアゾリジン薬	骨格筋・肝臓でのインスリン感受性の改善	低	増加
		α-グルコシダーゼ阻害薬	腸管での炭水化物の吸収遅延による食後血糖上昇の抑制	低	なし
		SGLT2 阻害薬	腎臓でのブドウ糖再吸収阻害による尿中ブドウ糖排泄促進	低	減少
インスリン分泌促進系	血糖依存性	DPP-4 阻害薬	GLP-1 と GIP の分解抑制による血糖依存性のインスリン分泌促進とグルカゴン分泌抑制	低	なし
	血糖非依存性	スルホニル尿素(SU)薬	インスリン分泌の促進	高	増加
		速効型インスリン分泌促進(グリニド)薬	より速やかなインスリン分泌の促進・食後血高血糖の改善	中	増加

〔日本糖尿病学会編：糖尿病治療ガイド 2020-2021, pp38-39, 文光堂, 2020 より〕

SU 薬, グリニド薬.
② 副作用モニタリング(表 16-5)

E 処方提案のポイント

腎機能障害時における投与量調節
- **DPP-4 阻害薬**：腎機能障害の程度に応じて, 用量調節.
- **ビグアナイド薬**：腎機能低下時に体内蓄積, 腎不全時に禁忌.
- **SGLT2 阻害薬**：腎機能低下患者で効果減弱, 重症の腎不全と透析患者には使用しない.

血糖の変動と薬剤の作用や特性による選択
- **「食後高血糖」の改善に優れた効果を示す薬剤**：DPP-4 阻害薬, α-グルコシダーゼ阻害薬, グリニド薬, 超速効型/速効型インスリン製剤, 短時間作用型 GLP-1 受容体作動薬.
- **「空腹時(食前)血糖」の血糖降下を主たる目的に使用される薬剤**：SU 薬, ビグアナイド薬, チアゾリジン薬, 中間型/持効型イン

表 16-5 副作用発現時の初期症状について説明（例）

	副作用	具体的な初期症状
SU薬，グリニド薬	低血糖（遅延性で重篤）	動悸，冷汗，脱力感
α-グルコシダーゼ阻害薬	肝障害，胃腸障害	放屁の増加
ビグアナイド薬	乳酸アシドーシス	強い倦怠感，吐気，下痢，筋肉痛
チアゾリジン薬	浮腫，貧血	むくみ
GLP-1 受容体作動薬（短時間作用型）	消化器症状	食欲低下，下痢
SGLT2 阻害薬	脱水，尿路感染症	頻尿・多尿，体重減少，口渇，排尿時痛

スリン製剤，長時間作用型 GLP-1 受容体作動薬.
- SU薬投与患者へ DPP-4 阻害薬・SGLT2 阻害薬の追加投与時には，いったん SU 薬を減量してから再調整.
- 血糖コントロールが難しい患者へは CGM や FGM 等の血糖測定器を用いてグルコース濃度の推移（変動）の把握によるシミュレーション解析を利用した血糖調節も有効.
- 持続皮下インスリン注入（CSII）療法も QOL 向上の一手になりうる.
- アドヒアランス向上を期待して配合錠や週1回製剤への変更.
- 血圧・血清脂質も同時にコントロールする.

参考文献

1) 日本糖尿病学会編：糖尿病治療ガイド 2020-2021，文光堂，2020
2) 岩本安彦監：ここが知りたかった！ 糖尿病診療・療養指導 Q&A，中山書店，2017

〔増本 憲生〕

26 痛風

A 疫学・病態

- 高尿酸血症が持続した結果，関節内に析出した尿酸塩が起こす結晶誘発性関節炎.
- 急性痛風発作は30～50代の男性に多く発症.
- 他の疾患や障害により，2次的に高尿酸血症・痛風をきたす.

B 患者の状態把握

症状

- 高尿酸血症は無症状であるが，痛風関節炎は激痛が生じる.
- 痛風関節炎は痛風発作と呼ばれ，第一中足趾節関節，足関節に好発する.
- 24時間以内に炎症がピークに達し，疼痛や腫脹，発赤が強く，歩行困難になるが，7～10日で軽快し，次の発作まではまったく無症状.

診断・検査

- ① 尿酸塩結晶が関節液中に存在すること.
- ② 痛風結節の証明.
- ③ 以下の項目のうち6項目以上を満たすこと.

    1. 2回以上の急性関節炎の既往
    2. 24時間以内に炎症のピークに達する
    3. 単関節炎
    4. 関節の発赤
    5. 第一中足趾節関節の疼痛または腫脹がある
    6. 片側の第一中足趾節関節病変
    7. 片側足関節の病変
    8. 痛風結節（確診または疑診）
    9. 血清尿酸値の上昇がある
    10. X線上の非対称性腫脹
    11. 発作の完全な寛解がある

※①②2項目のいずれか，もしくは③のうち6項目を満たせば痛風と診断できる.

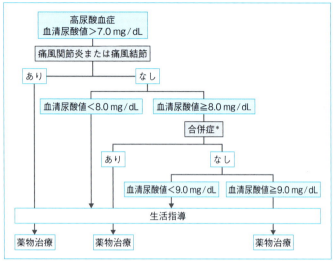

図 16-3 高尿酸血症の治療指針
*：腎障害，尿路結石，高血圧，虚血性心疾患，糖尿病，メタボリックシンドロームなど
〔日本痛風・核酸代謝学会編：高尿酸血症・痛風の治療ガイドライン 第3版，診断と治療社，2018 より〕

C 治療（標準的処方例）

- 高尿酸血症の治療アルゴリズムを**図 16-3** に示す．
- 尿酸-ナトリウム（MSU）結晶を消失させるために血清尿酸値を 6.0 mg/dL 以下に維持することが重要である．生活習慣の改善を基本とし，必要であれば尿酸降下薬を使用する．

痛風関節炎

- 発作前兆期

  コルヒチン錠（0.5 mg）　1回1錠　発作前兆時

- 発作時：以下のいずれか

  1) ナプロキセン錠（100 mg）　初回4～6錠　その後1回1～2錠を1日2～3回，または3錠を3時間ごとに3回を1日だけ投与　空腹時を避けて内服
  2) インドメタシンカプセル　1回25～37.5 mg　1日2回　朝夕食後

3) コルヒチン錠(0.5 mg)　発症12時間以内に2錠　その1時間後に1錠　翌日から1日1～2錠
4) プレドニゾロン錠(5 mg)　1回1～2錠　1日2～3回　朝夕または毎食後　発作後1～2日，その後漸減し，1週間以内に中止

☐ 痛風発作にはNSAIDs，コルヒチン(低用量)，ステロイドが用いられる．治療薬は，臨床経過，重症度，薬歴，合併症，併用薬を考慮して選択する．ステロイドは，NSAIDsやコルヒチンが使いにくい腎機能低下例で適応になる場合が多い．

☐ 初めて痛風関節炎を起こした患者では，尿酸降下薬は関節炎を完全に鎮静化してから最小量の投与量で開始し，1～2か月ごとに漸増することが推奨されている．

尿酸産生過剰型の尿酸降下薬

1) アロプリノール錠(100 mg)　1回1錠　1日2～3回　食後
2) フェブキソスタット錠(10 mg)　1回1錠　1日1回
   (維持1回40 mg　1日1回，最大1日1回60 mgまで)
3) トピロキソスタット錠(20 mg)　1回1錠　1日2回
   (維持1回60 mg　1日2回，最大1回80 mg　1日2回まで)

☐ フェブキソスタット，トピロキソスタットは，アロプリノールとは異なり中等度までの腎機能低下患者に対して投与量の調節は必要ない．

尿酸排泄低下型の尿酸降下薬

1) ベンズブロマロン錠(50 mg)　1回1/2～1錠　1日1回
   (維持1回50 mg　1日1～3回)
2) プロベネシド錠(250 mg)　1日2～8錠を分割経口投与
   (維持1日1～2 g　1日2～4回分服)

尿アルカリ化薬

1) ウラリット®-U配合散(1 g/包)　1回1包　1日3回

☐ 尿量低下，持続する酸性尿，尿中尿酸排泄量の増加などにより尿路結石が起こりやすい．

☐ 高尿酸血症は尿路結石の危険因子であり，尿酸排泄低下薬を使用する際には尿路結石予防の管理が必要である．尿酸排泄低下薬を使用する場合は尿アルカリ化薬の併用を検討する．

D 薬剤師による薬学的ケア

処方チェック

① 投与量・投与スケジュール

- □ **コルヒチン**：発作前兆時に使用．発作発現後，服用開始が早いほど効果的．極期を過ぎた発作には効果がなく，過量では消化器症状の副作用増強，適量投与が困難．
- □ **アロプリノール**：腎機能が低下すると副作用のリスクが増加する．腎機能低下者では腎機能に応じて投与量を調節する．

腎機能	Ccr> 50 mL/分	30 mL/分< Ccr≦50 mL/分	Ccr≦ 30 mL/分	血液透析 施行例	腹膜透析 施行例
アロプリノール投与量	100〜300 mg/日	100 mg/日	50 mg/日	透析終了 時に 100 mg	50 mg/ 日

- □ **ベンズブロマロン，プロベネシド**：腎臓結石症または高度の腎障害のある患者は禁忌．

相互作用

- □ **コルヒチン**
  - CYP3A4阻害薬(クラリスロマイシン，アタザナビル，イトラコナゾールなど)，P糖蛋白阻害薬(シクロスポリン)との併用により本剤の血中濃度上昇．
- □ **アロプリノール**
  - メルカプトプリン(6-MP)やアザチオプリンとの併用によりアロプリノールのキサンチンオキシダーゼ阻害作用により6-MPの血中濃度上昇(骨髄抑制増強)．
  - テオフィリンとの併用によりテオフィリンのクリアランス低下(テオフィリン血中濃度上昇)．
  - ペントスタチンとの併用による重度の過敏反応(過敏性血管炎)．
- □ **フェブキソスタット**
  - メルカプトプリン(6-MP)・アザチオプリン投与中は併用禁忌．
- □ **ベンズブロマロン**
  - CYP2C9阻害によるワルファリンの血中濃度上昇(PT-INR延長，出血)．
- □ **プロベネシド**
  - アスピリンなどのサリチル酸系薬剤との併用による本剤の作用減弱．

- 有機アニオントランスポーター阻害により他剤との相互作用が多く,注意が必要.

服薬指導

- 痛風発作の際は,尿酸降下薬の用量を変更しない.
- 発作の予防には日ごろから尿酸値のコントロールが重要であることを説明し,服薬遵守を促す.
- ウラリット®-U 配合散は塩味が強く,服用しにくい場合は,水に溶かして服用.
- 薬物療法のみならず,生活指導も重要(肥満改善,食事療法,水分摂取など).

治療・副作用モニタリング

- **NSAIDs**:腎障害,消化性潰瘍に注意.
- **アロプリノール**:過敏性血管炎,皮膚障害(Stevens-Johnson 症候群,中毒性表皮壊死融解症,薬剤過敏症候群など),肝障害に注意.
- **ベンズブロマロン**:劇症肝炎が 6 か月以内に発生する危険性あり.月 1 回の肝機能検査が必要.
- **ウラリット®-U 配合散**:K 含有のため高 K 血症に注意(特に腎機能障害,長期使用の場合)

E 処方提案のポイント

アロプリノール

- **6-MP,アザチオプリンと併用**:6-MP,アザチオプリンの投与量を 1/3〜1/4 に減量.
- **テオフィリンと併用**:テオフィリン血中濃度上昇,TDM を行い,減量を提案.
- 腎障害時には減量を提案.
- 適応症が「痛風,高尿酸血症を伴う高血圧症」であることに注意.

参考文献

1) 日本痛風・核酸代謝学会ガイドライン改訂委員会編:高尿酸血症・痛風の治療ガイドライン 第 3 版,診断と治療社,2018

(奥貞 紘平)

27 脂質異常症

A 脂質異常症の病態
- コレステロール・中性脂肪・リン脂質・遊離脂肪酸の値が基準値から外れた状態をいう．
- 脂質異常症の患者数は約220万人と推定されている．
- 胆石症，急性膵炎，動脈硬化症，冠動脈疾患などがリスク因子．
- 甲状腺機能低下症などの基礎疾患によって脂質異常症がみられる場合がある．

B 患者の状態把握
症状
- 一般的には無症候性で，自覚症状がほとんどない．

検査
- 血液検査．
- 動脈硬化による心筋虚血の評価には負荷心電図，トレッドミル，心筋シンチグラフィーなどを用いる．

診断
- 空腹時採血による診断基準

高LDLコレステロール血症	LDL-C	≧140 mg/dL
境界域LDLコレステロール血症		120～139 mg/dL
低HDLコレステロール血症	HDL-C	＜40 mg/dL
高トリグリセリド血症	TG	≧150 mg/dL
高non-HDLコレステロール血症	Non-HDL-C	≧170 mg/dL
境界域non-HDLコレステロール血症		150～169 mg/dL

※ TG＜400 mg/dLでのLDL-CはFriedewald式（TC − HDL-C − TG/5）で計算する．
※ TG≧400 mg/dLや食後採血の場合にはnon HDL-Cを使用する．

C 治療（標準的処方例）
- 動脈硬化性疾患の予防は，禁煙や生活習慣（食事内容，運動習慣など）の改善が基本である．日本食パターンの食事や中強度以上（3メッツ以上）の有酸素運動（毎日30分以上）が望ましい．

表 16-6 リスク区分別脂質管理目標

治療方針の原則	管理区分	脂質管理目標値(mg/dL)			
		LDL-C	non-HDL-C	TG	HDL-C
一次予防	低リスク	<160	<190	<150	≧40
	中リスク	<140	<170		
	高リスク	<120	<150		
二次予防	冠動脈疾患の既往	<100 (<70)※	<130 (<100)※		

※家族性高コレステロール血症，急性冠症候群の時に考慮する．糖尿病でも他の高リスク病態(非心原性脳梗塞，末梢動脈疾患，慢性腎臓病，メタボリックシンドローム，主要危険因子の重複，喫煙)を合併する時はこれに準ずる．
〔日本動脈硬化学会編：動脈硬化性疾患予防のための脂質異常症診療ガイド 2018年版より〕

□ 脂質異常症と診断された患者は，冠動脈疾患の既往歴および高リスク病態，各種リスク因子の有無により層別化され，各層ごとに脂質管理目標値が設定されている(**表 16-6**).

高 LDL-C 血症治療薬

①HMG-CoA 還元酵素阻害薬(スタチン系薬剤)

1) シンバスタチン錠(5 mg)　1回1錠　1日1回　夕食後
2) アトルバスタチン錠(10 mg)　1回1錠　1日1回　夕食後
3) ロスバスタチン錠(2.5 mg)　1回1錠　1日1回　夕食後

□ 第1選択薬である．強力なコレステロール低下作用を有する．

②陰イオン交換樹脂薬

コレスチミド錠(500 mg)　1回3錠　1日2回　朝夕食前

□ 安全性が高い．薬物療法を行わざるを得ない小児や妊婦の第1選択薬．

③小腸コレステロールトランスポーター阻害薬

エゼチミブ錠(10 mg)　1回1錠　1日1回　朝食後

□ スタチン系薬剤に併用することが多い．重篤な肝機能障害のある患者は禁忌．

④その他の高コレステロール血症治療薬

プロブコール錠(250 mg)　1回1錠　1日2回　朝夕食後

□ 抗酸化作用に関連した抗動脈硬化作用を有する．黄色腫に対する

退縮効果が認められている．重篤な不整脈患者に禁忌である．
ヒト抗PCSK9モノクローナル抗体
1) エボロクマブ皮下注(140 mg)　1回1注入　1日1回　2週間毎
2) アリロクマブ皮下注(75 mg)　1回1注入　1日1回　2週間毎
□ 家族性高コレステロール血症，心血管イベント発現リスク高値かつスタチン系薬剤で効果不十分な高コレステロール血症に適応．

MTP(ミクロソームトリグリセライド転送蛋白)阻害薬
ロミタピドカプセル(5 mg)　1回1カプセル　1日1回　夕食後2時間

□ ホモ接合体家族性高コレステロール血症に適応．
□ 肝機能障害が発現するため，投与前に肝機能検査を実施．また，投与中は定期的に肝機能検査を実施する必要がある．

高トリグリセリド血症治療薬

① フィブラート系薬剤

ベザフィブラート徐放錠(200 mg)　1回1錠　1日2回　朝夕食後

□ 高TG血症を伴うHDL-C血症に有用である．重篤な腎機能障害には禁忌．
□ 胆嚢疾患患者は慎重投与である．

② 選択的PPARαモジュレーター

ペマフィブラート錠(0.1 mg)　1回1錠　1日2回　朝夕食後

□ スタチン系薬剤との薬物相互作用が起こりにくく，比較的安全に併用できる．
□ 重篤な肝障害，腎障害，胆石患者に禁忌である．

③ ニコチン酸製剤

トコフェロールニコチン酸エステルカプセル(100 mg)　1回1カプセル　1日3回　毎食後

□ ビタミンE製剤であり，脂質代謝を改善する．

④ EPA製剤

イコサペント酸エチルカプセル(900 mg)　1回1包　1日2回　朝夕食直後

□ 閉塞性動脈硬化症に対して有用性が認められている．血友病，毛細血管脆弱症，消化管潰瘍等の出血している患者に禁忌．

D 薬剤師による薬学的ケア

処方チェック

①処方薬
- 服薬コンプライアンスを遵守できるか,安全性に問題はないか,治療効果が得られているかなどを総合的に確認.
- スタチン系薬剤,プロブコール,フィブラート系薬剤,選択的PPARαモジュレーター,MTP阻害薬は妊婦に禁忌である.

②相互作用
- **スタチン系薬剤**:シンバスタチンやアトルバスタチンはCYP3A4阻害薬(アゾール系抗真菌薬,エリスロマイシン等)との併用により血中濃度↑ ➡ 副作用の頻度↑の可能性.フィブラート系薬剤との併用により横紋筋融解症のリスクが高くなるため注意.
- **陰イオン交換樹脂**:β遮断薬やサイアザイド系利尿薬の作用↓ ➡ 可能な限り間隔をあけて慎重投与.
- **プロブコール**:β遮断薬との併用で不整脈発生の危険性↑との報告がある.
- **MTP阻害薬**:ロミタピドはCYP3A4阻害薬との併用で血中濃度↑.
- **ニコチン酸製剤**:クロニジンとの併用で起立性低血圧のリスク↑.
- **選択的PPARαモジュレーター**:シクロスポリン,リファンピシンとの併用で血中濃度↑ ➡ 併用禁忌である.

服薬指導,副作用モニタリング

①服薬指導
- 服薬アドヒアランスが不良になりやすく,患者背景を考慮した治療の選択と指導が必要である.
- 服用を忘れた場合,思い出したときにすぐ服用すべきだが,次の服用時間が近いときは忘れた分を服用しない.

②副作用モニタリング
- 治療薬の重大な副作用および頻度の高いものを確認(表16-7).

E 処方提案のポイント

- **フィブラート系薬剤の副作用**:腎機能障害患者では横紋筋融解症を起こしやすいため注意深い観察が必要(フィブラート系薬剤は半減期が長い).
- **アドヒアランスへの影響因子**:海外のメタ解析より,50歳未満

表16-7 脂質異常症治療薬と主な副作用

薬剤	主な副作用
HMG-CoA還元酵素阻害薬	横紋筋融解症，ミオパチー，肝障害，消化器症状など
小腸コレステロールトランスポーター阻害薬	消化器症状，CK上昇，肝障害など
陰イオン交換樹脂	便秘，腹部膨満感など
プロブコール	QT延長，消化器症状など
ヒト抗PCSK9モノクローナル抗体	糖尿病，注射部位反応，肝酵素異常，CPK上昇，頸動脈内膜中膜肥厚度増加など
MTP阻害薬	肝障害，消化器症状など
フィブラート系薬剤	横紋筋融解症，ミオパチー，肝障害など
選択的PPARαモジュレーター	横紋筋融解症，胆石症，糖尿病など
ニコチン酸製剤	顔面紅潮，発疹，掻痒感，頭痛など
n-3系多価不飽和脂肪酸	出血傾向，発疹など

と70歳以上，女性，併存疾患の治療がない患者ではスタチン系薬剤の内服のアドヒアランスが低下しやすいとされている．また，陰イオン交換樹脂，フィブラート系薬剤，ニコチン酸製剤などではスタチンよりアドヒアランスが低下しやすい．服用中断が起こりやすい治療開始後1～2年は，医療者が協力して服用の必要性を繰り返し説明することが重要であり，必要なら合剤の使用も検討・提案する．

□ 脂肪乳剤は，脂質異常症が悪化するため投与禁忌．

参考文献
1) 動脈硬化性疾患予防ガイドライン2017年版，日本動脈硬化学会，2017
2) 動脈硬化性疾患予防のための脂質異常症診療ガイド2018，日本動脈硬化学会，2018

（奥貞 紘平）

28 甲状腺疾患(機能亢進症・低下症)

A 疫学・病態

甲状腺機能亢進症
- 甲状腺刺激ホルモン受容体に対する自己抗体が甲状腺を過剰刺激し,甲状腺ホルモンを過剰に産生・分泌.
- 発症頻度は成人の200~300人に1人,好発年齢は20~40歳,男女比は1:5.
- 主な原因に,バセドウ病(70%),無痛性甲状腺炎(20%),亜急性甲状腺炎(10%)がある.
- 通常,バセドウ病では甲状腺機能亢進の持続期間が3か月以上,無痛性甲状腺炎および亜急性甲状腺炎では3か月以内.

甲状腺機能低下症
- 中年女性に頻発し,典型的なものはびまん性の比較的硬い甲状腺腫が触知され,血液中には甲状腺自己抗体が検出される.
- 先天性甲状腺機能低下症の発生頻度は約5,000人に1人,男女比は1:1.5~2.
- 主な原因として慢性甲状腺炎(橋本病),先天性甲状腺機能低下症(クレチン病)がある.永続性の場合と一過性の場合がある.
- 甲状腺全摘後,および分子標的薬または免疫チェックポイント阻害薬による副作用の甲状腺機能低下にも注意が必要.

B 患者の状態把握

症状
①甲状腺機能亢進症
- 動悸,眼球突出,甲状腺腫大,多汗,手のふるえ,暑がり,易疲労性,月経不順など.

②甲状腺機能低下症
- 寒がり,むくみ,体重増加,易疲労感など.
- 小児では,発育遅延による低身長,精神発達障害など.

検査
①甲状腺機能検査(FT_3, FT_4, TSH)
- 甲状腺機能の亢進,低下,正常の3つに分類.

② 自己免疫抗体（TSH 受容体抗体，抗 Tg 抗体，抗 TPO 抗体）
- **甲状腺機能亢進症**：TSH 受容体抗体陽性ならばバセドウ病の可能性が高い．
- **甲状腺機能低下症**：抗 Tg 抗体，抗 TPO 抗体が陽性であれば慢性甲状腺炎の可能性が高い．

③ 甲状腺エコー
- 血流の増減を描出．

C 治療（標準的処方例）

甲状腺機能亢進症

1) チアマゾール錠（5 mg）　1 回 1〜4 錠　1 日 1 回　朝食後
2) ヨウ化カリウム錠（50 mg）　1 回 1 錠　1 日 1 回　朝食後
3) プロプラノロール塩酸塩錠（10 mg）　1 回 1 錠　1 日 3 回　毎食後

- **チアマゾール**：初期投与量の目安として，FT_4 が正常上限の 1〜1.5 倍では 5〜10 mg/日，1.5〜2 倍では 10〜20 mg/日，2〜3 倍では 30〜40 mg/日．重篤例でなければ，約 2 か月で機能が正常化する．FT_3 と FT_4 が正常化したら適宜漸減．維持量は 5 mg/日を隔日（甲状腺機能が 6 か月以上正常な場合は中止可能）．また，催奇形性が認められることから，妊娠初期はプロピルチオウラシルへの変更が推奨される．一方，授乳中の患者への投与はチアマゾール 10 mg/日まで，プロピルチオウラシル 300 mg/日までなら児の甲状腺機能をチェックすることなく投与可能とされている．
- **無機ヨード剤**：重症例では抗甲状腺薬と併用されることがある．この場合，チアマゾールの副作用（皮膚障害，肝障害，顆粒球減少）軽減を目的にチアマゾール 15 mg/日に減量．単独で使用する場合，服用開始から 1〜2 か月程度でヨウ化カリウムの効力を失う（エスケープ現象）ことがあるので注意．
- **β遮断薬**：心悸亢進，手指振戦などの症状が強い時に併用．喘息患者や心電図で脚ブロックのある例には使用しない．
- **アイソトープ治療**：抗甲状腺薬の副作用発現時や寛解困難な症例に使用される．妊婦（可能性・6 か月以内の予定を含む）・授乳婦には禁忌．治療後は甲状腺機能低下症になる．

甲状腺機能低下症

①慢性甲状腺炎による顕性甲状腺機能低下症,治療開始時

レボチロキシンナトリウム錠(T_4製剤;25/50 μg) 1回1錠 1日1回 朝食後

□ 粘液水腫を呈するほどではないが,TSH が持続的に明らかに高値の場合,上記の量で治療開始.TSH が 1 μU/mL(高齢者では 2~4 μU/mL)程度になるまで漸増.

②甲状腺全摘後の補充療法,維持量

レボチロキシンナトリウム錠(50 μg) 1回2.5錠 1日1回

□ 補充療法におけるレボチロキシンナトリウム錠の投与量は 12.5~25 μg/日から開始し,2~4 週間ごとに 12.5~25 μg/日ずつ増量.

□ 維持量は一般的に 1.5~2.5 μg/kg/日.原発性の場合は TSH 値を,中枢性の場合は血中 FT_3 および FT_4 を指標として,適正維持量を調節する.

□ 経口から静脈内投与へ切り替える際,経口投与量が 100 μg/日の患者の場合,70~80 μg/日を静脈内投与量の目安とする.

D 薬剤師による薬学的ケア

処方チェック

①投与量

□ 妊娠初期および出産後は甲状腺ホルモンの分泌量が大きく変動しやすいので,普段よりも短い間隔で投与量が適切かどうか確認.

②相互作用

□ **コレスチラミン,スクラルファート,酸化マグネシウム,硫酸鉄,硫酸ポリスチレンナトリウム**:レボチロキシンナトリウム錠の吸収低下 ➡ 服用の間隔を数時間空ける.

□ **フェニトイン,カルバマゼピン,リファンピシン**:T_4 の異化を促進.→起因薬剤中止または増量調節.

□ **アミオダロン**:T_4 から T_3 への転換を阻害 ➡ 甲状腺機能検査.

服薬指導

□ 東アジアでは,食事等からのヨウ素摂取制限をしても抗甲状腺薬の治療効果や再燃率が改善する可能性は低いことが示されている.

①甲状腺機能亢進症

□ チアマゾールの飲み忘れに注意する.副作用について適切に説明

する．妊娠を希望する場合は抗甲状腺薬の選択を含め主治医との情報共有が重要であり，個人の判断で休薬しないよう指導．

② 甲状腺機能低下症
□ 補充療法は基本的に終生続ける必要があるため，定期的な受診，服薬の必要性を本人および家族に十分説明する．

副作用モニタリング
① 甲状腺機能亢進症
□ チアマゾールによる皮疹，肝障害，無顆粒球症，顆粒球減少症は投薬開始後3か月以内に起こりやすい．開始後少なくとも2か月間は，原則として2週に1回の血液検査を行う必要がある．

② 甲状腺機能低下症
□ レボチロキシンナトリウムにより狭心症が現れることがある（特に高齢者や心・冠動脈疾患のある患者）．このような場合には過剰投与の可能性があるので，減量または休薬など適切な処置を行う．

E 処方提案のポイント

甲状腺機能亢進症
□ 患者個々の生活リズムに応じて，アドヒアランスが最も高くなる服用時間帯を患者と共に検討する．軽度の皮疹なら，抗ヒスタミン薬を併用し，内服継続可能なことが多い．改善しない場合は，抗甲状腺薬を変更または休薬する．

甲状腺機能低下症
□ レボチロキシンナトリウム錠を毎日服用することが困難な場合は，1週間分の投与量を一度に内服してもらうことで甲状腺機能を正常に維持できることもある．

参考資料
1) 日本甲状腺学会編：バセドウ病治療ガイドライン2019，南江堂，2019
2) 日本甲状腺学会編：甲状腺疾患診断ガイドライン2013
3) Shiroozu A, et al：J Clin Endocrinol Metab. 1986 Jul；63(1)：125-8（PMID：3011835）
4) Okamura K, et al：J Clin Endocrinol Metab. 1987 Oct；65(4)：719-23（PMID：3654917）

〔池末 裕明〕

第17章 膠原病，整形外科疾患

29 関節リウマチ

A 疫学・病態
- 免疫系の異常により関節の滑膜に炎症が起こり，関節の破壊や変形を引き起こす．
- 何らかの遺伝的素因を持った人に環境因子(喫煙，歯周病など)が加わることで発症すると考えられている．
- 自己免疫疾患の中で最も患者数が多い(有病率は1%前後)．
- どの年齢でも発症するが，30歳代から50歳代での発症が多い．

B 患者の状態把握

症状
- 関節痛，関節腫脹が手指PIP関節やMP関節，手首などの小関節や肩，肘，膝などの大関節に生じる．

診断・検査
①ACR/EULARの分類基準(2010年)
- 1つ以上の滑膜炎(関節腫脹)がある．
- 関節炎の原因となる他疾患を除外する．
- 上記2つを満たした上で，1)腫脹または圧痛のある関節数，2)罹病期間，3)リウマトイド因子(RF)，抗CCP抗体，4)CRP，赤沈(ESR)をスコアリングし，診断する．

②画像検査
- **関節X線写真**：典型的な骨びらんの確認．
- **関節エコー/造影MRI**：滑膜炎の評価．
- **胸部X線写真**：間質性肺炎の合併を確認(治療薬の選択にも関わる)．

③治療効果判定
- SDAI，CDAI，DAS28など．

- 腫脹関節数，圧痛関節数，患者VAS(visual analog scale)，医師VAS，CRP，ESRを組み合わせて評価する．

④活動性評価
- SDAI，CDAI，DAS28，関節エコー，MMP-3．

C 治療（標準的処方例）

- 早期診断・早期治療が重要である．関節破壊を防ぎ，QOLを損ねないようにすることが最大の目標である．
- 疾患活動性を1〜3か月おきに評価し，治療を調節・変更する．

症状緩和（即効性あり）

1) セレコキシブ錠(100・200 mg)　1回100〜200 mg　1日2回　朝夕食後
2) プレドニゾロン錠(1・5 mg)　1回7.5 mg　1日1回　朝食後あるいは1回15 mg　隔日投与

- 関節内ステロイド注射も選択肢である．
- 内服ステロイドはおよそ3か月以内で終了することが望ましい．

病態制御

- 自己免疫病態を制御し関節破壊を抑制する．

①抗リウマチ薬(csDMARDs)

1) メトトレキサートカプセル(2 mg)　6〜8 mg/週　朝1回あるいは朝夕2分割（最大16 mg/週）
2) サラゾスルファピリジン錠(500 mg)　1回1錠　1日2回　朝夕食後
3) タクロリムスカプセル(1 mg)　1回1〜3カプセル　1日1回　夕食後（最大3 mg/日）
4) イグラチモド錠(25 mg)　1回1錠　1日2回　朝夕食後
5) ブシラミン錠(100 mg)　1回1錠　1日2回　朝夕食後
   （添付文書上は300 mg/日まで増量可能だが，副作用の観点から200 mg/日までとすることが望ましい）

- 併用することも効果的である．他にも，レフルノミド，ミゾリビンなどがある．

②生物学的製剤(bDMARDs)

1) インフリキシマブ注(100 mg)　3 mg/kgを初回，2週目，6週目，以後8週毎に点滴静注（疾患活動性に応じて，増量

や投与間隔の短縮が可能)
2) エタネルセプト皮下注(25 mg)　25 mgを週2回あるいは50 mgを週1回　皮下注
3) アダリムマブ皮下注(40 mg)　40 mgを2週に1回　皮下注(効果不十分な場合は1回80 mgまで増量可能)
4) ゴリムマブ皮下注(50 mg)　メトトレキサートを併用する場合は50 mgを4週に1回　皮下注(効果不十分な場合は1回100 mgに増量可能),メトトレキサートを併用しない場合は100 mgを4週に1回　皮下注
5) セルトリズマブ ペゴル皮下注(200 mg)　1回400 mgを初回,2週目,4週目に皮下注し,以後1回200 mgを2週に1回投与.症状安定後は,1回400 mgを4週に1回　皮下注へも変更可能
6) トシリズマブ注(80 mg/200 mg/400 mg)　8 mg/kgを4週毎に点滴静注.
　トシリズマブ皮下注(162 mg)　162 mgを2週に1回　皮下注(効果不十分な場合は週1回皮下注に短縮可能)
7) サリルマブ皮下注(150 mg/200 mg)　200 mgを2週に1回　皮下注
8) アバタセプト注(250 mg)　体重に応じた投与量(60 kg未満500 mg,60 kg以上100 kg以下750 mg,100 kgを超える1,000 mg)を初回,2週目,4週目に点滴静注し,以後4週毎に投与.アバタセプト皮下注(125 mg)　投与初日に体重に応じた投与量のアバタセプトを点滴静注し,同日中に125 mg皮下注.以後,125 mgを週1回投与.

□インフリキシマブのみメトトレキサートとの併用が必須である.
□すべて自己注射可能である.

③分子標的型抗リウマチ薬(tsDMARDs)＝JAK阻害薬

1) トファシチニブ錠(5 mg)　1回5 mg　1日2回　朝夕食後
2) バリシチニブ錠(2・4 mg)　1回4 mg　1日1回　朝食後
3) ペフィシチニブ錠(50・100 mg)　1回150 mg　1日1回　朝食後
4) ウパダシチニブ錠(7.5・15 mg)　1回15 mg　1日1回　朝食後

5) フィルゴチニブ錠(100・200 mg)　1回200 mg　1日1回朝食後

D 薬剤師による薬学的ケア

処方チェック
①処方薬
□ **メトトレキサート**
- 週1回曜日を決めて内服するように指導する.
- 胸部X線で明らかな間質性肺炎を合併している患者には避けるほうがよい.
- 高度腎機能障害(GFR<30),胸腹水貯留例,妊婦・授乳婦などには禁忌である.

□ **サラゾスルファピリジン**
- 妊婦にも使用できるが,その際には葉酸5 mg/日の併用が必要である.
- サルファ剤アレルギーのある患者には禁忌である.

②相互作用
□ **タクロリムス**:CYP3A4で代謝されるためシクロスポリン,ボセンタン,K保持性利尿薬は併用禁忌である.マクロライド系抗菌薬やCa拮抗薬などの併用には注意が必要となる.グレープフルーツジュースも血中濃度を上昇させうる.

□ **トファシチニブ,ペフィシチニブ,ウパダシチニブ**:CYP3A4で代謝されるため,併用薬に注意が必要である.

服薬指導
□ 特にcsDMARDsは効果発現が緩徐である(1～2か月)ため,自己判断で中止しないよう指導する.
□ 皮下注射を自己で行う際は,短時間に同じ部位へ注射することを避けるよう指導する.
□ 生物学的製剤の点滴投与時には,1.2 μm以下のフィルターを使用し,投与速度にも注意する.

治療・副作用モニタリング
□ メトトレキサートやタクロリムス,生物学的製剤,JAK阻害薬の投与前には結核,B型肝炎ウイルス感染のチェックを行う.
□ B型肝炎ウイルス感染については,HBs抗原が陰性だった場合

- は HBs 抗体と HBc 抗体を測定し，いずれかが陽性であれば 1～3 か月毎に HBV-DNA を測定する．
- 特に治療開始後早期に薬疹や発熱，白血球減少，肝機能障害などの副作用が生じることが多いため，定期的に受診するよう指導．
- 発熱，咳・痰など感染症を疑う症状が出現した際には受診するよう指導する．その際，抗リウマチ薬や生物学的製剤はいったん中止する．
- **メトトレキサート**：使用中に発熱，乾性咳嗽，労作時呼吸困難が出現した場合はメトトレキサート肺炎の可能性があるため，内服を中止し速やかに受診をするよう促す．嘔吐・下痢などの際はメトトレキサートの副作用が出現しやすくなるので，症状が改善するまでは中止する．
- **タクロリムス**：投与約 12 時間後の血中濃度を測定し，投与量を調整することを推奨する（血中濃度が 10 ng/mL を超えると副作用の発現が増加する）．
- **ブシラミン**：蛋白尿・ネフローゼ症候群をきたすことがあるので，定期的に尿検査を行う．
- **JAK 阻害薬**：帯状疱疹発症のリスクが上昇するため，疼痛を伴う皮疹が出現した場合は，速やかに受診するよう指導する．
- **ステロイド**：急激な中止により副腎不全をきたす可能性があるため，内服継続の重要性を説明する．

E 処方提案のポイント

- **インフリキシマブ**：頭痛，ほてり，発疹などの投与時反応が起こることがあり，予防的な抗ヒスタミン薬やアセトアミノフェン，NSAIDs 投与を提案する．
- **メトトレキサート**：用量依存性の副作用である骨髄抑制，肝機能障害，口内炎などの粘膜・消化器症状は，葉酸の投与でコントロール可能なため，葉酸 5 mg をメトトレキサート最終内服の 24～48 時間後に内服する．消化器症状に対してはメトトレキサートの朝夕分割投与を，骨髄抑制に対しては分 1 投与を提案してもよい．
- **生物学的製剤・JAK 阻害薬**：高齢者，既存肺疾患，ステロイド併用などはニューモシスチス肺炎のリスクであり，ST 合剤によ

- る予防を提案する.
- **ステロイド**：長期使用例に対しては，骨粗鬆症など合併症対策を提案する.
- 肺炎球菌ワクチン，インフルエンザワクチン接種を推奨する.

参考文献
1) Smolen JS, et al：Lancet. 2016 Oct 22；388(10055)：2023-38(PMID：27156434)
2) Smolen JS, et al：Ann Rheum Dis. 2020 Jun；79(6)：685-699(PMID：31969328)
3) 田村真麻ほか：生物学的製剤の作用機序，投与法などの違いと使い分け．リウマチ科 56：1-8, 2016

(志水 隼人)

30 骨粗鬆症

A 疫学・病態
- 骨密度の低下や骨質の劣化により骨強度が低下し，骨折リスクが高まった状態.
- 推計患者数は約1300万人，男女比は約1：3と女性に多い.
- 女性では閉経後の60歳代後半から有病率は増加，80歳代では約半数が罹患.
- 加齢や閉経による原発性，疾患や薬剤による続発性に大別される.

B 患者の状態把握

症状
- 骨の脆弱化(骨吸収量＞骨形成量)に起因する骨折.
- 無症状であることが多いが，自覚症状として骨折後の機能障害や慢性疼痛などがある.

診断・検査
- **骨吸収マーカー**：デオキシピリジノリン(DPD)，Ⅰ型コラーゲン架橋N-テロペプチド(NTX)，Ⅰ型コラーゲン架橋C-テロペプチド(CTX)，骨型酒石酸抵抗性酸ホスファターゼ(TRACP-5b).
- **骨形成マーカー**：骨型アルカリホスファターゼ(BAP)，Ⅰ型プロコラーゲン-N-プロペプチド(P1NP).

- **骨評価**：骨密度測定，脊椎 X 線撮影．

C 治療（標準的処方例）
- 治療目標は骨粗鬆症に伴う骨折を予防し，生活機能と QOL を維持すること．
- 各薬剤の有効性評価を**表 17-1** に示す．

①ビスホスホネート（BP）製剤
- 下記のいずれか．
  1) アレンドロン酸錠（5 mg）　1回1錠　1日1回　起床時
     または同錠（35 mg）　1回1錠　週1回　起床時
     または同注（900 μg）　1回900 μg　4週1回　点滴静注
  2) リセドロン酸錠（2.5 mg）　1回1錠　1日1回　起床時
     または同錠（17.5 mg）　1回1錠　週1回　起床時
     または同錠（75 mg）　1回1錠　月1回　起床時
  3) ミノドロン酸錠（1 mg）　1回1錠　1日1回　起床時
     または同錠（50 mg）　1回1錠　4週1回　起床時
  4) イバンドロン酸錠（100 mg）　1回1錠　月1回　起床時
     または同注（1 mg）　1回1 mg　月1回　静脈注射
  5) ゾレドロン酸注（5 mg）　1回5 mg　年1回　点滴静注

②選択的エストロゲン受容体修飾薬（SERM）
- 下記のいずれか．
  1) ラロキシフェン錠（60 mg）　1回1錠　1日1回
  2) バゼドキシフェン錠（20 mg）　1回1錠　1日1回

③女性ホルモン製剤
- 下記のいずれか．
  1) エストラジオール錠（0.5 mg）　1回2錠　1日1回
     または同テープ（0.72 mg）　1回1枚　2日毎に貼り替える
  2) エストラジオール・レボノルゲストレル配合錠　1回1錠　1日1回

④カルシトニン製剤
エルカトニン注　1回10単位　週2回　筋注

⑤抗 RANKL 抗体薬
デノスマブ注（60 mg）　6か月1回　皮下注

表 17-1 骨粗鬆症治療薬の有効性の評価

分類	薬物名	骨密度	椎体骨折	非椎体骨折	大腿骨近位部骨折
カルシウム薬	L-アスパラギン酸カルシウム	B	B	B	C
	リン酸水素カルシウム				
女性ホルモン薬	エストリオール	C	C	C	C
	結合型エストロゲン*	A	A	A	A
	エストラジオール	A	B	B	C
活性型ビタミンD_3薬	アルファカルシドール	B	B	B	C
	カルシトリオール	B	B	B	C
	エルデカルシトール	A	A	B	C
ビタミンK_2薬	メナテトレノン	B	B	B	C
ビスホスホネート薬	エチドロン酸	A	B	C	C
	アレンドロン酸	A	A	A	A
	リセドロン酸	A	A	A	A
	ミノドロン酸	A	A	C	C
	イバンドロン酸	A	A	B	C
SERM	ラロキシフェン	A	A	B	C
	バゼドキシフェン	A	A	B	C
カルシトニン薬**	エルカトニン	B	B	C	C
副甲状腺ホルモン薬	テリパラチド（遺伝子組換え）	A	A	A	C
	テリパラチド酢酸塩	A	A	C	C
抗RANKL抗体薬	デノスマブ	A	A	A	A
その他	イプリフラボン	C	C	C	C
	ナンドロロン	C	C	C	C

*：骨粗鬆症は保険適用外　**：疼痛に関して鎮痛作用を有し，疼痛を改善する（A）

薬物に関する「有効性の評価（A，B，C）」

骨密度上昇効果
- A：上昇効果がある
- B：上昇するとの報告がある
- C：上昇するとの報告はない

骨折発生抑制効果（椎体，非椎体，大腿骨近位部のそれぞれについて）
- A：抑制する
- B：抑制するとの報告がある
- C：抑制するとの報告はない

〔骨粗鬆症の予防と治療ガイドライン作成委員会編：骨粗鬆症の予防と治療ガイドライン 2015 年度版，ライフサイエンス出版，2015 より〕

⑥ 副甲状腺ホルモン製剤

テリパラチド注　1回20μg　1日1回　皮下注　＊24か月まで
　または同注　1回56.5μg　週1回　皮下注　＊24か月まで
　または同注　1回28.2μg　1日1回，週に2回（投与間隔は原則3〜4日間隔）
皮下注　＊24か月まで

⑦ ビタミンK₂薬

メナテトレノンカプセル（15 mg）　1回1カプセル　1日3回

⑧ 活性型ビタミンD₃製剤

☐ 下記のいずれか．
1) アルファカルシドールカプセル（1.0μg）　1回1カプセル　1日1回
2) カルシトリオールカプセル（0.25μg）　1回1カプセル　1日2回
3) エルデカルシトールカプセル（0.75μg）　1回1カプセル　1日1回

⑨ Ca製剤

☐ 下記のいずれか．
1) アスパラギン酸Ca錠（200 mg）　1回2錠　1日3回
2) リン酸水素Ca　1回1g　1日3回

⑩ ヒト化抗スクレロスチンモノクローナル抗体製剤

ロモソズマブ注（105 mg）　1回210 mg　月1回　皮下注　＊12か月まで

☐ ①〜⑤は骨吸収抑制，⑥〜⑦は骨形成促進，⑧〜⑨は腸管からのCa吸収増加作用，⑩は骨吸収抑制および骨形成促進の両作用を主に有する．

☐ **経口ステロイドを3か月以上服用している場合**：骨折リスクに応じてBP製剤（＋活性型ビタミンD₃製剤）．

D 薬剤師による薬学的ケア

■ 処方チェック

① 投与薬

☐ **BP製剤**：剤型，投与間隔，服用時期の確認．また高度の腎障害がある場合には避けることが望ましい．ゾレドロン酸では禁忌．

- □ **SERM・女性ホルモン製剤**：静脈血栓塞栓症のリスクがある．他科を含め，血栓予防を目的とした処方がないか確認．また，周術期の休薬の必要性についても考慮．
- □ **抗RANKL抗体薬**：低Ca血症予防のため，Ca製剤・ビタミンD$_3$製剤の併用が望ましい．
- □ **副甲状腺ホルモン製剤**：ラットへの長期投与で骨肉腫の発生がみられ，安全性の面から使用期限が設けられている．
- □ **ヒト化抗スクレロスチンモノクローナル抗体製剤**：心血管系事象をはじめとする潜在的なリスクが想定されるため，骨折抑制へのベネフィットが上回る場合に投与を検討する．

②相互作用
- □ **BP製剤**：金属を含有する経口剤との併用により，本剤の吸収が阻害されるため，同時服用は避ける．
- □ **副甲状腺ホルモン製剤**：高Ca血症のリスクが高く，Ca製剤・活性型ビタミンD$_3$製剤との併用は避けることが望ましい．ジギタリス製剤との併用で，高Ca血症に伴う不整脈が現れることがあるため注意が必要．
- □ **ビタミンK$_2$製剤**：ワルファリン投与中の患者は禁忌．

服薬指導
- □ **BP製剤**：空腹時，コップ1杯程度の水，硬度の低い水，30分は坐位を保持．
- □ **BP製剤・抗RANKL抗体薬の重篤な副作用**：顎骨壊死．口腔内のケアの推奨，歯科受診の際注意を促す．
- □ **テリパラチド**：投与部位は腹部・大腿で，硬結などを避けるため，毎回位置をずらして皮下注射する．

治療・副作用モニタリング
- □ **BP製剤**：上部消化器障害，顎骨壊死．
- □ **SERM・女性ホルモン製剤**：静脈血栓塞栓症．
- □ **抗RANKL抗体薬**：低Ca血症，顎骨壊死．
- □ Ca製剤とビタミンD$_3$製剤の併用による高Ca血症の発現に注意．サプリメントによるCa摂取も確認．
- □ 骨折の防止のため，転倒リスクのある薬（精神神経用薬，降圧薬など）については用量の妥当性を評価．

E 提案のポイント

- **BP 製剤**：1日1回，1週間に1回，4週間に1回，1か月に1回服用するタイプの製剤や注射製剤もあり，患者のライフスタイルや服用状況により適当な剤型を選択する．
- **肝機能低下患者**：活性型ビタミン D_3 製剤を使用する場合にはカルシトリオールを提案．
- 血清補正 Ca 値をモニタリングしながら適宜中止・併用薬の提案をする．

参考文献

1) 骨粗鬆症の予防と治療ガイドライン作成委員会編：骨粗鬆症の予防と治療ガイドライン 2015 年度版, ライフサイエンス出版, 2015

(冨田 秀明)

第18章 神経疾患

31 てんかん

A 疫学・病態
- 慢性の脳の病気で，大脳の神経細胞が過剰に興奮し，脳の発作性の症状が反復して起こる．
- 日本での患者数は約100万人(人口の約0.8%)．幼児期・思春期までの発病が多いが，脳血管障害などの合併症としての患者が増加．
- 発作の発現形式から，全般発作と焦点発作に分けられる．
- **全般発作**：発作が両側大脳半球の広いネットワーク内に起こり，このネットワークが急速に発作に巻き込まれるもの．強直間代発作，ミオクロニー発作，欠神発作など．
- **焦点発作**：発作が一側大脳半球内だけのネットワーク内に起始し，はっきりと限局する，あるいはそれよりもう少し広汎に一側半球内に広がったもの．
- **てんかん重積状態**：発作停止機構の破綻，あるいは異常に遷延する発作を引き起こす機構が惹起された状態．

B 患者の状態把握

症状
- ひきつけ，痙攣，ボーッとする，体がビクッとする，意識を失ったまま動き回ったりするなど多彩．
- 失神，心因性発作，パニック障害など，症状が類似する疾患は多数．

診断・検査
- **問診**：十分な情報(病歴)を収集することおよび発作の現場を目撃することがてんかんの診断に最も有用．
- **脳波検査，画像検査(MRI, CT)**：てんかん確定診断(発作型および症候群，部分か全般か)．

表 18-1 てんかんの発作型に対する薬剤選択

発作型	第1選択薬	第2選択薬	慎重投与すべき薬剤
部分発作	・カルバマゼピン ・ラモトリギン ・レベチラセタム ・ゾニサミド ・トピラマート	・フェニトイン ・バルプロ酸 ・クロバザム ・クロナゼパム ・フェノバルビタール ・ガバペンチン ・ペランパネル ・ラコサミド	
強直間代発作 間代発作	・バルプロ酸 (妊娠可能年齢女性は除く)	・ラモトリギン ・レベチラセタム ・トピラマート ・ゾニサミド ・クロバザム ・フェノバルビタール ・フェニトイン ・ペランパネル	・フェニトイン
欠神発作	・バルプロ酸 ・エトスクシミド	・ラモトリギン	・カルバマゼピン ・ガバペンチン ・フェニトイン
ミオクロニー発作	・バルプロ酸 ・クロナゼパム	・レベチラセタム ・トピラマート ・ピラセタム ・フェノバルビタール ・クロバザム	・カルバマゼピン ・ガバペンチン ・フェニトイン
強直発作 脱力発作	・バルプロ酸	・ラモトリギン ・レベチラセタム ・トピラマート	・カルバマゼピン ・ガバペンチン

〔日本神経学会監:てんかん治療ガイドライン 2018, p31, 医学書院, 2018 より〕

C 治療(標準的処方例)

□ 治療方針は,発作の型により決定する(表 18-1).単剤治療で効果不十分の場合は多剤併用療法を行う.薬物の選択は病態(発作・脳波)や副作用も考慮する.

全般発作(強直間代発作)
1) バルプロ酸徐放錠(200 mg) 1日2~6錠を1~2回に分割
2) フェノバルビタール錠(30 mg) 1日1~6錠を1~4回に分割

□ バルプロ酸はすべての全般発作に効果があり第1選択薬である．欠神発作ではエトスクシミド，ミオクロニー発作ではクロナゼパムが第1選択薬となる．

部分発作
□ 以下のいずれか．
 1) カルバマゼピン錠(200 mg) 1回1～1.5錠 1日2回 朝夕食後
 2) レベチラセタム錠(500 mg) 1回1～3錠 1日2回 朝夕食後
□ 第1選択薬はカルバマゼピン，ラモトリギン，レベチラセタム，次いでゾニサミド，トピラマートが推奨される．

重積てんかん発作
□ Rp1)の後，発作抑制できない場合にRp2)または3)．
 1) ジアゼパム注 5～10 mg 5 mg/分
 2) ホスフェニトイン注 22.5 mg/kg(150 mg/分以下)
 3) フェノバルビタール注 15～20 mg/kg(100 mg/分以下)
□ けいれん発作が5分以上持続すれば治療を開始すべきで，30分以上持続すると後遺障害の危険性がある．まずジアゼパムやロラゼパムを投与し，発作が抑制できない場合に，ホスフェニトイン，フェノバルビタール，ミダゾラム，レベチラセタムのいずれかを投与する．それでも発作が抑制できなければ，人工呼吸管理下，ミダゾラム，プロポフォール，チオペンタール，チアミラールのいずれかを投与する．

D 薬剤師による薬学的ケア

処方チェック
① 処方薬
□ **用量調節のタイミング**：原則，単剤・少量から開始．発作の頻度，血中濃度などをみながら増減．
□ 肝機能・腎機能低下者では，減量が必要
　ガバペンチン，トピラマート，レベチラセタムなどは，腎機能に応じた減量が必要．
□ 小児における投与量が適正か確認．
□ 他の抗てんかん薬の併用の必要性を確認．
② 相互作用(表18-2)
□ 抗てんかん薬の併用時に注意．

表18-2 抗てんかん薬同士の相互作用

追加薬	元の抗てんかん薬の血中濃度													
	バルプロ酸	フェノバルビタール	カルバマゼピン	フェニトイン	ゾニサミド	クロナゼパム	クロバザム	エトスクシミド	ガバペンチン	トピラマート	ラモトリギン	レベチラセタム	ペランパネル	ラコサミド
バルプロ酸		↑↑	↓*1	↓				↑		↓	↑↑	↑		↓
フェノバルビタール	↓		↑↓	↑↓*2	↓	↓	↓				↓		↑↑	
カルバマゼピン	↓↓	↑↑		↑	↓↓	↓	↓	↓↓		↓↓	↓↓		↑↑	↓
フェニトイン	↓↓	↑↑	↓*1		↓	↓	↓	↓		↓↓	↓↓		↑↑	↓
ゾニサミド		↑	↑*3	↑										
クロナゼパム		↑	↑	↑										
クロバザム	↑↑	↑	↑*4	↑↑							↑			
エトスクシミド		↑		↑										
ガバペンチン		↑		↑								↑		
トピラマート		↑	↑	↑										
ラモトリギン			↑					↑						
レベチラセタム		↑	↑								↑			
ペランパネル		↑	↑	↑										
ラコサミド		↑		↑										

血中濃度：↑上昇，↓減少，↑↑著増，↓↓著減，著増・著減の場合はもとの抗てんかん薬の減量，増量を考慮．
*1：総濃度は減少するが，カルバマゼピンの活性代謝物のカルバマゼピンエポキシドは増加し，効果が強まるので増量は不要．
*2：総濃度は減少するが，非結合型は上昇し，効果が強まるので増量は不要．
*3：カルバマゼピンエポキシドは増加．
*4：カルバマゼピン，カルバマゼピンエポキシドともに増加．
[日本神経学会監：てんかん診療ガイドライン2018，医学書院，2018より]

- □ カルバマゼピン，フェニトイン，フェノバルビタール：代謝酵素が誘導され，併用薬の血中濃度低下．
- □ バルプロ酸：代謝酵素が阻害され，併用薬の血中濃度上昇．

③配合変化
- □ フェニトイン：強アルカリ性．糖液と混合で結晶析出．
- □ ジアゼパム：非水溶性溶媒を含むため，他の注射剤と混合しない．

服薬指導
- □ けいれん発作の抑制や予防を目的とするため，長期間の服用が必要となる．
- □ 薬物治療でコントロールできることが多いため，服薬アドヒアランスの重要性を理解させる．
- □ 服用を忘れた場合は，気付いた時点で服用．ただし，次の服用時間が近い場合は1回分飛ばす．2回分を一度に服用しない．
- □ バルプロ酸，フェニトイン，フェノバルビタール，トピラマート：奇形発現率が比較的高いため，避妊の必要性を伝える．
- □ 抗てんかん薬服用中は，自動車の運転など機械の操作は回避する．

治療・副作用モニタリング
- □ フェニトイン：治療濃度域で代謝が飽和し，急激に血中濃度が上がる可能性があるため，定期的にモニタリングする．次の式に従って，補正する．

$$補正血中濃度 = \frac{実測血中濃度}{(1-a) \times \dfrac{血清アルブミン値}{4.4} + a}$$

a：遊離型分率（= 0.1）

- □ 副作用の発現時，効果がみられない時，相互作用のある時など必要に応じて血中濃度測定を行う．血中濃度の治療域は目安として使用し，治療効果や副作用を見ながら投与量を調整する（**表18-3**）．
- □ 下記要因により発現する副作用に注意する．
  薬剤に対する特異体質：皮疹，まれに重篤な Stevens-Johnson 症候群，中毒性表皮融解壊死症など．
  用量依存的：めまい，眼振，複視，眠気など．
  長期服用：体重増加，歯肉増殖など．

表 18-3 抗てんかん薬の血中濃度測定の有用性と参考域の血中濃度

	抗てんかん薬	参考域の血中濃度
非常に有用	フェニトイン	7〜20 μg/mL
	ラモトリギン	2.5〜15 μg/mL
有用	カルバマゼピン	4〜12 μg/mL
	フェノバルビタール	15〜40 μg/mL
	バルプロ酸	50〜100 μg/mL
	ルフィナミド	30〜40 μg/mL
	ペランパネル	0.05〜0.4 μg/mL
ある程度有用	プリミドン	5〜12 μg/mL
	エトスクシミド	40〜100 μg/mL
	ゾニサミド	10〜40 μg/mL
	トピラマート	5〜20 μg/mL

〔日本神経学会監:てんかん診療ガイドライン 2018, 医学書院, 2018 より〕

E 処方提案のポイント

- 他科・他院処方も含めた薬剤情報を把握し,相互作用に関する情報の提供に努める.
- フェニトインによる血管痛がある場合は,ホスフェニトインへの変更を提案.
- 経口フェニトインから,ホスフェニトインへ一時的に切り替える場合は,経口フェニトイン 1 日量の 1.5 倍量を 1 日 1 回または分割して投与する.

参考文献

1) 日本神経学会監:てんかん診療ガイドライン 2018, 医学書院, 2018
2) 藤原建樹:新規抗てんかん薬を用いたてんかんの薬物治療ガイドライン. てんかん研究 28:48-65, 2010
3) 間々田久美子ほか:アルブミン値低下を伴ったてんかん患者のフェニトイン蛋白結合率の変動. 薬学雑誌 105:475-480, 1985

(池村 舞)

32 パーキンソン病

A パーキンソン病の疫学・病態
- 黒質ドパミンニューロンの変性を主体とした神経変性疾患.
- 日本における有病率は人口10万人あたり150人程度である.
- 発症年齢は50歳から65歳に多い.

B 患者の状態把握

症状
① 4大症状
- **静止時振戦**：静止時に丸薬を丸めるような細かい振戦が出現,動作とともに消失する.
- **無動**：動きが少ない,または動作が遅くなる.
- **筋強剛**：力を抜いて腕を他動的に伸展,屈曲させる際に抵抗を感じる.
- **姿勢保持障害**：進行期で出現,安定した姿勢を保つことが困難となる.

② 4大症状の他に,自律神経症状や精神神経症状が出現
- **自律神経症状**：起立性低血圧,便秘,排尿障害,発汗過多など.
- **精神神経症状**：抑うつ,不安,幻覚,認知症,睡眠障害など.

診断
- 厚生労働省特定疾患認定におけるパーキンソン病診断基準を以下に示す.4項目のすべてを満たした場合,パーキンソン病と診断.
    1) パーキンソニズムの存在（以下のいずれかに該当）
        - 典型的な左右差のある静止時振戦.
        - 筋強剛・無動・姿勢反射障害のうち2つ以上存在.
    2) 脳CTまたはMRIに特異的異常なし.他の原因(多発脳梗塞,著明な脳室拡大・大脳萎縮など)によるパーキンソニズムの否定.
    3) パーキンソニズムを起こす薬物・毒物(抗精神病薬,制吐薬,降圧薬など)への曝露がない.
    4) 抗パーキンソン病薬(レボドパ製剤,ドパミン受容体作動薬)にて症状が改善.

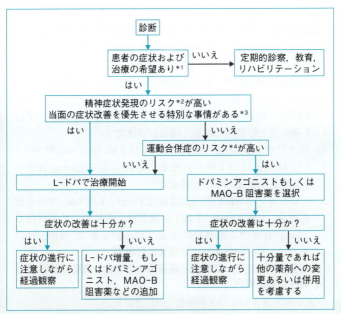

図 18-1 早期パーキンソン病治療のアルゴリズム
*1 背景，仕事，患者の希望などを考慮してよく話し合う必要がある
*2 認知症の合併など
*3 症状が重い(例えばホーン-ヤール Hoehn-Yahr 重症度分類で 3 度以上)，転倒リスクが高い，患者にとって症状改善の必要度が高い，など
*4 65 歳未満の発症など
〔日本神経学会監：パーキンソン病診療ガイドライン 2018, p107, 医学書院, 2018 より〕

□ 2015 年 International Parkinson and Movement Disorder Society (MDS)から新たな診断基準が提唱され，現在世界的に広まっている．

C 治療

初期(未治療)・早期患者の治療(図 18-1)
□ 症状の程度，日常生活の不自由さ，職業を勘案して薬剤を選択する．
□ 非高齢者で精神症状・認知機能障害を呈していない場合は，レボドパ製剤以外(ドパミン受容体作動薬および MAO-B 阻害薬)で

開始し,効果不十分な場合はレボドパ製剤を併用する.
- 麦角系ドパミン受容体作動薬は第1選択薬として使用しない.
- 高齢者,精神症状・認知機能障害のある場合,運動症状改善の必要性が高い場合はレボドパ製剤を選択する.

① 非高齢者で精神症状・認知機能障害を呈していない場合
1) ロピニロール塩酸塩徐放錠(2 mg・8 mg) 1回2 mg,1日1回から始め,2週目に4 mg/日.必要に応じ2 mg/日ずつ1週間以上の間隔で増量,16 mg/日まで.
2) ロチゴチン(4.5 mg) 1回1枚 1日1回(決まった時刻に) 1回4.5 mg,1日1回から始め,必要に応じ4.5 mg/日ずつ1週間毎に増量,36 mg/日まで.
3) セレギリン塩酸塩口腔内崩壊錠(2.5 mg) 1回2錠 1日1回朝食後 1回2.5 mg,1日1回朝食後から始め,必要に応じ2.5 mg/日ずつ2週間毎に増量,10 mg/日まで.5 mg/日以上では1日2回朝食および昼食後に服用.

② 高齢者,精神症状・認知機能障害のある場合,運動症状改善の必要性が高い場合

レボドパ・カルビドパ水和物錠(100・250 mg)
レボドパ量として1回100 mg,1日1〜3回から始め,必要に応じ100 mg/日ずつ毎日または隔日に増量,1,500 mg/日まで.

進行期患者の治療

- 運動症状の進行に伴い,レボドパ製剤もしくはドパミン受容体作動薬,MAO-B阻害薬などの追加を考慮.
- レボドパ製剤長期投与によるwearing off現象やジスキネジアなどの運動合併症対策が重要(wearing off現象:抗パーキンソン病薬の効果持続時間が短縮し,薬物血中濃度とともに症状が変動).
- **wearing off現象がある場合**
1) レボドパ・ベンセラジド合剤(100 mg) 1回1錠 1日5回 起床時,朝昼食後,16時,夕食後
2) エンタカポン錠(100 mg) 1回1錠 1日3回 毎食後
3) イストラデフィリン錠(20 mg) 1回1錠 1日1回
4) ゾニサミド錠(25・50 mg) 1回50 mg 1日1回

D 薬剤師による薬学的ケア

処方チェック

① 処方薬

- **レボドパ製剤**：空腹時投与で吸収速度が早くなり効果持続が短くなる．原則食後服用．
- **プラミペキソール徐放錠**：透析患者を含む高度な腎機能障害のある患者には禁忌．
- **アマンタジン塩酸塩錠**：腎機能に応じ投与間隔を延長．透析患者へは禁忌．
- **MAO-B 阻害薬**：MAO-B 阻害薬間での切り替えには 14 日間の間隔を置く．
- **レボドパ製剤，抗コリン薬，ドロキシドパ**：閉塞隅角緑内障患者へは禁忌．

② 相互作用

- **レボドパ製剤**：鉄剤との併用によりキレート形成．
- **MAO-B 阻害薬**：抗うつ薬やトラマドール塩酸塩との併用はセロトニン症候群の副作用発現のため禁忌．切り替えには適切な休薬期間が必要．

服薬指導

- 長期間服用する必要があるので，根気よく正しく服用できるよう指導する．
- 突然の中断によりパーキンソン症状の急激な悪化や，悪性症候群を生じることがある．
- 経皮吸収型ドパミン受容体作動薬は，決められた時刻に貼り替える．貼り替えを忘れたときは気づいたときに行い，次の貼り替えはいつもの時刻に行うよう指導する．
- エンタカポン，レボドパ製剤の尿や便の着色を事前に説明する（それぞれ赤褐色，黒色）．

治療・副作用モニタリング

- **非麦角系ドパミン受容体作動薬（ロピニロール，プラミペキソール）**：日中の過眠や突発的睡眠に注意が必要で，自動車の運転，機械の操作，高所作業等危険を伴う作業に従事させないよう注意する．こうした症例では服用開始直後に発現するとは限らないため，家族や介護者を含め注意するよう指導する．

- □ **麦角系ドパミン受容体作動薬**：投与前や投与中は，心エコー検査などにより心臓弁尖肥厚，狭窄などの心臓弁膜病変の有無を定期的に確認する．
- □ **経皮吸収型ドパミン受容体作動薬**：かゆみ，赤みなどの皮膚症状に注意する．

E 処方提案のポイント

- □ 抗パーキンソン病薬では，副作用（悪心・嘔吐などの消化器症状）が現れないよう，特に投与初期に用量の増減を提案する．中枢移行性が低いドンペリドンの追加も考慮する．
- □ **経皮吸収型ドパミン受容体作動薬**：皮膚症状の軽減および予防のため，保湿薬の使用を提案する．前日パッチを貼っていた場所と翌日パッチを貼る予定の場所をしっかりと保湿するよう指導する．症状が強ければ，ステロイド外用薬の併用を提案する．

参考文献
1) 日本神経学会監：パーキンソン病診療ガイドライン 2018，医学書院，2018
2) Postuma RB, et al：Mov Disord. 2015 Oct；30(12)：1591-601.(PMID：26474316)
3) Parkinson's disease in adults. NICE guideline. Published date：19 July 2017

（田中 郁壮）

33 脳血管障害

A 疫学・病態

- □ 脳の一部が虚血あるいは出血によって一過性もしくは持続性に障害された状態，または脳の血管が病理学的変化により障害された状態である（**表 18-4**）．
- □ 2019 年人口動態統計月報年計（確定数）では死因別死亡率 4 位である．
- □ 脳出血は 1960 年以降減少，現在は脳梗塞が脳血管疾患死亡数の半数以上を占める．

表 18-4 脳血管障害の分類および特徴

脳血管障害	無症候性脳血管障害		・無症候性脳梗塞,脳出血,脳動脈狭窄の存在
	局所性脳機能障害	一過性脳虚血発作	・局所的な虚血により生じる一過性神経機能障害 ・脳梗塞は伴わない
		脳卒中 — 脳出血	・高血圧が主要な原因 ・脳実質内に走行する穿通動脈の破綻により発症
		脳卒中 — くも膜下出血	・成人で脳動脈瘤破裂が主要な原因 ・中高年女性に好発
		脳卒中 — 脳梗塞	① アテローム血栓性脳梗塞 ・頭蓋内外主幹動脈の動脈硬化が原因 ・高血圧,糖尿病,脂質異常症などが危険因子 ② 心原性脳塞栓症 ・心房細動,心筋梗塞などにより心臓内に生じた血栓が塞栓子となり発症 ③ ラクナ梗塞 ・大脳基底核,視床,橋などの穿通枝領域に梗塞が起こり発症
	脳血管性認知症		認知症状他,局所神経症状を伴う
	高血圧性脳症		高血圧に伴う脳浮腫によりさまざまな神経症候を呈する

〔National Institute of Neurological Disorders and Stroke(NINDS)Ⅲ より〕

B 患者の状態把握

症状

① 脳梗塞

□ **アテローム血栓性脳梗塞**
- 症状が階段状に進行する経過をとり,夜間や安静時に発症することが多い.
- 約 20〜30％に一過性脳虚血発作の症状である一過性の脱力,片麻痺,しびれ,黒内障などが先行してみられる.

□ **心原性脳塞栓症**:日中活動期に突然の片麻痺,構音障害,失語や意識障害などで急激に発症する.

□ **ラクナ梗塞**
- 夜間睡眠中や起床時の発症が多い.
- 軽度の運動障害,感覚障害,構音障害などの神経症状がみられる.
- 意識障害や皮質症状(失語,失行,失認など)はみられない.

表 18-5 出血部位と症状

出血部位	症状
被殻	片麻痺,感覚障害,眼球共同偏視など
視床	感覚障害,片麻痺,眼球内下方偏位など
脳幹	四肢麻痺,呼吸障害,眼球正中位固定,瞳孔高度縮小など
小脳	後頭部痛,回転性めまい,嘔吐など
皮質下	てんかん発作,感覚性失語など

② 脳出血
- 活動時に突然発症することが多い.
- 頭蓋内圧亢進による頭痛,嘔吐,意識障害なども合併する.
- 出血部位により特徴的な症状が出現する(**表 18-5**).

③ くも膜下出血
- バットで殴られたような突然の激しい頭痛と頭蓋内圧亢進などにより強い悪心・嘔吐を伴う.

診断

① 脳梗塞
- **MRI**:超急性期の診断には MRI 拡散強調画像が有用である.
- **CT**:超急性期の脳梗塞を検出できないことが多い.

② 脳出血
- **CT**:急性期には血腫が高吸収域となることから,出血部位を確認することができる.

③ くも膜下出血
- **CT**:くも膜下腔に高吸収域が見られる.
- CT などで出血が認められなかった場合には髄液検査を行う.
- 脳動脈瘤破裂部位の特定に脳血管撮影を行う.

C 治療

脳梗塞
- 発症後 4.5 時間以内に投与を行う.
   アルテプラーゼ注 0.6 mg/kg 10%を急速投与,残りを 1 時間かけて投与
- 発症後 24 時間以内に脳保護作用を期待し投与を行う.

エダラボン注　1回30 mg　1日2回　点滴静注

① アテローム血栓性脳梗塞
□ **発症早期（発症後48時間以内）**：以下の薬剤を単独もしくは併用する．
1) アルガトロバン注　最初2日間1日60 mg　24時間持続点滴静注　3日目以降1回10 mg　1日2回　3時間かけて点滴静注
2) アスピリン錠（81 mg・100 mg）　1回160〜300 mg　1日1回
3) 抗血小板薬2剤併用療法
   アスピリン錠（81 mg・100 mg）　初回75〜300 mg　1日1回　以降75〜150 mg　1日1回
   クロピドグレル錠（25 mg・75 mg）　初回300 mg　1日1回　以降75 mg　1日1回

□ **再発予防（アテローム血栓性脳梗塞・ラクナ梗塞）**：以下の薬剤のうちいずれかを選択する．
1) アスピリン錠（81 mg・100 mg）　1回75〜150 mg　1日1回
2) クロピドグレル錠（25 mg・75 mg）　1回75 mg　1日1回
3) シロスタゾール錠（50 mg・100 mg）　1回100 mg　1日2回

② 心原性脳塞栓症
ヘパリン注　1日10,000〜15,000単位　持続静注
□ **再発予防**：ヘパリンの持続静注後，ワルファリンもしくは直接作用型経口抗凝固薬（DOAC）へ移行する．下記のうちいずれかを選択する．
1) ワルファリン錠（0.5 mg・1 mg）　1回1〜5 mg　1日1回
2) エドキサバン錠（15 mg・30 mg・60 mg）　1回60 mg　1日1回
3) リバーロキサバン錠（10 mg・15 mg）　1回15 mg　1日1回
4) ダビガトランカプセル（75 mg・110 mg）　1回150 mg　1日2回
5) アピキサバン錠（2.5 mg・5 mg）　1回5 mg　1日2回

脳出血
□ 脳出血急性期はCa拮抗薬などの微量点滴静注を用いて，早期に収縮期血圧140 mmHg未満に降下させることが推奨される．
ニカルジピン注　持続降圧のため0.5〜6 μg/kg/分　点滴静注

- □ 抗凝固療法中に合併した脳出血では，原則抗凝固薬を中止する．
- □ ワルファリンやダビガトラン内服中は下記薬剤による中和を考慮してもよい．
  1) ワルファリン内服中(PT-INR：2〜4)の場合
     人プロトロンビン複合体注　1回25 IU/kg　静注
  2) ダビガトラン内服中の場合
     イダルシズマブ注　1回5 g　点滴静注

くも膜下出血
- □ くも膜下出血後第4〜14病日に発生する遅発性脳血管攣縮予防として以下の薬剤を使用する．
  1) ファスジル注　1回30 mg　1日2〜3回　点滴静注
  2) オザグレル注　1日80 mg　持続静注

脳圧管理
- □ 頭蓋内圧上昇を呈している場合は，脳圧下降療法を行う．
  濃グリセリン・果糖配合製剤　1回200 mL　1日2〜4回　点滴静注

D 薬剤師による薬学的ケア

処方チェック
①処方薬
- □ アルテプラーゼ投与の際には，日本脳卒中学会による「rt-PA(アルテプラーゼ)静注療法適正治療指針」を確認．適応基準は**表18-6**を参照．
- □ エダラボン，DOAC(直接経口抗凝固薬)：重篤な腎機能障害のある患者には禁忌．
- □ DOAC服用時は腎機能，年齢，体重，相互作用を考慮し処方量を確認．

②相互作用
- □ **ワルファリン**：ビタミンK含有食品(クロレラ，納豆，青汁など)やサプリメントの併用により作用↓．
- □ **ダビガトラン，エドキサバン**：P糖蛋白阻害薬(ベラパミル，キニジンなど)の併用により作用↑．投与量を減量．

服薬指導
- □ 再発予防のためには処方薬剤の継続服用が必要であることを本人

表 18-6　アルテプラーゼ静注療法の適応基準（一部抜粋）

適応外（禁忌）となる以下の項目に該当していないか確認．
- 既往歴に非外傷性頭蓋内出血や 1 か月以内の脳梗塞などがある．
- 臨床所見でくも膜下出血（疑）や急性大動脈解離合併などがある．
- 血液所見（血糖など），CT/MRI 所見で異常が確認できる．

〔日本脳卒中学会　脳卒中医療向上・社会保険委員会：静注血栓溶解療法指針改訂部会：静注血栓溶解（rt-PA）療法 適正治療指針 第三版，2019 より〕

または家族に対して理解させる．
- □ 服薬している抗凝固薬の名前や中和剤の有無に関して本人や家族に覚えてもらう．
- □ 手術などにより抗凝固薬，抗血小板薬の一時休薬が必要になる場合があるため，他医療機関を受診の際には必ず服用薬剤を申し出るよう指導する．

治療・副作用モニタリング

- □ **DOAC**：出血リスクを正確に評価できる指標が確立されていないため，凝固能検査に限らず，出血・貧血の徴候に十分注意する．
- □ **アスピリン**：長期服用による胃腸障害に注意する．
- □ **シロスタゾール**：頻脈・動悸・頭痛の副作用発現に注意する．
- □ **ファスジル**：肝機能障害に注意する．

E 提案のポイント

- □ **ワルファリン**：ビタミン K の摂取低下・利用障害（経口摂取量低下，高齢者，肝障害，下痢など）により PT-INR 値が上昇する．患者状態も把握し，適宜 PT-INR 測定を依頼する．
- □ **服薬アドヒアランス不良患者**：ワルファリン，1 日 1 回投与であるリバーロキサバン，エドキサバンの選択を考慮する．
- □ **ダビガトラン**：脱カプセル・簡易懸濁が不可のため経管投与の患者に不適である．

参考文献

1) 日本脳卒中学会　脳卒中ガイドライン委員会：脳卒中治療ガイドライン，協和企画，2015（追補 2019）
2) Special report from the National Institute of Neurological Disorders and

Stroke：Classification of cerebrovascular diseases Ⅲ. Stroke 21：637-676, 1990
3) 日本脳卒中学会 脳卒中医療向上・社会保険委員会 静注血栓溶解療法指針改訂部会：静注血栓溶解(rt-PA)療法 適正治療指針 第三版. 2019 年 3 月 https://www.jsts.gr.jp/img/rt-PA03.pdf (2020 年 6 月 29 日閲覧)

(田中 郁壮)

34 認知症

A 疫学・病態

- 慢性あるいは進行性の脳疾患によって生じ，記憶，思考，見当識，理解，計算，学習，言語，判断など多数の高次脳機能の障害からなる症候群．
- 主なものにアルツハイマー型，非アルツハイマー型(レビー小体型，前頭側頭型)，脳血管性認知症がある．
- 2012 年時点のわが国の 65 歳以上における認知症有病者数は 462 万人で，2020 年には 600 万人台，2025 年には 700 万人に上ると推計され，有病者数は増加傾向である．疾患別ではアルツハイマー型が最も多く，次いで脳血管性，レビー小体型が多い．

B 患者の状態把握

原因
- 代表的なものにアルツハイマー病などの神経変性によるものや，脳梗塞などの脳血管障害によるものがある．その他にも多くの疾患が認知症を引き起こす(表 18-7)．

症状
① 中核症状
- **脳の障害により直接起こる認知機能障害**：記憶障害，見当識障害，失語，失行，失認，遂行機能障害など．
- **記憶障害**：近時記憶およびエピソード記憶などは障害されやすい．技能の記憶である手続き記憶は障害されにくく，晩期まで維持される．
- **見当識障害**：時間や場所，人物など周囲の状況を正しく認識する能力が障害されている状態．時間の見当識からはじまり，場所，

表 18-7 認知症の原因疾患

原因	疾患	原因	疾患
中枢神経変性疾患	・アルツハイマー病 ・前頭側頭型認知症 ・レビー小体型認知症/パーキンソン病 ・進行性核上性麻痺 ・大脳皮質基底核変性症	神経感染症	・急性ウイルス性脳炎 ・HIV感染症(AIDS) ・クロイツフェルト・ヤコブ病 ・亜急性硬化性全脳炎・亜急性風疹全脳炎 ・進行麻痺(神経梅毒)
血管性認知症(VaD)	・多発梗塞性認知症 ・戦略的な部位の単一病変によるVaD ・小血管病変性認知症 ・低灌流性VaD ・脳出血性VaD	内分泌異常症および関連疾患	・甲状腺機能低下症 ・下垂体機能低下症 ・副腎皮質機能低下症 ・副甲状腺機能亢進または低下症 ・クッシング症候群
脳腫瘍	・原発性脳腫瘍 ・転移性脳腫瘍	その他	・ミトコンドリア脳筋症 ・進行性筋ジストロフィー

〔日本神経学会監:認知症疾患診療ガイドライン2017, p7, 医学書院, 2017より〕

人物の順で障害される.
- **遂行機能障害**:ものごとを論理的に考え,計画し,実行に移す能力が障害される状態.複合的な行動ができなくなる.

②周辺症状(BPSD)
- 中核症状に付随して起きる2次的な症状.
- 行動症状(不穏,徘徊など)
- 心理症状(不安,幻覚・妄想など)

診断
- 病歴,現症,身体所見,神経心理検査,血液検査,画像検査などで鑑別診断を行う.
- 治療可能な認知症(treatable dementia:正常圧水頭症,脳血管障害,脳腫瘍など)を診断,除外が重要である.
- せん妄,うつ病(偽性認知症),妄想性障害,薬剤誘発性障害を除外する.

C 治療(標準的処方例)
- 治療方針として薬物療法,非薬物療法,リハビリテーション,介護がある.

- 薬物療法では，軽度・中等度の場合，アセチルコリンエステラーゼ阻害薬を1剤選択する．
- 中等度以上ではメマンチン併用可，重症例ではドネペジルを10 mgまで増量可．

アルツハイマー型認知症

①軽症から中等症アルツハイマー型認知症

ドネペジル錠(5 mg)　1回1錠　1日1回
- 消化器系副作用予防のため1日3 mg分1から開始し，1～2週間後に5 mgに増量．

ガランタミン錠(4 mg)　1回1錠　1日2回
- 1日8 mg分2から開始，4週間後に1日16 mg分2に増量，症状に応じて1日24 mg分2まで増量できる．

リバスチグミンパッチ製剤(4.5 mg)　1回1枚　1日1回
- 消化器系副作用が認められなければ，4週ごとに4.5 mgずつ漸増，維持量は1日18 mg

②中等症から重度アルツハイマー型認知症

1) ドネペジル錠(10 mg)　1回1錠　1日1回
2) メマンチン錠(5 mg)　1回1錠　1日1回

- ドネペジル錠は5 mgで4週間以上経過後，10 mgに増量する．
- メマンチン錠は副作用が認められなければ，1週ごとに5 mgずつ漸増，維持量は20 mg．

レビー小体型認知症

ドネペジル錠(10 mg)　1回1錠　1日1回
- 1日3 mg分1から開始し，1～2週間後に5 mgに増量，5 mgで4週以上経過後10 mgに増量．

D 薬剤師による薬学的ケア

処方チェック

①処方薬

- 投与初期の副作用を回避するために各薬剤が開始用量になっているか確認．
- 患者の症状に合わせた剤形(OD錠，内用液など)であるか確認．
- **メマンチン**：腎排泄型であり，高度腎機能障害者では維持量が10 mgとなっているか確認．

表 18-8　認知機能低下を誘発しやすい薬剤

向精神薬	向精神薬以外の薬剤	
・抗精神病薬 ・催眠薬 ・鎮痛薬 ・抗うつ薬	・抗パーキンソン病薬 ・抗てんかん薬 ・循環器病薬(ジギタリス, 利尿薬, 一部の降圧薬など) ・鎮痛薬(オピオイド, NSAIDs) ・副腎皮質ステロイド ・抗菌薬, 抗ウイルス薬 ・抗腫瘍薬	・泌尿器病薬(過活動膀胱治療薬) ・消化器病薬(H_2受容体拮抗薬, 抗コリン薬) ・抗喘息薬 ・抗アレルギー薬(抗ヒスタミン薬)

〔日本神経学会監:認知症疾患診療ガイドライン 2017, p47, 医学書院, 2017 より〕

② 相互作用
□ ドネペジル, ガランタミン:代謝に CYP3A4 および CYP2D6 が関与. イトラコナゾールやフルボキサミンなどの併用により血中濃度上昇(副作用増強の可能性).

服薬指導
□ 継続服用の必要性を理解させ, 家族への指導も必要.
□ リバスチグミンパッチ製剤は背部, 上腕部, 胸部のいずれかに貼付し, 24 時間毎に貼り替える.

治療・副作用モニタリング
□ アセチルコリンエステラーゼ阻害薬の低用量投与期は嘔気や軟便などの症状がみられやすい.
□ 高用量への増量後も同様に消化器症状への注意が必要.
□ 薬物が意識状態, 注意力, 記憶, 見当識, 行動などの認知機能に影響を及ぼすことがある. 認知機能低下をもたらす薬物(**表 18-8**)を併用する場合には, 躁・うつ症状, 不安・焦燥, せん妄などに注意.

E 処方提案のポイント

□ BPSD は患者, 家族, 介護者の負担増となるので, 症状に応じて抗精神病薬(リスペリドン, オランザピン, アリピプラゾール, クエチアピンなど)や抗うつ薬(SNRI, SSRI)を考慮する.
□ 睡眠障害, 焦燥性興奮, 幻覚・妄想などの症状に対し抑肝散の有用性が示されており, 副作用も抗精神病薬より少なく, BPSD に

対し必要に応じ処方提案する.
- □ レビー小体型に保険適応のあるものはドネペジルのみ. リバスチグミンやガランタミンなども有効性について報告があるが, 2020年12月時点では保険適用なし.

参考文献
1) 日本神経学会監：認知症疾患治療ガイドライン 2017, 医学書院, 2017
2) Ritchie CW, et al：Metaanalysis of randomized trials of the efficacy and safety of donepezil, galantamine, and rivastigmine for the treatment of Alzheimer disease. Am J Geriatr Psychiatry 12：358-369, 2004
3) Emre M, et al：Pooled analyses on cognitive effects of memantine in patients with moderate to severe Alzheimer's disease. Alzheimers Dis 14：193-199, 2008
4) 厚生労働科学特別研究事業 認知症に対するかかりつけ医の向精神薬使用の適正化に関する調査研究班：かかりつけ医のための BPSD に対応する向精神薬使用ガイドライン(第2版), 2016

〔入江 慶〕

第19章 精神疾患

35 うつ病

A うつ病の疫学・病態
- うつ病と単極型うつ病はほぼ同じ意味であり，DSM-5（米国精神医学会の診断・統計マニュアル）の大うつ病性障害におおむね対応する．
- 大うつ病性障害の12か月有病率は約3％，生涯有病率は約7％であり，発症率は男性に比べて女性で2倍程度高い．
- 脳内モノアミン神経（セロトニン，ノルアドレナリン，ドパミン）やストレス反応経路である視床下部-下垂体副腎系の機能不全が発症・病態に関与していると考えられる．また，生活上のストレスや養育環境といった外的要因や性格傾向といった心理社会的因子も深く関与している．

B 患者の状態把握

症状
- 気分の落ち込みといった精神症状のみならず睡眠障害や食欲変化等の身体症状も伴う．

診断・検査

①診断
- うつ病/大うつ病（以下うつ病）とは，①抑うつ気分，②興味または喜びの減退のいずれかが必須症状で，③思考障害，④睡眠障害，⑤食欲低下・亢進，⑥焦燥または行動制止，⑦疲労感・気力減退⑧無価値感・罪責感，あるいは⑨死についての反復思考がほとんど1日中，ほぼ毎日，2週間以上続き，それらの症状による全般的な機能（就労，家事，就学の困難など）の低下を伴う場合に，うつ病と診断される．
- **軽症**：上記9項目のうち，5項目をおおむね超えない程度に満た

す場合で，症状の強度もわずかな状態にとどまる．
- **中等度**：軽症と重症の中間に相当するもの．
- **重症**：上記9項目のうち，5項目をはるかに超えて満たし，症状は極めて苦痛で機能が顕著に損なわれている．
- うつ病性障害の診断基準は，1回以上のうつ病エピソードが存在し，精神病性障害や双極性障害を除外する．

② **検査**
- SCID-5(Structured Clinical Interview for DSM-5 Axis I Disorders)
- 症状評価尺度：BDI，SDS，SASS，HAM-D

C 治療（標準的処方例）

治療は精神療法，薬物療法，休養の3本柱．薬物療法は，抗うつ薬(**表19-1**)を十分量，十分な期間服用することが基本．

軽症の場合

- 第1選択薬は，SSRI，SNRI，NaSSAのいずれかで，少量から中等量投与する．

1) エスシタロプラム錠(10 mg)　1回1錠　1日1回　夕食後　1日最大20 mg
2) 塩酸セルトラリン錠(25 mg)　1回1～2錠　1日1回　夕食後　1日最大100 mg
3) パロキセチン徐放錠(12.5 mg)　1回1～2錠　1日2回　食後　1日最大50 mg
4) フルボキサミン錠(25 mg)　1回1～2錠　1日2回　食後　1日最大150 mg
5) ベンラファキシンカプセル(75 mg)　1日1～2カプセル　1日1回　食後　1日最大225 mgまで増量(1日37.5 mgを初期用量として漸増する)
6) デュロキセチンカプセル(20 mg)　1回1～2カプセル　1日1回　朝食後　1日最大60 mgまで増量
7) ミルナシプラン錠(25 mg)　1回1錠　1日2～3回　食後　1日最大100 mg
8) ミルタザピン錠(15 mg)　1回1～2錠　1日1回　就寝前　1日最大45 mg

表 19-1 主な抗うつ薬

種類	一般名	商品名
SSRI	フルボキサミン	デプロメール®, ルボックス®
	パロキセチン	パキシル®
	セルトラリン	ジェイゾロフト®
	エスシタロプラム	レクサプロ®
	ボルチオキセチン	トリンテリックス®
SNRI	ミルナシプラン	トレドミン®
	デュロキセチン	サインバルタ®
	ベンラファキシン	イフェクサー®
NaSSA	ミルタザピン	リフレックス®, レメロン®
三環系抗うつ薬	イミプラミン	トフラニール®
	クロミプラミン	アナフラニール®
	アミトリプチリン	トリプタノール®
	アモキサピン	アモキサン®
四環系抗うつ薬	マプロチリン	ルジオミール®
	ミアンセリン	テトラミド®
	セチプチリン	テシプール®
その他の抗うつ薬	スルピリド	ドグマチール®
	トラゾドン	レスリン®, デジレル®

SSRI：選択的セロトニン再取り込み阻害薬
SNRI：セロトニン・ノルアドレナリン再取り込み阻害薬
NaSSA：ノルアドレナリン作動性・特異的セロトニン作動性抗うつ薬

中等症

- □ 上記薬剤を最大量まで漸増する．それでも効果不十分の場合は，併用療法か三環系抗うつ薬を少量から開始し，下記量まで漸増する．
- □ **併用療法**：下記を SSRI，SNRI，NaSSA に追加する．
  アリピプラゾール錠（3 mg） 1回1～3錠 1日1回 食後
- □ **三環系抗うつ薬**：下記のいずれかを少量から開始し，下記量まで漸増する．

1) ノルトリプチリン錠(25 mg)　1回1〜2錠　1日2〜3回　食後
2) アミトリプチリン錠(25 mg)　1回1〜2錠　1日2〜3回　食後
3) クロミプラミン錠(25 mg)　1回1〜2錠　1日2〜3回　食後
4) イミプラミン錠(25 mg)　1回1〜2錠　1日2〜3回　食後

継続, 維持療法

□ 再燃・再発防止のため, 寛解後4〜9か月, またはそれ以上の期間急性期と同用量を維持する. 再発例では, 2年以上の維持療法が強くすすめられる. 減量あるいは中止の際には, 中止後症候群に注意しつつ緩徐に漸減していく.

D 薬剤師による薬学的ケア

処方チェック

① 処方薬

□ いずれの抗うつ薬も効果発現まで2週間程度はかかるため, 性急な増量には注意する.
□ 24歳以下への抗うつ薬の投与は, 自殺念慮やその関連行動が増加する危険性があるため, 十分な説明が必要.
□ ベンゾジアゼピン系薬の大量処方, 漫然処方に注意し, なるべく長期使用は避ける.

② 相互作用

□ 三環系抗うつ薬：抗コリン作用をもつ抗精神病薬や抗パーキンソン薬などとの併用で抗コリン作用↑(イレウス, 尿閉, せん妄などの発現頻度↑).
□ SSRI, SNRI, NaSSA, 三環系・四環系抗うつ薬：MAO阻害薬と併用禁忌.
□ フルボキサミン：CYP1A2の強力な阻害物質であり, チザニジン, ラメルテオンと併用禁忌. CYP2C19, CYP3A4に対しても阻害作用あり ➡ フェニトイン, カルバマゼピンなどの血中濃度↑.
□ SSRI, ミルタザピン, デュロキセチンなど：ワルファリンの作用↑の可能性.
□ エスシタロプラム：QT延長の報告があるため, 心血管系の障害を有する患者への投与には注意する.

服薬指導

□ 抗うつ薬は, 効果が発現するまでには2〜4週間を要する. 早急

な増量は注意を要する．また，副作用は服用後早期に発現するため，少量から漸増することを原則として患者への説明を要する．
- □ SSRIによる消化器症状は服用直後から生じる可能性もあり，十分説明しておく．
- □ デュロキセチンは慢性疼痛にも適応があるため，他の処方薬等から総合的に判断をする必要がある．
- □ 自己判断での減量・中止は，中止後症候群（後述）の発現や，再燃・再発の可能性が高くなるため服薬遵守を指導する．

治療・副作用モニタリング
①症状
- □ 緑内障，前立腺肥大症，心疾患の既往歴を確認．
- □ **三環系抗うつ薬，マプロチリン**：強いM_1受容体阻害作用あり➡緑内障，心筋梗塞の回復初期，尿閉（前立腺肥大）の患者には禁忌．
- □ **セロトニン症候群**：脳内セロトニン過剰により，軽躁，錯乱，高熱，ミオクローヌス，反射亢進などが出現．
- □ **activation syndrome**：抗うつ薬の投与開始初期や増量時に，不安，焦燥，パニック発作，不眠，易刺激性，敵意，衝動性，アカシジア，軽躁などが出現することあり．自殺行動との関連が疑われており十分注意が必要．
- □ **中止後症候群**：抗うつ薬の急激な減量や中止により，不安，焦燥，興奮，浮動性めまい，錯覚感，頭痛および悪心などの離脱症状が現れることがあるため，徐々に減量．

②薬剤
- □ **SSRI**：悪心嘔吐，下痢，性欲低下（セロトニン受容体刺激作用）など，QT延長，セロトニン症候群には注意が必要．
- □ **SNRI**：ミルナシプランは，尿閉（前立腺疾患）には禁忌．腎障害時に注意．デュロキセチンは，高度肝障害・腎障害，コントロール不良の閉塞隅角緑内障では禁忌．ベンラファキシンは，重度肝障害・腎障害には禁忌．
- □ **NaSSA（ミルタザピン）**：眠気，食欲亢進・体重増加（抗ヒスタミン作用）など．
- □ **三環系抗うつ薬**：口腔内乾燥，便秘，排尿困難，眼圧上昇（抗コリン作用），起立性低血圧（抗α_1作用）など，高齢者ではせん妄も注意．心毒性のリスクがあるものが多い．

- □ **四環系抗うつ薬，その他の抗うつ薬**：H_1 受容体阻害作用の強い薬剤（ミアンセリン，セチプチリン，トラゾドンなど）→眠気の副作用が現れやすく，睡眠導入剤としても使用．

E 処方提案のポイント

副作用対策
- □ 嘔気には制吐薬，消化管機能改善薬．便秘には各種下剤．排尿障害にはベタネコールやジスチグミンの使用を検討．

相互作用
- □ 複数科受診時の処方薬やサプリメントとの相互作用に注意．特に，セントジョーンズワートはセロトニン作用を有するため，SSRI・SNRI 併用時にはセロトニン症候群のリスク↑．

検査
- □ 汎血球減少症，肝機能障害，電解質異常，QT 延長症候群などのチェックのために，定期的な採血や心電図検査が必要．
- □ **リチウム**：TDM の施行が必要．チアジド系利尿薬，ACE 阻害薬，ARB，NSAIDs 等との併用でリチウム血中濃度↑．

参考文献
1) 福井次矢ほか：今日の治療指針 2020 年版，pp1066-1069，医学書院，2020
2) 樋口輝彦：今日の精神疾患治療指針第 2 版，pp115-122，医学書院，2016
3) 日本うつ病学会治療ガイドライン（Ⅱ．大うつ病性障害）2016
　（https://www.secretariat.ne.jp/jsmd/）

(藤原　智美)

36 統合失調症

A 統合失調症の疫学・病態
- □ 発症率は 0.8% 程度で，思春期・青年期に発症する．
- □ 男性にやや多く，発症年齢のピークは男性のほうがやや若い．
- □ **ストレス-脆弱性仮説**：個人が生来有する素因を生物学的脆弱性という概念で規定し，それによって決まる閾値以上の外的ストレスが加わると，精神症状が出現．
- □ **ドパミン皮質低下皮質下亢進仮説**：中脳辺縁系における機能亢進

が陽性症状と関連，中脳皮質系における機能低下が陰性症状と関連．

B 患者の状態把握
症状
- **陽性症状**：幻覚（特に幻聴），妄想，自我障害など
- **陰性症状**：感情鈍麻，意欲障害，引きこもりなど
- 注意や記憶，遂行機能などの認知機能障害

検査・診断
- 陽性症状や陰性症状が1か月存在し，学業・就労・対人関係などの機能の著しい低下のあるときに診断する．
- うつや躁などの気分障害が優勢であれば，統合失調症感情障害や気分障害などを鑑別する．自閉傾向や他者との感情の交流の低下などは，自閉スペクトラム症と発達障害との鑑別も有する．中年期以降の突然の発症は，脳症や全身身体疾患をまず疑う．

C 治療（標準的処方例）
主な抗精神病薬（表19-2）
初発治療
- 第2世代抗精神病薬のいずれかを選択．

1) アリピプラゾール錠(3mg)　1回1錠　1日1回　夕食後
2) パリペリドン錠(3mg)　1回1錠　1日1回　朝食後
3) ブロナンセリン錠(4mg)　1回1錠　1日2回　朝・夕食後
4) オランザピン錠(2.5mg)　1回1錠　1日1回　夕食後
5) リスペリドン錠(1mg)　1回1錠　1日1回　夕食後

- 治療有効用量下限を目標に設定し，2週間経過をみて反応がなければ増量する．反応が悪い場合にはアドヒアランスを確認する．4週間みても反応がなければ，薬剤の変更を検討する．部分的な反応があれば，副作用に注意しながら8週間は経過をみる．

維持療法
- 急性精神病エピソードの再燃・再発を目的として，急性期の治療で選択した薬剤による薬物治療を少なくとも1年以上継続する．服薬アドヒアランス不良や経口での服薬を好まない症例に，持効性注射薬を用いる場合がある．持効性注射薬を開始する前に内服

表 19-2 主な抗精神病薬

第1世代抗精神病薬 (FGAs)	フェノチアジン系	クロルプロマジン, レボメプロマジン, ペルフェナジン
	ブチロフェノン系	ハロペリドール, ブロムペリドール, ピモジド
	ベンザミド系	スルピリド, スルトプリド, チアプリド
第2世代抗精神病薬 (SGAs)	SDA	リスペリドン, ペロスピロン, パリペリドン
	DSA	ブロナンセリン
	DSS	アリピプラゾール
	SDAM	レキサルティ
	MARTA	オランザピン, クエチアピン, アセナピン
	ジベンゾチアゼピン系	クロザピン

FGAs:first generation antipsychotics, SGAs:second generation antipsychotics, SDA:serotonin-dopamine antagonist, DSA:dopamine-serotonin antagonist, DSS:dopamine system stabilizer, SDAM:serotonin-dopamine activity modulator, MARTA:multi-acting receptor targeted antipsychotics

で忍容性を確認し,開始後は血中濃度が安定するまでは経口薬を併用することもある.

治療抵抗性
- 2剤以上の抗精神病薬に反応しなければ,クロザピンが第1選択.無顆粒球症,心筋炎,糖尿病性ケトアシドーシスなどの重篤な副作用が報告されているため,使用に際しての制限が定められている.

D 薬剤師による薬学的ケア

処方チェック
①処方薬
- 第1選択は第2世代抗精神病薬の単剤使用.
- 抗精神病薬等価換算表(**表 19-3**)を参考にして,適正用量で使用されているか確認.
- 臨床症状,身体状態,既往歴(糖尿病,高血圧,肥満)などを考慮して,薬剤が適切であるかを判断.
- オランザピン,およびクエチアピンは糖尿病患者では禁忌.

表 19-3 抗精神病薬等価換算

アセナピン	2.5	チアプリド	100	プロクロルペラジン	15
アリピプラゾール	4	チミペロン	1.3		
持続性アリピプラゾール	100/4週	ネモナプリド	4.5	ブロナンセリン	4
		パリペリドン	1.5	プロペリシアジン	20
オキシペルチン	80	持続性パリペリドン	18.75/4週	ブロムペリドール	2
オランザピン	2.5			ペルフェナジン	10
クエチアピン	66	ハロペリドール	2	ペロスピロン	8
クロカプラミン	40	持続性ハロペリドール	30/4週	モサプラミン	33
クロザピン	50			リスペリドン	1
クロルプロマジン	100	ピパンペロン	200	持続性リスペリドン	10/2週
スピペロン	1	ピモジド	4		
スルトプリド	200	フルフェナジン	2	レセルピン	0.15
スルピリド	200	持続性フルフェナジン	7.5/2週	レボメプロマジン	100
ゾテピン	66				

〔日本精神科評価尺度研究会:抗精神病薬の等価換算 2017 年版より,http://jsprs.org/toukakansan/2017ver/〕

- □ 投与ルート,剤形,服用回数が個々の患者に適しているか確認.
- ②相互作用
- □ **オランザピン**:CYP1A2 の基質であり,カルバマゼピン,喫煙により血中濃度↓.
- □ **アリピプラゾール,クエチアピン,ペロスピロン,ブロナンセリン**:CYP3A4 の基質でありマクロライド系抗菌薬やアゾール系抗真菌薬,グレープフルーツジュースなどとの併用により血中濃度↑.

服薬指導

- □ 服薬により症状が軽減され,混乱した状態が改善されることを説明し,無理のない服薬を継続するために指導を行う.
- □ 眠気,口渇,便秘など出現しやすい副作用と対処法についてあらかじめ説明する.
- □ アセナピンの舌下投与は,2 分で約 80%程度が吸収される.また

苦味，舌上で溶かすとしびれを強く感じることがあるため，舌下投与をすすめている．

▎治療・副作用モニタリング
① 症状
□ 錐体外路症状
- 定型抗精神病薬では高頻度に発現．
- パーキンソニズム（振戦，寡動または無動，筋強剛など），ジストニア（筋緊張異常による奇異な姿勢や運動，斜頸，眼球上転など），アカシジア（静座不能，それに伴う焦燥，不安など）がある．
- **抗精神病薬の変更や減量，抗コリン薬の投与で対処**：遅発性ジスキネジア（抗精神病薬を長期使用後に出現する口頰部，舌，下顎などの不規則な不随意運動）の場合は，抗コリン薬投与により症状悪化．
- 抗精神病薬の減量または中止，非定型抗精神病薬へ切り替え．

□ 悪性症候群
- 高熱，錐体外路障害，意識障害，CPKの上昇，発汗，尿閉などの自律神症状が出現．抗精神病薬の開始・増量・減量時に起こりやすく，治療が遅れると致命的．
- 抗精神病薬の中止，全身モニタリング，補液による脱水と電解質異常の補正，ダントロレン静脈投与．

□ **高血糖，糖尿病性ケトアシドーシス，糖尿病性昏睡**：MARTA（多元受容体作用抗精神病薬）は糖尿病および糖尿病既往の患者に禁忌．他の非定型抗精神病薬でも体重増加，高血糖には早期から注意が必要．

□ **高プロラクチン血症**：ドパミンD_2受容体遮断により，血中プロラクチン↑．乳汁分泌，月経不順などが出現．リスペリドン，スルピリドで特に注意．

□ **心電図異常**：QT延長，torsades de pointesを含む心室頻拍があり注意を要する．

□ **血球減少**：抗精神病薬により顆粒球減少，無顆粒球症が起きることがある．

② 受容体に対する薬理作用（表19-4）

表 19-4 受容体に対する抗精神病薬の薬理作用と治療効果，副作用

受容体	作用様式	治療効果	副作用関連
ドパミン D_2 受容体	拮抗	陽性症状を改善	・錐体外路症状を惹起 ・血中プロラクチンを上昇
ドパミン D_3 受容体	拮抗	連合学習（認知機能），意欲を改善	—
セロトニン $5-HT_{1A}$ 受容体	刺激	陰性症状・認知機能を改善 うつ・不安症状を改善	錐体外路障害を軽減
セロトニン $5-HT_{2A}$ 受容体	拮抗	陰性症状を改善 睡眠の質を改善	・錐体外路障害を軽減 ・血中プロラクチン上昇を軽減
セロトニン $5-HT_{2C}$ 受容体	拮抗	うつ・不安症状を改善	食欲・体重増加を惹起
セロトニン $5-HT_{6/7}$ 受容体	拮抗	認知機能を改善	—
アドレナリン $α_1$ 受容体	拮抗	—	過鎮静，起立性低血圧を惹起
アドレナリン $α_2$ 受容体	拮抗	うつ・不安症状を改善	—
ヒスタミン H_1 受容体	拮抗		過鎮静，傾眠，体重増加を惹起
ヒスタミン H_2 受容体	拮抗		体重増加を軽減
ムスカリン M_1 受容体	拮抗	—	・体重増加，糖代謝異常を惹起 ・抗コリン性副作用を惹起

〔根本英一：薬局 2016 Vol.67, No.12, p25, 南山堂より〕

E 処方提案のポイント

検査
□ **MARTA**：投与前の血糖値，HbA1cの確認は必須であり，投与後も定期的な測定が望ましい．
□ 副作用の早期発見のため血球数，空腹時血糖，脂質，肝機能値などのモニタリングを行う．

処方提案
□ 等価換算により抗精神病薬の投与量を把握し，多剤・大量となっていないか確認．

- □ 不安・不眠のある場合は，抗不安薬や睡眠導入薬の併用を提案．
- □ 糖尿病の既往や家族歴があればMARTAの使用は避ける．
- □ 嚥下困難時にはアセナピン舌下錠やブロナンセリンテープなど剤形変更も考慮する．
- □ 錐体外路系副作用が出現した場合は，ビペリデンなどの抗コリン薬の併用を提案．

相互作用
- □ 一般用医薬品（総合感冒薬，抗アレルギー薬など），食品や嗜好品（グレープフルーツジュース，アルコール，喫煙，セントジョーンズワートなど）との相互作用も多いため，必要に応じて情報提供を行う．

参考文献
1) 福井次矢ほか：今日の治療指針2020年版，pp1060-1066，医学書院，2020
2) 樋口輝彦：今日の精神疾患治療指針第2版，pp58-78，医学書院，2016
3) 日本精神神経薬理学会：統合失調症薬物治療ガイドライン

（藤原 智美）

37 せん妄

A 疫学・病態
- □ 入院患者の有病率は10～30％で，術後患者では約50％に発症し，ICU管理を要する重症患者では約80％に合併する．
- □ 軽度から中等度の意識障害を伴う外因性精神障害．急速に発症し，症状が動揺性で日内変動がある．
- □ ADLなどの機能的な予後や，中長期的な生命予後を悪化させる．
- □ 転倒やライン抜去といったリスクを増大させ，医療者の疲弊および入院の長期化による医療コストの増加につながる．

B 患者の状態把握

原因
- □ **準備因子**：高齢，身体的合併症，認知症，アルコール依存症，せん妄の既往など．
- □ **直接因子**：手術，脳疾患，感染症，電解質異常，薬剤（**表19-5**）など．

表 19-5　せん妄を引き起こしやすい薬剤

パーキンソン病治療薬	レボドパ，ブロモクリプチン，アマンタジンなど
抗コリン作用薬	ビペリデン，トリヘキシフェニジル，ブチルスコポラミン，オキシブチニンなど
三環系抗うつ薬	イミプラミン，アミトリプチリン，クロミプラミン，アモキサピンなど
ベンゾジアゼピン受容体作動薬	トリアゾラム，ニトラゼパム，ジアゼパム，ロラゼパム，エチゾラム，ゾルピデムなど
抗菌薬	アミノグリコシド系，セフェム系，テトラサイクリン系，バンコマイシンなど
抗ウイルス薬	アシクロビル，ガンシクロビルなど
抗がん薬	フルオロウラシル，シタラビンなど
H_2 ブロッカー	シメチジン，ラニチジン，ファモチジンなど
循環器系薬	プロプラノロール，ジギタリス製剤など
その他	副腎皮質ステロイド薬，オピオイド系鎮痛薬，インターフェロンなど

□ **促進因子**：環境変化(明るさ・騒音)，便秘，疼痛，不眠など．

症状
□ 場所や時間の感覚が正常ではなく会話のつじつまが合わず，人の識別もできなくなる．
□ 不眠，記憶障害，妄想，幻覚，不安，焦燥，興奮，易怒性などの精神症状を呈する．
□ 低活動型せん妄では傾眠や身体活動性の低下，過活動型せん妄では興奮や徘徊などの症状が見られる．

診断/評価
□ **DRS-R-98**：せん妄の診断．
□ **MDAS**：せん妄の重症度評価．

スクリーニング
□ **DST**：11 項目を評価，感度が高い．
□ **CAM-ICU**：4 項目を評価，ICU におけるせん妄評価．

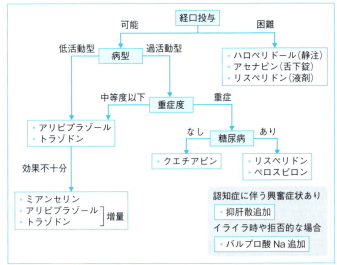

図 19-1 せん妄発症時の薬剤選択フローチャート
〔和田健:せん妄の臨床,新興医学出版社,2019 より〕

C 治療(標準的処方例)

① 不眠症状対策

□ ベンゾジアゼピン受容体作動薬の減量・中止を検討.

1) ラメルテオン錠(8 mg)　1回1錠　1日1回　夕食後
   (※フルボキサミン併用禁忌)
2) スボレキサント錠(15 mg)　1回1錠　1日1回　眠前または不眠時(※ CYP3A4 を強く阻害する薬剤は併用禁忌)

➡ 年齢,症状により適宜増減

□ ベンゾジアゼピン受容体作動薬の急な減量・中止により離脱症状をきたす可能性があるため,薬剤の種類・量および服用期間に応じて判断が必要.

② 内服困難の場合

□ せん妄発症時の薬剤選択フローチャートを**図 19-1** に示す.

1) ハロペリドール注　1回 2.5〜5 mg　眠前または不眠・不穏時
2) アセナピン舌下錠(5 mg)　1回1錠　1日1回　夕食後
   (※水なしで投与,舌下投与後10分間は飲食禁止)

③ せん妄症状対策
1) ペロスピロン錠　1回2〜8 mg　1日1回　眠前　または
　　1日2回　夕・眠前
2) クエチアピン錠　1回10〜20 mg　1日1回　眠前　または
　　1日2回　夕・眠前
3) リスペリドン錠　1回0.5〜2 mg　1日1回　眠前　または
　　1日2回　夕・眠前
4) トラゾドン錠　1回25〜50 mg　1日1回　眠前　または
　　1日2回　夕・眠前

④ ③の処方で改善しない場合(症状に応じて)
□ 中途覚醒・熟眠感のなさ
1) トラゾドン錠 25〜50 mg を追加
2) ミアンセリン錠　1回5〜10 mg　1日1回　眠前へ変更
□ その他
1) クエチアピン錠　1回20〜40 mgへ増量(夜間不穏が続く)
2) 抑肝散2〜3包を追加(認知症に伴う興奮)
3) バルプロ酸Na錠 100〜400 mg を追加(イライラ時)

⑤ 低活動型せん妄
アリピプラゾール錠　1回3〜6 mg　1日1回　夕食後
状況に応じて12 mg まで増量

⑥ アルコール離脱せん妄[1)]
1) ジアゼパム錠(5 mg)　1回1錠　1日3回　毎食後(漸減中止)
　　重度の肝障害がある場合は，グルクロン酸抱合による代謝の
　　ロラゼパムを選択．
2) ロラゼパム錠(1 mg)　1回1錠　1日3回　毎食後(漸減中止)

□ 準備因子を確認しせん妄リスクに応じて，ラメルテオンやスボレキサントの予防投薬も検討．
□ 追加した薬剤は直接因子が取り除かれていることを確認し，経過観察を行いながら4〜5日毎に漸減・中止を考慮．

D 薬剤師による薬学的ケア

処方チェック・服薬指導
□ 直接因子となる薬剤の開始・増量のタイミングでせん妄症状の発現がないか確認．

□ 糖尿病に対しクエチアピンやオランザピンは禁忌.
□ せん妄症状に使用する薬剤には相互作用や禁忌・慎重投与などの薬剤が多いため該当する既往歴や併用薬がないかを確認.
□ 肝機能や腎機能の低下により代謝・排泄が遅延する薬剤の投与量に注意.
□ パーキンソン病を有する場合はパーキンソン症状を悪化させにくいクエチアピンが推奨される[2].

治療/副作用モニタリング
□ 抗精神病薬を使用する際は錐体外路症状(アカシジア,遅発性ジスキネジアなど)に注意.
□ 抑肝散は甘草を含むため,偽アルドステロン症に伴う低K血症に注意(漢方薬の併用による甘草の重複に注意).
□ バルプロ酸Naによる高NH_3血症に注意.

E 処方提案のポイント
□ 直接因子となる薬剤を確認し,変更・中止を検討.
□ 電解質異常がある場合は原因となる薬剤を確認.
□ オピオイドが原因として疑われる際には,オピオイドスイッチングを考慮.
□ 患者の睡眠状況やせん妄の重症度を把握し,症状に合った作用強度・作用時間の薬剤を選択.
□ せん妄の要因は多岐にわたるため,多職種チームで患者の情報を共有して治療に臨む.

参考文献
1) 寺田整司:高齢者せん妄の薬物治療. 日老医誌 51(5):428-435, 2014
2) 日本神経学会:パーキンソン病診療ガイドライン 2018, 医学書院, 2018
3) 和田健:せん妄の臨床, 新興医学出版社, 2019

(冨田 秀明)

第20章 皮膚科疾患

38 アトピー性皮膚炎

A 疫学・病態
- 掻痒のある湿疹を主病変とする疾患.
- 患者の多くはアトピー素因をもつ.
- **アトピー素因**:家族歴・既往歴(気管支喘息,アレルギー性鼻炎・結膜炎,アトピー性皮膚炎),IgE抗体を産生しやすい.
- 幼小児期(0〜5歳),青年期(21〜25歳)をピークとする2相性の分布.
- 発症には遺伝的要因と環境的要因(主に食物・アレルゲン)が関与.

B 患者の状態把握
症状
- 掻痒があり,皮疹の分布は左右対称性で年齢的な特徴がある.
- **乳児期**:顔面や頭部を中心とした紅斑または丘疹や耳切れ.
- **幼小児期**:頸部や四肢関節部.
- **思春期および成人期**:上半身に乾燥性皮膚や枇糠様落屑を伴う毛孔性角化性丘疹.

検査・診断
- 掻痒,特徴的皮疹と分布,慢性・反復性経過の3基本項目を満たし,症状の軽重を問わない.
- 年齢や経過を参考にして診断.
- **血液検査**:血清IgE値,末梢血好酸球数,血清LDH値,TARC (thymus and activation-regulated chemokine)値,SCCA2(Squamous cell carcinoma antigen 2)値.

C 治療(標準的処方例)
- **治療目標**:症状がないかあっても軽微で日常生活に支障がなく,

表 20-1 ステロイド外用薬の分類

薬効	一般名(代表的な商品名)
ストロンゲスト	• クロベタゾールプロピオン酸エステル(デルモベート®) • ジフロラゾン酢酸エステル(ジフラール®, ダイアコート®)
ベリーストロング	• モメタゾンフランカルボン酸エステル(フルメタ®) • ベタメタゾン酪酸エステルプロピオン酸エステル(アンテベート®) • フルオシノニド(トプシム®) • ベタメタゾンジプロピオン酸エステル(リンデロン-DP®) • ジフルプレドナート(マイザー®) • アムシノニド(ビスダーム®) • 吉草酸ジフルコルトロン(テクスメテン®, ネリゾナ®) • 酪酸プロピオン酸ヒドロコルチゾン(パンデル®)
ストロング	• デプロドンプロピオン酸エステル(エクラー®) • プロピオン酸デキサメタゾン(メサデルム®) • デキサメタゾン吉草酸エステル(ボアラ®) • ベタメタゾン吉草酸エステル(リンデロンV®, ベトネベート®) • フルオシノロンアセトニド(フルコート®)
マイルド	• 吉草酸酢酸プレドニゾロン(リドメックス®) • トリアムシノロンアセトニド(レダコート®) • アルクロメタゾンプロピオン酸エステル(アルメタ®) • クロベタゾン酪酸エステル(キンダベート®) • ヒドロコルチゾン酪酸エステル(ロコイド®) • デキサメタゾン(グリメサゾン®, オイラゾン®)
ウィーク	• プレドニゾロン(各種プレドニゾロン軟膏, クリームなど)

〔日本皮膚科学会編:アトピー性皮膚炎診療ガイドライン2018. 日皮会誌 128:2431-2502, 2018 より〕

薬物療法をあまり必要としない状態に到達しその状態を維持すること.
- 重症度分類に基づき段階的な薬物療法を行う.
- 保湿および保護を目的とした外用薬とステロイド外用薬(**表20-1**)の併用が基本.
- **リアクティブ療法**:再燃をよく繰り返す皮疹に対して,再燃した時にのみステロイド外用薬やタクロリムス外用薬を使って炎症をコントロールする方法(従来法).
- **プロアクティブ療法**:寛解導入した後に保湿外用薬によるスキンケアに加え,ステロイド外用薬やタクロリムス外用薬を定期的

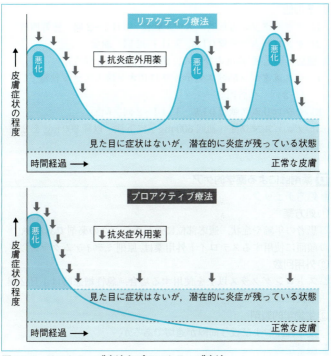

図 20-1 リアクティブ療法とプロアクティブ療法
〔日本皮膚科学会編:アトピー性皮膚炎診療ガイドライン 2018. 日皮会誌 128, 2461, 2018 より〕

(週2回など)に塗布し寛解状態を維持する方法(**図 20-1**).

■ 軽症(痒みのない乾燥症状が主体)
□ 以下のいずれか.
 1) ヘパリン類似物質含有クリームまたはローション 1日1~2回
 2) 白色ワセリン軟膏 1日1~2回

■ 中等症(紅斑,びらん,鱗屑,掻破痕を伴う)
① 小児
 1) ヒドロコルチゾン酪酸エステル軟膏 1日1~2回 体幹四肢
 2) タクロリムス軟膏 0.03% 1日1~2回 顔面

②その他
1) ベタメタゾン吉草酸エステル軟膏　1日1〜2回　体幹四肢
2) タクロリムス軟膏0.1%　1日1〜2回　顔面

重症・最重症(高度のびらん,鱗屑,搔破痕を伴う)
1) ベタメタゾン酪酸エステルプロピオン酸エステル軟膏　1日1〜2回　体幹四肢
2) タクロリムス軟膏0.1%　1日1〜2回　顔面
3) デュピルマブ注　初回600 mg　皮下注　以降300 mgを2週間隔

D 薬剤師による薬学的ケア

処方チェック
①処方薬
□ 患者の年齢や症状,適応部位に適したランクの薬剤であるか.
□ 顔面に使用するステロイド外用薬は,原則ミディアムクラス以下.
②外用回数
□ ストロングクラス以上を使用する場合,急性増悪時は1日2回,軽快後は1回.
③生物学的製剤
□ 投与経路および投与間隔が適切であるか.

服薬指導
□ 複数のステロイド外用薬が処方されている場合は,塗布部位を間違わないように指導する(皮膚からの薬剤の吸収は部位によって異なる).
□ ステロイド外用薬は,適正使用下であれば全身副作用の問題はないことを説明しアドヒアランスの向上を図る.
□ 軽微な皮膚症状に対しても外用療法を継続する必要があり,保湿外用薬の使用などスキンケアは重要である.
□ 外用薬の使用前後には必ず手を洗うように徹底する.
□ 症状が寛解しても保湿外用薬に加えステロイド外用薬やタクロリムス外用薬を定期的に塗布するよう指導する(プロアクティブ療法).
□ **デュピルマブ**:皮膚症状のない部位に注射し,アレルギー反応や紅斑など注射部位反応を観察する.注射ごとに部位を変える.

治療・副作用モニタリング
- **ステロイド外用薬**：局所的に皮膚萎縮，毛細血管拡張，ステロイドざ瘡，ステロイド潮紅，多毛，皮膚萎縮線条，細菌・真菌・ウイルス性皮膚感染症などを生じることがあり，適宜休薬．
- **タクロリムス**：外用開始時の皮膚刺激感と皮膚の局所感染症．灼熱感，掻痒などの皮膚刺激感は，症状の改善に伴って軽減，消失することが多い．日光や不必要な紫外線を避ける．

E 処方提案のポイント
- 1～2週間を目安に重症度を評価し，治療薬の変更を医師と検討．

参考文献
1) 日本皮膚科学会編：アトピー性皮膚炎診療ガイドライン2018．日皮会誌 128：2431-2502, 2018

（藤田 拓俊）

39 乾癬

A 疫学・病態
- 慢性に経過する炎症性角化症．
- 罹患率は0.1％，男女比は2：1．
- 発症には遺伝的素因と環境要因が関与する．

B 患者の状態把握
症状
- 皮疹のない健常部に摩擦刺激を加えると乾癬皮疹が誘導される（ケブネル現象）．
- 尋常性乾癬，関節症性乾癬，滴状乾癬，乾癬性紅皮症，膿疱性乾癬の病型に分類（**表20-2**）．

検査・診断
- **関節症性乾癬**：リウマチと区別するために血清リウマチ因子を測定する．
- 重症度は皮疹面積（BSA：body surface area）やPASI（psoriasis area and severity index）スコアにより評価する．

表20-2 各病型の特徴および頻度

病型	特徴	頻度(%)
尋常性乾癬	境界明瞭な扁平に隆起した紅斑性局面で銀白色の鱗屑を伴う．好発部は被髪頭部，四肢伸側，腰臀部である．	85〜90
関節症性乾癬	乾癬に血清リウマチ反応陰性の関節炎を合併する．	5
滴状乾癬	溶連菌による咽頭炎や扁桃炎に続発し，乾癬皮疹が出現する．小児に多い．	2〜3
乾癬性紅皮症	乾癬皮疹が全身に及ぶ．低蛋白血症，電解質異常を伴う場合あり．	1
膿疱性乾癬	急激な発熱とともに全身の皮膚が潮紅し，無菌性膿疱が多発する．低蛋白血症，電解質異常，脱水をきたす．	1

□ 患者側に立ったQOLの評価も加味する．

C 治療(標準的処方例)

主な治療法
□ 外用療法，内服療法，光線療法や生物学的製剤療法(表20-3)があり，基本は外用療法である．
□ ステロイド外用薬とビタミン D_3 外用薬の併用で寛解導入を図り，ビタミン D_3 外用薬中心の治療で寛解を維持．
□ 軽症〜中等症では外用療法が第一選択，中等症〜重症では内服療法または生物学的製剤を追加する．

軽症〜中等症
□ 以下のいずれか，またはステロイド外用薬〔Rp1)〜3)〕とビタミン D_3 外用薬〔Rp4)〜6)〕の併用．

①ステロイド外用薬
 1) ベタメタゾン酪酸エステルプロピオン酸エステル軟膏 1日1〜2回
 2) プロピオン酸デキサメタゾン軟膏 1日1〜2回
 3) ベタメタゾンジプロピオン酸エステル軟膏 1日1〜2回

②ビタミン D_3 外用薬
 4) カルシポトリオール軟膏 1日1〜2回

表 20-3 乾癬で使用可能な生物学的製剤

薬剤名 (商品名)	標的	投与 経路	投与間隔	尋常性 乾癬	関節症 性乾癬	乾癬性 紅皮症	膿疱性 乾癬
アダリムマブ (ヒュミラ®)	TNF-α	皮下 注射	2週間隔	○	○	×	○
インフリキシマブ (レミケード®, インフリキシマブBS)	TNF-α	点滴 静注	0, 2, 6週目 以降8週間隔	○	○	○	○
セルトリズマブ ペ ゴル(シムジア®)	TNF-α	皮下 注射	2週間隔 症状安定後2週 または4週間隔	○	○	○	○
イキセキズマブ (トルツ®)	IL-17A	皮下 注射	0, 2, 4, 6, 8, 10, 12週目 以降4週間隔	○	○	○	○
セクキヌマブ (コセンティクス®)	IL-17A	皮下 注射	0, 1, 2, 3, 4週目 以降4週間隔	○	○	×	○
ブロダルマブ (ルミセフ®)	IL-17 受容体A	皮下 注射	0, 1, 2週目 以降2週間隔	○	○	○	○
ウステキヌマブ (ステラーラ®)	IL-12/23 p40	皮下 注射	0, 4週目 以降12週間隔	○	○	×	×
グセルクマブ (トレムフィア®)	IL-23 p19	皮下 注射	0, 4週目 以降8週間隔	○	○	○	○
リサンキズマブ (スキリージ®)	IL-23 p19	皮下 注射	0, 4週目 以降12週間隔	○	○	○	○

5) タカルシトール軟膏 1日1～2回
6) マキサカルシトール軟膏 1日1～2回

中等症～重症
□ 以下のいずれかを追加.
1) シクロスポリンカプセルまたは内用液 2.5 mg/kg 1日1回
2) エトレチナートカプセル 0.25～0.5 mg/kg 1日2回で開始, 症状軽減とともに漸減
3) アプレミラスト錠 以下の通り経口投与し, 6日目以降は1回30 mg 1日2回

1日目	2日目		3日目	
朝	朝	夕	朝	夕
10 mg	10 mg	10 mg	10 mg	20 mg

4日目		5日目		6日目以降	
朝	夕	朝	夕	朝	夕
20 mg	20 mg	20 mg	30 mg	30 mg	30 mg

4) インフリキシマブ注　1回5 mg/kg　点滴静注　初回, 2, 6週目, 以降8週間隔
5) アダリムマブ注　初回80 mg　皮下注　以降40 mgを2週間隔
6) ウステキヌマブ注　1回45 mg　皮下注　初回, 4週目, 以降12週間隔
7) セキヌマブ注　1回300 mg（体重60 kg以下の場合1回150 mgを考慮）　皮下注　初回, 1, 2, 3, 4週目, 以降4週間隔
8) ブロダルマブ注　1回210 mg　皮下注　初回, 1, 2週目, 以降2週間隔
9) イキセキズマブ注　初回160 mg　皮下注　以降80 mg（2〜12週目まで：2週間隔, 以降4週間隔）
10) グセルクマブ注　1回100 mg　皮下注　初回, 4週目, 以降8週間隔
11) リサンキズマブ注　1回150 mg　皮下注　初回, 4週目, 以降12週間隔
12) セルトリズマブ ペゴル注　1回400 mg　皮下注　2週間隔（症状安定後は1回200 mgを2週間隔, または1回400 mgを4週間隔）

痒みがある場合

□ 以下のいずれか.
1) オロパタジン塩酸塩錠（5 mg）　1回1錠　1日2回　朝夕食後
2) レボセチリジン塩酸塩錠（5 mg）　1回1錠　1日1回　朝食後

D 薬剤師による薬学的ケア

処方チェック

①外用薬
- **ステロイド製剤**：患者の年齢や症状，適応部位に適したランクの薬剤か．
- **ビタミン D_3 製剤**：適応症および使用方法が正しいか．

②生物学的製剤
- 適応症，投与経路および投与間隔が適切か．

服薬指導

- **各ステロイド外用薬**：作用の強度，部位による吸収の違い．
- **ビタミン D_3 外用薬**：効果発現まで1〜2週間の継続的な外用が必要であることを指導．
- **シクロスポリン**：セントジョーンズワート含有食品，グレープフルーツジュースの摂取は避ける．
- **アダリムマブ，ウステキヌマブ，セクキヌマブ，ブロダルマブ，イキセキズマブ，グセルクマブ，リサンキズマブ，セルトリズマブ ペゴル**：皮膚症状のない部位に注射し，アレルギー反応や紅斑など注射部位反応を観察する．注射ごとに部位を変える．

治療・副作用モニタリング

- **ステロイド外用薬**：局所的に皮膚萎縮や毛細血管拡張，紫斑，多毛，毛囊炎，ざ瘡，酒さ様皮膚炎などが生じることがある．
- **ビタミン D_3 外用薬**：皮膚刺激があるが，一過性である（顔で症状が強く出る場合あり）．腎機能低下患者や高齢者，脱水時などに広範囲に使用すると高 Ca 血症を誘発することがある．
- **シクロスポリン**：用量依存的に腎障害，血圧上昇が出現するおそれあり．
- **生物学的製剤**：インフリキシマブ点滴投与時の infusion reaction，3日以上経過後の過敏症（発疹，発熱，搔痒，手・顔面浮腫など）．

E 処方提案のポイント

- **ステロイド外用薬**：長期使用で局所的な副作用が出現するため，軽快すればランクダウンを考慮する．
- **生物学的製剤使用時の感染症対策**：結核既往者での再活性化（持

続する咳,発熱など)や感染症の徴候に注意.定期的に検査するよう処方医に依頼.B型肝炎ウイルスキャリア患者および既往感染者では,定期的に肝機能検査およびウイルスマーカーのモニタリングや再活性化の徴候に注意.

参考文献

1) 日本皮膚科学会編:乾癬における生物学的製剤の使用ガイダンス(2019年版).日皮会誌 129:1845-1864, 2019
2) 飯塚一:乾癬治療のピラミッド計画.日皮会誌 116:1285-1293, 2006

(藤田 拓俊)

第21章 婦人科疾患

40 切迫早産

A 疫学・病態
- **早産**：妊娠22〜36週の分娩．わが国の早産率は6%程度．
- **切迫早産**：早産の危険性が高い状態．妊娠22〜36週に，規則的子宮収縮かつ頸管熟化傾向（頸管開大や短縮）がある．
- 早産児は，周産期死亡率および種々の後遺症や合併症の発生率が高いため，早産の予防・早期診断が重要となる．
- **早産の危険因子**：早産の既往，子宮頸部円錐切除後，多胎妊娠，細菌性腟症，絨毛膜羊膜炎，子宮頸管長短縮，喫煙，BMI<18.5など．

B 患者の状態把握

症状
- 自覚症状として，子宮収縮による規則的な腹部の緊満感，下腹部痛，性器出血．
- 子宮収縮が不明瞭でも，超音波検査で内子宮口の開大，頸管短縮を認めることがある．

診断・検査
- **外測陣痛計**：子宮収縮の有無．
- **内診**：子宮口の開大．
- **血液検査**：白血球数，CRPなどの炎症反応．
- **頸管分泌物**：細菌，癌胎児性フィブロネクチン，顆粒球エラスターゼ．
- **経腟超音波検査**：頸管長の測定，内子宮口の開大，妊娠24週未満で頸管長が25 mm以下．

C 治療(標準的処方例)

子宮収縮抑制薬

リトドリン塩酸塩注(50 mg)　1回1A　5%ブドウ糖500 mLに溶解　30 mL/時　持続静注

- リトドリン塩酸塩50 μg/分から開始．有効投与量は50〜150 μg/分，投与量は200 μg/分を超えないようにする．

硫酸Mg水和物・ブドウ糖注100 mL　40 mL(4 g)を20分以上かけて静注，以後，10 mL/時より持続静注

- 副作用や合併症でリトドリン塩酸塩が使用できない場合に使用．子宮収縮が抑制されない場合5 mL/時ずつ増量，最大投与量は20 mL/時まで．リトドリン併用時は，10〜20 mL/時で持続静注を行う．

ウリナスタチン腟坐薬　1回5,000単位　1日1回　腟内に連日投与(院内製剤)(保険適用外)

- 頸管粘液中顆粒球エラスターゼ活性の亢進がみられる症例に投与することにより，頸管の熟化抑制を期待．

胎児肺成熟促進・頭蓋内出血予防

ベタメタゾン注(4 mg)　1回12 mg　24時間ごと　計2回　筋肉内注射

- 経母体ステロイド投与により，児の呼吸窮迫症候群や頭蓋内出血などのリスクが減少する．妊娠22週以降34週未満で，早産が1週間以内に予想される場合に投与．

抗菌薬

- 下部性器感染症が疑われる切迫早産には，抗菌薬投与を考慮．
- 妊娠30週前後までに子宮頸管分泌物のクラミジア検査を行い，陽性の場合にはアジスロマイシン(250 mg 4錠1回のみ)を投与する．
- 妊娠37週未満の前期破水には抗菌薬投与を行う．

D 薬剤師による薬学的ケア

処方チェック

①処方薬

- リトドリン塩酸塩の適応は，妊娠16週以降の切迫流産，切迫早産．
- 母体の肺水腫を予防するため，リトドリン塩酸塩は5%ブドウ糖

液または10%マルトース液で希釈.
- 硫酸Mg水和物・ブドウ糖注は，リトドリンの効果が不十分の場合や副作用などでリトドリンが使用できない時のみの適応であり，投与は原則として48時間.

② 相互作用
- リトドリン塩酸塩と硫酸Mgの併用で，心筋虚血の発生頻度増加.
- **硫酸Mgと競合性(ツボクラリンなど)および脱分極性神経筋遮断薬(サクシニルコリンなど)の併用**：神経筋遮断薬の作用増強のおそれ.

服薬指導
- 胎児の救命を目的とした使用であり，効果と副作用を観察しながら用量調節していくことを伝える.

治療・副作用モニタリング

① リトドリン塩酸塩
- **肺水腫**：電解質輸液の使用，輸液の過剰使用，心疾患，妊娠高血圧症候群の合併，多胎妊娠，ステロイド薬と硫酸Mg併用時に発生しやすい.
- **汎血球減少・顆粒球減少**：投与が長期にわたる場合，適宜血算を行う.
- **横紋筋融解症**：慢性腎不全，透析例，筋緊張性ジストロフィーなどで注意.

② 硫酸Mg
- **Mg中毒，心(肺)停止，呼吸停止，呼吸不全**：Mgは腎から排泄されるため，腎機能低下時や尿量減少時はMg中毒を生じるおそれあり．硫酸Mgの治療域は非常に狭く，適宜血中Mg濃度をモニターしながら投与する.

有効治療域	膝蓋腱反射消失	呼吸抑制	呼吸麻痺, 呼吸停止, 不整脈
4〜7.5 mg/dL	8.4〜12 mg/dL	12〜14.4 mg/dL	≧ 14.4 mg/dL

- 7日以上の投与で，児に低Ca血症や骨減少症の危険があるというFDAからの警告あり.

③ ステロイド薬
- 子宮収縮抑制薬との併用により，母体に肺水腫を引き起こす可

能性あり.
☐ 一時的に耐糖能異常を認めるが，影響は投与後2〜3日といわれる.
☐ ベタメタゾン，デキサメタゾンは胎盤を通過し，胎児に移行しやすい．プレドニゾロンは胎盤で代謝されるため，児の肺成熟を目的とした使用は行わない．

E 処方提案のポイント

検査
☐ **リトドリン塩酸塩**：WBC，肝機能，アミラーゼ，CK，血糖値，Kなど．
☐ **硫酸Mg**：血中濃度測定，尿量，腎機能．

投与速度
☐ リトドリン塩酸塩使用時は，総輸液量1,000 mL/日以内，母体心拍数120/分以下で維持．
☐ リトドリンと硫酸Mg併用時の投与速度に注意．
☐ 硫酸Mgによる中毒症状が疑われた場合は，グルコン酸Caの投与を検討．

参考文献
1) 日本産科婦人科学会・日本産婦人科医会編：産婦人科診療ガイドライン―産科編 2017，2017
2) 青野敏博ほか編：産婦人科ベッドサイドマニュアル 第7版，pp381-387，医学書院，2018

（藤田 和美）

第22章 眼科疾患

41 白内障

A 疫学・病態
- 水晶体の核や皮質が混濁して視機能を低下させる疾患.
- 加齢が主たる成因.
- 薬剤性として,ステロイド,ベンゾジアゼピン,フェノチアジンなどの関与も指摘.
- その他,糖尿病,アトピー性皮膚炎に伴うものなどがある.
- 白内障手術後に水晶体嚢が濁り視機能が低下する後発白内障がある.

B 患者の状態把握

症状
- 霧視,羞明,多重視,近視化など.
- 水晶体混濁の程度が軽い場合,視力は低下しない.

診断・検査
- 視力検査・眼圧検査
- 眼底検査

C 治療(標準的処方例)
- 現在のところ白内障の薬物治療について十分な科学的根拠を持つ薬剤はない.

　ピレノキシン点眼液(0.005%)　1回1〜2滴　1日3〜5回
- キノン体が水晶体の可溶性蛋白に結合するのを阻害し,水晶体タンパクの変性を抑制.

　グルタチオン点眼液(2%)　1回1〜2滴　1日3〜5回
- ジスルフィド結合を還元し,水晶体可溶性蛋白の不溶性タンパクへの変性を抑制.白内障進行により減少するグルタチオンを補充

することで進行を抑制.

チオプロニン錠(100 mg)　1回100〜200 mg　1日1〜2回

D 薬剤師による薬学的ケア

処方チェック
- 手術時は，局所麻酔点眼液と瞳孔を全開にするための散瞳薬を術前に点眼.
- 手術後，感染予防・抗炎症を目的に，抗菌点眼液，ステロイド点眼液や非ステロイド性抗炎症点眼液を点眼.

服薬指導（点眼時における注意点）

①一剤型点眼液〔ピレノキシン（水性懸濁）点眼液〕
- 懸濁液のため使用時によく振ってから点眼.振り混ぜても粒子が分散しにくくなる場合があるため上向きに保管.

②用時溶解型点眼液（ピレノキシン点眼液，グルタチオン点眼液）
- ピレノキシン点眼液は溶解後冷所に遮光保存し，3週間以内に使用.グルタチオン点眼液は溶解後冷所に保存し，4週間以内に使用.

副作用・治療モニタリング
- 頻度は少ないが，ピレノキシン点眼液やグルタチオン点眼液による接触性眼瞼炎が起こることがある.

E 提案のポイント

- $α_1$受容体遮断薬（前立腺肥大治療薬，高血圧治療薬）の服用もしくは過去の服用が原因で術中虹彩緊張低下症候群（IFIS）が生じることがある.白内障手術時は$α_1$受容体遮断薬の服用状況（過去の服用歴も含めて）を確認し報告する.

参考文献
1) 厚生科学研究補助金21世紀型医療開拓推進研究事業（EBM分野）「科学的根拠（evidence）に基づく白内障診療ガイドラインの策定に関する研究」班：科学的根拠（evidence）に基づく白内障診療ガイドライン，2002

〈大江　泰〉

42 緑内障

A 疫学・病態
- 視神経炎や血管障害，頭蓋内圧疾患などの原因疾患がなく，形態が特徴的な進行性の視神経萎縮をきたす疾患の総称．
- 日本人における視覚障害の原因の第1位を占める．
- 眼圧上昇だけが原因ではなく，正常眼圧緑内障が患者全体の約7割を占める．

B 患者の状態把握

症状
- 視野が欠ける．多くの場合，視野欠損は視野の端のほうから始まる．
- 放置すると視神経の障害が徐々に広がり失明に至ることもある．
- 喪失した視野や視力は治療によって回復しない．

診断・検査
- **眼圧検査**：正常の眼圧の基準値は，10〜21 mmHg．この数値よりも高いと緑内障のリスクは高まる．
- **隅角検査**：眼房水の排出路である**隅角**の状態を調べる．
- **眼底検査**：網膜上で視神経が集まる視神経乳頭や神経線維の状態を調べる．緑内障で視神経が障害されると視神経乳頭の中央が深くくぼんでいく．
- **視野検査**：視野の範囲を調べ，視野欠損の有無や広がりを調べる．

C 治療
- あくまでも緑内障の進行を遅らせることが目的であり，見え方を改善することはできない．
- 眼圧を下降させることが，緑内障性視神経障害を阻止しうる唯一のエビデンスである．
- **開放隅角緑内障**：点眼治療→レーザー→手術（**図22-1**）．
- **閉塞隅角緑内障**：レーザーまたは手術→点眼治療．
- 原発閉塞隅角症・原発閉塞隅角緑内障の治療の選択肢に水晶体摘出（白内障手術など）が位置付けられている（**図22-2**）．
- **続発緑内障**：原因の治療・除去→開放隅角緑内障に準じた治療．

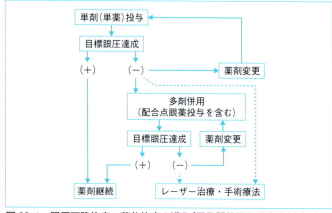

図22-1 眼圧下降治療：薬物治療の導入〔原発開放隅角緑内障(広義)〕
〔日本緑内障学会：緑内障診療ガイドライン 第4版, 2017より〕

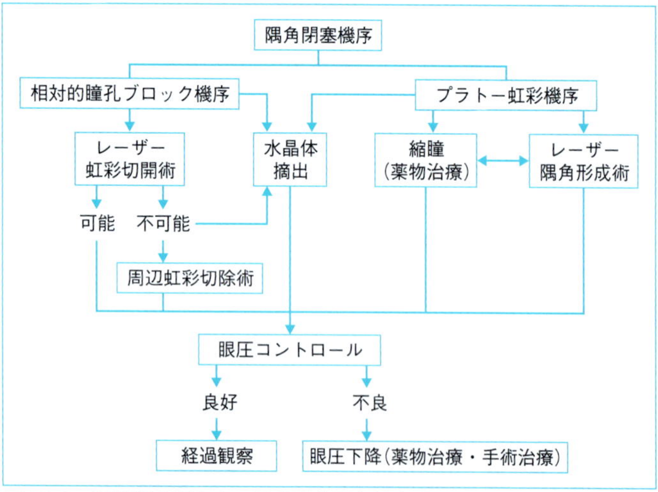

図22-2 原発閉塞隅角症・原発閉塞隅角緑内障の治療
〔日本緑内障学会：緑内障診療ガイドライン 第4版, 2017より〕

原発開放隅角緑内障（低度～中等度）

□ 以下のいずれか.
1) ラタノプロスト点眼液(0.005％)　1回1滴　1日1回　点眼
2) チモロールマレイン酸塩持続性点眼液(0.5％)　1回1滴　1日1回　点眼

□ プロスタグランジン関連薬が優れた眼圧下降効果と良好な忍容性により第1選択薬. 交感神経β受容体遮断薬も第1選択となり得るが, 禁忌, 副作用に留意して選択.

□ 第2選択として, 炭酸脱水素酵素阻害薬点眼, 交感神経α₂受容体選択性刺激薬, Rhoキナーゼ阻害薬などの点眼薬がある.

原発開放隅角緑内障（中等度～高度）

□ 前記の低度～中等度の薬剤もしくは下記を追加.
1) ブリンゾラミド懸濁性点眼液(1％)　1回1滴　1日2回　点眼
2) ブリモニジン点眼液(0.1％)　1回1滴　1日2回　点眼
3) リパスジル点眼液(0.4％)　1回1滴　1日2回　点眼

D 薬剤師による薬学的ケア

服薬指導

① プロスタグランジン関連薬

□ 結膜充血や眼刺激性などの局所的な副作用の頻度が高い.
- **虹彩**：色素沈着による色調変化. 投与中止後も消失しない.
- **眼瞼**：色調変化および多毛化. 徐々に消失あるいは軽減する可能性あり.
  ➡ 液が眼瞼皮膚などについた場合にはよくふき取るか, 洗顔するよう指導.

② 交感神経β受容体遮断薬（β遮断薬）

□ 気管支喘息, 心不全, 房室ブロックなどを有する患者への投与は禁忌 ➡ 点眼後に涙嚢部を圧迫するなど, 適正使用を促す必要あり. また, 心抑制作用を有するCa拮抗薬との併用による心血管系の副作用の報告もあり併用注意.

③ 炭酸脱水酵素阻害薬

□ 内服薬では代謝性アシドーシスや低K血症, 悪心嘔吐, 尿路結石などがあり, 低K血症予防のためにK製剤が併用されることが多い.

④交感神経α₂受容体選択性刺激薬
- めまい，眠気，徐脈 ➡ 点眼後に涙囊部を圧迫するなど，適正使用を促す必要あり．アレルギー性結膜炎，眼瞼炎は長期投与で発現頻度が高まる．

⑤Rhoキナーゼ阻害薬
- 一過性の充血が高頻度で発現（血管弛緩の薬理作用によるものであり，2時間程度で消失）➡ 有害ではないが，点眼時間に配慮．

⑥選択的EP2受容体作動薬
- 無水晶体眼やレンズ挿入患者への投与は禁忌．

E 提案のポイント

- 閉塞隅角緑内障患者へ禁忌薬（SIDE MEMO）が処方された場合，医師へ情報提供する．

参考文献
1) 日本緑内障学会：緑内障ガイドライン第4版，2017

SIDE MEMO　緑内障の禁忌薬

①閉塞隅角緑内障：禁忌

抗ヒスタミン薬	アリメマジン，クレマスチン，クロルフェニラミン，シプロヘプタジン，ジフェンヒドラミン（＋臭化カルシウム），d-クロルフェニラミン，プロメタジン，フェキソフェナジン＋プソイドエフェドリン，ホモクロルシクリジン，メキタジン
副腎皮質ホルモン合剤	ベタメタゾン＋クロルフェニラミン
皮膚疾患治療薬	ジフェンヒドラミン
抗めまい薬	ジフェンヒドラミン＋ジプロフィリン
総合感冒薬	クロルフェニラミン含有製剤，プロメタジン含有製剤
鎮咳薬	ペントキシベリン，クロルフェニラミン含有製剤，ジフェンヒドラミン含有製剤
気管支喘息・慢性閉塞性肺疾患治療薬	イプラトロピウム，チオトロピウム
慢性閉塞性肺疾患治療薬	アクリジニウム，グリコピロニウム，ウメクリジニウム

副交感神経抑制・遮断薬	アトロピン,スコポラミン
胃炎・十二指腸潰瘍などの消化器疾患治療薬	N-メチルスコポラミン,ジサイクロミン含有製剤,チキジウム,チメピジウム,ピペリドレート,ブチルスコポラミン,ブトロピウム,プロパンテリン,メペンゾラート,ロートエキス
鎮痛・鎮痙・鎮静薬	アトロピン含有製剤,スコポラミン含有製剤
局所血管収縮薬(眼科用)	ナファゾリン,オキシメタゾリン
パーキンソン病治療薬(抗コリン薬)	トリヘキシフェニジル,ドロキシドパ,ビペリデン,ピロヘプチン,レボドパ(+カルビドパ,+ベンセラジド),マザチコール
抗うつ薬	アミトリプチリン,アモキサピン,イミプラミン,クロミプラミン,トリミプラミン,ドスレピン,ノルトリプチリン,マプロチリン,ロフェプラミン
狭心症治療薬	亜硝酸アミル,一硝酸イソソルビド,硝酸イソソルビド,ニコランジル,ニトログリセリン
抗不整脈薬	シベンゾリン,ジソピラミド,ピルメノール
昇圧薬	アメジニウム
尿失禁・頻尿治療薬	オキシブチニン,プロピベリン
過活動膀胱治療薬	イミダフェナシン,ソリフェナシン
精神刺激薬	ペモリン,メチルフェニデート
注意欠陥多動性障害	アトモキセチン,リスデキサンフェタミン
食欲抑制薬	マジンドール
筋緊張緩解薬	プリジノール

②急性閉塞隅角緑内障:禁忌

催眠・鎮静薬(ベンゾジアゼピン系)	エスゾピクロン,クアゼパム,ゾピクロン,ゾルピデム,トリアゾラム,ニトラゼパム,ハロキサゾラム,フルニトラゼパム,フルラゼパム,ブロチゾラム,ミダゾラム,リルマザホン,ロルメタゼパム
抗不安薬(ベンゾジアゼピン系)	アルプラゾラム,エチゾラム,オキサゾラム,クロキサゾラム,クロチアゼパム,クロラゼプ,クロルジアゼポキシド,ジアゼパム,フルジアゼパム,フルタゾラム,フルトプラゼパム,ブロマゼパム,メキサゾラム,メダゼパム,ロフラゼプ,ロラゼパム
抗てんかん薬	クロナゼパム,クロバザム

| 全身麻酔薬 | レミマゾラム |

③ 前駆期緑内障：禁忌

| 緑内障治療薬 | ジスチグミン |

④ 狭隅角や前房が浅いなどの眼圧上昇の素因のある患者：禁忌

緑内障治療薬	ジピベフリン
散瞳薬	フェニレフリン
アドレナリン製剤（点眼・結膜下注射や目の周囲に使用する場合）	アドレナリン（＋キシロカイン）

⑤ 緑内障及び狭隅角や前房が浅いなどの眼圧上昇の素因のある患者：禁忌

| 節麻痺・散瞳薬 | アトロピン，シクロペントラート，トロピカミド（＋フェニレフリン） |

⑥ 眼圧が調節できない閉塞隅角緑内障：禁忌

| 過活動膀胱治療薬 | トルテロジン，フェソテロジン |

⑦ コントロール不良の閉塞隅角緑内障：禁忌

| 抗うつ薬 | デュロキセチン |

⑧ コントロール不良の緑内障：禁忌

| 副腎皮質ホルモン製剤（テノン嚢下投与） | トリアムシノロンアセトニド |

⑨ 緑内障：禁忌

| 抗てんかん薬 | 臭化カリウム，臭化ナトリウム |
| 表面麻酔薬（眼科用剤） | コカイン |

⑩ 緑内障：原則禁忌

| 副腎皮質ホルモン製剤 | コルチゾン，プレドニゾロン，デキサメタゾン，トリアムシノロン，トリアムシノロンアセトニド，ヒドロコルチゾン，フルドロコルチゾン，ベタメタゾン，メチルプレドニゾロン |
| 筋弛緩薬 | スキサメトニウム |

⑪ 緑内障, 高眼圧症の患者：原則禁忌

| 眼科手術補助剤 | ヒアルロン酸ナトリウム |

⑫ 慢性閉塞隅角緑内障：長期投与禁忌

| 利尿薬・緑内障治療薬 | アセタゾラミド |

〔松宮輝彦ほか：Q「緑内障患者に禁忌の薬剤」についておしえてください．診断と治療 96(5)：979-984, 2008 より〕

（宮坂 萌菜）

第23章 耳鼻科疾患

43 突発性難聴

A 疫学・病態
- 突然発症する原因不明の高度感音難聴(**表 23-1**)である．内耳の異常が原因であり，ウイルス感染説，血行障害説などが提唱されている．
- 男女差はなく，50〜60歳台にかけての発症が多い．
- 日本における人口10万人あたりの発症率は約60人．

B 患者状態の把握

症状
- 聴力低下，難聴が急激に生じる．症状は一側性の場合が多い．
- 耳鳴りを伴うことが多い．
- 約1/3の患者でめまいを伴う．
- めまいを伴う場合や心疾患の既往がある場合は予後不良であることが多い．
- 発症から1か月で聴力が不可逆に固定される．

診断・検査
- **問診**：既往歴，発症時期と経過，一側性，両側性，付随症状などを確認．
- **耳鏡検査，聴力検査，耳音響反射検査，ティンパノメトリー検査**：耳の異常を診断．
- **CT，MRI**：脳の異常を診断．

C 治療(標準的処方例)
- 無治療でも約半数の患者が自然治癒するが，不可逆的な聴力低下を可能な限り防止するために，早期(発症から1〜2週間以内)に治療を開始することが望ましい．

表 23-1 突発性難聴の診断基準(→主症状の全事項を満たすもの)

主症状	1. 突然発症　2. 高度感音難聴　3. 原因不明
参考事項	1. 難聴(参考：隣り合う3周波数で各30 dB以上の難聴が72時間以内に生じた) 　(1) 文字どおり即時的な難聴，または朝，目が覚めて気づくような難聴が多いが，数日をかけて悪化する例もある． 　(2) 難聴の改善・悪化の繰り返しはない 　(3) 一側性の場合が多いが，両側性に同時罹患する例もある 2. 耳鳴 　難聴の発生と前後して耳鳴を生ずることがある． 3. めまい，および吐気・嘔吐 　難聴の発生と前後してめまい，および吐気・嘔吐を伴うことがあるが，めまい発作を繰り返すことはない． 4. 第8脳神経以外に顕著な神経症状を伴うことはない

〔厚生労働省特定疾患急性高度難聴調査研究班：急性高度難聴に関する調査研究, 2013 より〕

☐ 標準治療は確立していない．
☐ 一般的には経験則から，副腎皮質ステロイドを中心に，血流改善薬，ビタミン B_{12} 製剤などを併用．
☐ 難治例や糖尿病を合併している患者では，鼓室内への副腎皮質ステロイド注入が行われる場合がある．

ステロイド療法

プレドニゾロン錠またはプレドニゾロンコハク酸エステル注
1日1 mg/kg(1〜2週間継続後，漸減)

併用する可能性のある薬剤

①内服薬
1) アデノシン三リン酸顆粒　1回100 mg　1日3回　毎食後
2) メコバラミン錠(500 μg)　1回1錠　1日3回　毎食後
3) リマプロスト アルファデクス錠(5 μg)　1回1錠　1日3回　毎食後
4) イソソルビド内用液(70%)　1回30 mL　1日3回　毎食後

②注射薬
1) アデノシン三リン酸水和物注　1回80 mg　1日1回　点滴静注
2) 低分子デキストラン加乳酸リンゲル液　1回250 mL　1日1回　点滴静注

D 薬剤師による薬学的ケア

処方チェック
- **副腎皮質ステロイド**：糖尿病，高血圧，緑内障などが基礎疾患にある場合，基礎疾患悪化のおそれあり．

服薬指導
- 早期の適切な治療が予後改善に必要であることを説明する．
- ストレスをできるだけ回避する生活を送るように説明する．
- 薬物治療の有効性は確立されていないが，リスクとベネフィットを考慮した上で薬物治療を行うことを説明する．
- 副腎皮質ステロイドの漸減投与，副作用(不眠，多幸感，消化器症状，浮腫など)を説明する．また，長期使用時の副作用(骨粗鬆症，易感染性など)も必要に応じて説明する．
- リマプロストの出血リスクについて説明する．

治療・副作用モニタリング
- 副腎皮質ステロイド投与による副作用を確認する．
- 服薬指導の会話のなかで，聴覚の改善について評価する．

E 処方提案のポイント

ステロイドの副作用対策
- **電解質異常**：Na，K などをモニタリング．必要に応じ，その補正を提案する．
- **胃潰瘍**：PPI，H_2 ブロッカー，胃粘膜保護薬の投与．
- **不眠**：ステロイドの投与時間を朝に変更．睡眠導入剤の投与．
- **骨粗鬆症**：第1選択はビスホスホネート製剤，第2選択は活性型ビタミン D_3 製剤・ビタミン K_2 製剤の投与．
- **糖尿病**：血糖値，HbA1c をモニタリング．必要に応じて，薬物治療を検討．
- **感染症**：手洗い，うがいの励行．ST 合剤の投与．B 型肝炎ウイルス再活性化のモニタリング．

その他
- リマプロストの服用患者は，出血リスクを伴う手術前に1〜2日程度の休薬が必要．
- 難聴を誘発する可能性のある薬剤(アミノグリコシド系抗菌薬，ループ利尿薬，白金製剤など)の使用歴を確認．必要に応じて減

量,中止を提案.薬剤誘発性難聴は両側性で高音領域から難聴が始まることが多い.患者へ初期症状を説明しておく.

参考文献
1) 日本聴覚医学会編:急性感音難聴診療の手引き 2018 年版.金原出版,2018
2) Chandrasekhar SS, et al:Clinical Practice Guideline:Sudden Hearing Loss (Update). Otolaryngol Head Neck Surg 161(1S):S1-45, 2019

(藤原 秀敏)

44 めまい(末梢性めまい)

A 疫学・病態
- 原因部位により末梢性,中枢性,非前庭性に分類.
- 原因疾患として,良性発作性頭位めまい症,メニエール病,脳血管障害,前庭神経炎,突発性難聴など(表23-2).

B 患者状態の把握
症状
- ぐるぐる回る(回転性),ふらふらする(浮動性),気が遠くなる(失神性).
- 嘔気,嘔吐を伴うことが多い.
- 特定の誘発因子が存在することが多い.

診断・検査
- **問診**:症状,好発時期,持続時間,随伴症状,誘発因子,生活環境,既往歴,薬歴など.
- **重篤度**:眼振検査(めまい発作時の眼球運動),体平衡検査(身体のふらつき具合).
- **原因検索**:聴覚検査(耳の異常の鑑別),画像検査(CT,MRIを用いた脳の異常の鑑別).

C 治療
- 病態に応じて循環改善薬,脳循環・代謝改善薬,抗ヒスタミン薬,抗不安薬,抗めまい薬などを使用する.

表23-2 原因によるめまい分類

末梢性めまい (回転性めまい が多い)	・良性発作性頭位めまい症 ・前庭神経炎 ・遅発性内リンパ水腫 ・ハント症候群 ・メニエール病 ・迷路振盪症	・外リンパ瘻 ・コーガン症候群 ・前庭神経鞘腫 ・アミノグリコシド系抗菌薬 ・中耳炎など
中枢性めまい (浮動性めまい が多い)	・脳幹虚血(一過性脳虚血発作,ワレンベルグ症候群など) ・小脳出血・梗塞 ・硬膜下血腫 ・髄膜炎	・アーノルド・キアリ奇形 ・多発性硬化症 ・脳腫瘍 ・発作性運動失調症など
非前庭性めまい (失神性めまい が多い)	・高血圧 ・低血圧 ・貧血	・頸性 ・心因性など

発作時(急性期)

1) 7%炭酸水素ナトリウム注　1回40 mL　静注
- 悪心を伴う場合は以下を併用
2) メトクロプラミド注　1回10 mg　筋注または点滴静注
- 不安を伴う場合は以下を併用
3) ヒドロキシジン塩酸塩注　1回25 mg　静注または筋注
- 強い不安を伴う場合は以下を併用
4) ジアゼパム注　1回10 mg　2分以上かけて静注

亜急性～慢性期

□ 原疾患の治療を行った上で対処する.
1) ベタヒスチン錠(12 mg)　1回1錠　1日3回　毎食後
2) ジフェニドール錠(25 mg)　1回1錠　1日3回　毎食後
3) イソプレナリン徐放性カプセル(7.5 mg)　1回1カプセル　1日3回　毎食後
4) アデノシン三リン酸顆粒　1回100 mg　1日3回　毎食後
5) イフェンプロジル錠(20 mg)　1回1錠　1日3回　毎食後
6) イブジラストカプセル(10 mg)　1回1カプセル　1日3回　毎食後

□ 不安を伴う場合
エチゾラム錠(0.5 mg)　1回1錠　1日3回　毎食後

▍メニエール病の場合

イソソルビド内用液(70%)　1回30 mL　1日3回　毎食後
- 中枢性めまいは，脳血管障害や髄膜炎など重篤度の高い疾患が原因となることが多く，診断がつき次第，原疾患に応じた治療を速やかに行うことが必要．

D 薬剤師による薬学的ケア

▍処方チェック
- **炭酸水素Na注**：アルカリ性製剤であり，配合変化に要注意．Caイオンと沈殿を形成するため混合を避ける．
- **抗ヒスタミン薬**：抗コリン作用により前立腺肥大の症状を悪化させるおそれがあるため既往歴を確認する．
- **アデノシン三リン酸顆粒**：胃酸で活性が低下するため，粉砕投与は避ける．剤形により適応が異なる(顆粒剤と錠剤のうち，めまいに対し適応を持つのは顆粒のみ)．

▍服薬指導
- 抗めまい薬の投与はあくまでも対症療法であることを説明する．
- めまいの前駆症状が現れれば，早めに頓用薬を内服するように指導する．
- ストレスをできるだけためない生活を送るように指導する．
- イソソルビドの服用困難感の改善策を指導する(冷水で2〜5倍希釈，レモン汁添加など)．
- ベンゾジアゼピン系薬剤の使用中は，自動車の運転等危険を伴う機械の操作に従事しないように指導する．

▍治療・副作用モニタリング
- 抗ヒスタミン薬の抗コリン作用による副作用(眠気，口渇など)を確認する．
- 抗不安薬の催眠作用，筋弛緩作用を確認する．
- イソソルビドの消化器症状(嘔気，悪心，下痢，食欲不振など)や脱水の出現に注意する．

E 処方提案のポイント
- めまい症状が消失していれば，患者と相談して中止を提案する(漫然とした継続投与を避ける)．

表 23-3 薬剤誘発性めまいの原因となりうる薬剤

内耳毒性	アミノグリコシド系抗菌薬,フェニトイン,ループ利尿薬,シスプラチンなど
中枢神経系抑制	統合失調症治療薬,抗不安薬,催眠薬,抗てんかん薬など

この他,鎮静,前庭系抑制,耳毒性,起立性低血圧,低血糖をきたすような薬物もめまいの原因となりうる.

☐ めまいを誘発する可能性のある薬剤(**表 23-3**)の服用歴を確認し,必要に応じて減量・中止を提案する.

参考文献

1) 日本神経治療学会治療指針作成委員会:標準的神経治療 めまい.神経治療 28(2):184-212, 2011
2) 日本めまい平衡医学会:めまいの診断基準化のための資料.Equilibrium Res 47(2):245-273, 1988
3) 日本めまい平衡医学会:めまいの診断基準化のための資料 診断基準 2017 年改定.Equilibrium Res 76(3):233-241, 2017
4) 野村泰之:めまいの薬物療法.Equilibrium Res 78(1):7-15, 2019

(藤原 秀敏)

第24章 がん

45 乳がん

A 疫学・病態
- 女性のがんにおいて罹患数は第1位,死因は第5位である.
- わが国では40歳台後半から50歳台前半の閉経前にかけてピークを迎える.
- 危険因子は,乳癌の家族歴,月経歴(初潮年齢が低く閉経年齢が高い),初産年齢が遅い,肥満,糖尿病の既往,閉経後ホルモン補充療法,喫煙,アルコール等.

B 患者の状態把握

症状
- 早期は自覚症状に乏しい.
- 乳頭陥凹,腫瘤,乳頭分泌(特に血性),乳頭びらん,えくぼ徴候.

検査
- 問診,視診,触診.
- **マンモグラフィ**:乳腺専用のX線検査,日本では40歳以上の女性に対して推奨.
- エコー,MRI,進行が疑われる場合は,必要に応じてCTや骨シンチグラフィなどを使用する.
- **細胞診**:穿刺吸引細胞診(FNAC),乳頭からの分泌物の細胞診.
- **組織診**:針生検(CNB),外科的生検.
- 病理診断でER,PgR,HER2,Ki-67の検査を行う.
- 遺伝性乳癌卵巣癌症候群(HBOC)が疑われる場合,*BRCA1/2*遺伝子変異検査の選択肢を提示.

C 治療(標準的処方例)
- **Stage Ⅰ~ⅢA**:手術療法,術後・術前薬物療法,術後放射線療法.

表24-1 臨床的分類と初期推奨薬物療法

臨床分類		推奨薬物療法
トリプルネガティブ (ER(−), PgR(−), HER2(−))		・化学療法 ・pT1aN0の場合,化学療法なし
ホルモン(−), HER2(+)		・化学療法+抗HER2療法 ・pT1aN0の場合,化学療法なし
ホルモン(+), HER2(+)		・上記の治療に加え,内分泌療法追加
ホルモン(+), HER2(−)	高受容体発現,低Ki-67,低グレード(Luminal A-like)	・内分泌療法
	中間	・内分泌療法±化学療法
	低受容体発現,高Ki-67,高グレード(Luminal B-like)	・内分泌療法+化学療法

〔池末裕明ほか編:がん化学療法ワークシート 第5版, pp117, じほう, 2020より〕

□ StageⅢB・ⅢC:薬物療法,治療効果あり手術可能となれば手術を行う場合がある.
□ StageⅣ:症状の緩和と延命を図る.
□ 表24-1に臨床的分類と初期推奨薬物療法を示す.

術後内分泌療法

①閉経前

□ タモキシフェン±LH-RHアゴニスト
  タモキシフェン錠(20 mg) 1回1錠 1日1回 5〜10年間
□ LH-RHアゴニスト
  1) ゴセレリン注(LA剤 10.8 mg 3か月に1回, 3.6 mg 月1回) 皮下注 2〜5年間
  2) リュープロレリン注(PRO剤 22.5 mg 6か月に1回, SR剤 11.25 mg 3か月に1回, 3.75 mg 1か月に1回) 皮下注 2〜5年間

②閉経後

□ アロマターゼ阻害薬またはタモキシフェン
  1) アナストロゾール錠(1 mg) 1回1錠 1日1回 5年間
  2) レトロゾール錠(2.5 mg) 1回1錠 1日1回 5年間
  3) エキセメスタン錠(25 mg) 1回1錠 1日1回 5年間

術後・術前化学療法

□ **AC 療法(1 コース 21 日　4 サイクル)**:以下を併用.
1) ドキソルビシン注　60 mg/m²　点滴静注　day 1
2) シクロホスファミド注　600 mg/m²　点滴静注　day 1

□ 再発リスクが高く,骨髄機能を有する場合にはdose-dense療法(投与間隔を狭める方法)が推奨され,G-CSFを併用する.

□ **アントラサイクリンを回避したレジメン(再発低リスクや心疾患がある場合)**:TC療法(1 コース 21 日 4 サイクル).以下を併用.
1) ドセタキセル注　75 mg/m²　点滴静注　day 1
2) シクロホスファミド注　600 mg/m²　点滴静注　day 1

□ **タキサン系薬剤の使用**:再発リスクに応じて,アントラサイクリン系薬剤にタキサン系薬剤を順次追加投与する.

□ Weekly PTX 療法(1 コース 7 日 12 サイクル)
パクリタキセル注　80 mg/m²　点滴静注　day 1

□ DTX 療法(1 コース 21 日 4 サイクル)
ドセタキセル注　60〜100 mg/m²　点滴静注　day 1

HER2 陽性の術後・術前化学療法

□ 再発リスクに応じて,アントラサイクリンレジメンを使用.その後,タキサン系と抗HER2薬を併用し,抗HER2薬は計1年使用する.再発リスクの高い場合,トラスツズマブと同時にペルツズマブを併用する.再発リスクが低い場合はタキサンレジメンとトラスツズマブの併用のみ.

□ トラスツズマブ療法(1 コース 7 日または 21 日)
1) トラスツズマブ注　初回 4 mg/kg　2 回目以降 2 mg/kg　点滴静注　day 1(1 コース 7 日)

または

2) トラスツズマブ注　初回 8 mg/kg　2 回目以降 6 mg/kg　点滴静注　day 1(1 コース 21 日)

□ **トラスツズマブ+ペルツズマブ療法(1 コース 21 日)**:以下を併用.
1) トラスツズマブ注　初回 8 mg/kg　2 回目以降 6 mg/kg　点滴静注　day 1
2) ペルツズマブ注　初回 840 mg/body　2 回目以降 420 mg/body　点滴静注　day 1

□ **TCH 療法(1 コース 21 日 6 サイクル,トラスツズマブは 1 年間**

継続):以下を併用.
1) ドセタキセル注 75 mg/m² 点滴静注 day 1
2) カルボプラチン注 AUC6 点滴静注 day 1
3) トラスツズマブ注 初回8 mg/kg 2回目以降6 mg/kg 点滴静注 day 1

転移・再発乳癌の治療

□ 治療の原則はHortobagyiのアルゴリズム(図24-1)やNCCNのガイドラインが用いられる.

1. 内分泌療法

①内分泌療法±サイクリン依存性キナーゼ(CDK)4/6阻害剤

□ CDK4/6阻害薬(必ず内分泌療法と併用)
1) パルボシクリブ錠(125 mg) 1回1錠 1日1回(3週間服用, 1週間休薬)

または

2) アベマシクリブ錠(150 mg) 1回1錠 1日2回 連日

□ **エキセメスタン+エベロリムス療法(連日内服)**:以下を併用.
1) エキセメスタン錠(25 mg) 1回1錠 1日1回 連日
2) エベロリムス錠(10 mg) 1回1錠 1日1回 連日

②HER2陰性の場合

□ **1次治療**
- アントラサイクリン系薬剤, タキサン系薬剤, TS-1を使用.

TS-1療法(4週間投与, 2週間休薬)
TS-1錠(80～120 mg/body/日) 1日2回 朝夕食後 day 1～28

□ **2次治療以降**
- 1st lineとして使用していないアントラサイクリン系薬剤, タキサン系薬剤, TS-1, カペシタビン, エリブリン等.

カペシタビン療法(A法:3週間投与, 1週間休薬 B法:2週間投与, 1週間休薬)
A法:カペシタビン錠(1,650 mg/m²/日) 1日2回 朝夕食後 day 1～21
B法:カペシタビン錠(2,500 mg/m²/日) 1日2回 朝夕食後 day 1～14

エリブリン療法(1コース21日)
エリブリン注 1.4 mg/m² 点滴静注 day 1, 8

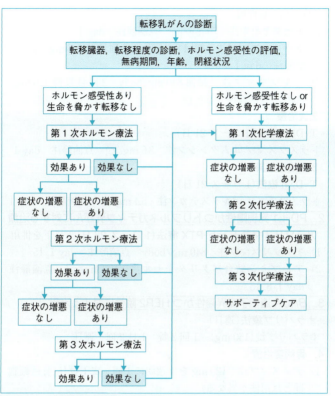

図 24-1 Hortobagyi のアルゴリズム
〔Hortobagyi GN:Treatment of breast cancer:N Engl J Med 1:339(14):974-84, 979, 1998 より〕

- PTX＋BV 療法(1 コース 28 日)：以下を併用．ランダム化比較試験でベバシズマブの併用で PFS の延長，ORR の改善はあるが，OS の延長は認められず，使用は慎重に行う．
  1) パクリタキセル注　90 mg/m² 点滴静注　day 1, 8, 15
  2) ベバシズマブ注　10 mg/kg 点滴静注　day 1, 15

③HER2 陽性の場合
□1 次治療
- ドセタキセル＋トラスツズマブ＋ペルツズマブ療法(1 コース 21

日）：以下を併用.
1) ドセタキセル注　75 mg/m² 点滴静注　day 1
2) トラスツズマブ注　初回 8 mg/kg　2回目以降 6 mg/kg　点滴静注　day 1
3) ペルツズマブ注　初回 840 mg/body　2回目以降 420 mg/body　点滴静注　day 1

□ 2次治療
- T-DM1療法（1コース 21日）
  トラスツズマブ エムタンシン注　3.6 mg/kg　点滴静注　day 1

□ 3次治療以降
- T-DXd療法（1コース 21日）
  トラスツズマブ デルクステカン注　5.4 mg/kg　点滴静注　day 1

2. PD-L1発現陽性かつトリプルネガティブ乳がんに対する治療

□ アテゾリズマブ＋nab-PTX療法（1コース 28日）：以下を併用.
1) アテゾリズマブ注　840 mg/body　点滴静注　day 1, 15
2) アルブミン結合パクリタキセル注　100 mg/m²　点滴静注　day 1, 8, 15

3. *BRCA*遺伝子変異陽性かつHER2陰性に対する治療.

□ オラパリブ療法（連日）
  オラパリブ錠（150 mg）　1回2錠　1日2回　連日

4. 骨病変治療

1) デノスマブ注　120 mgを4週間に1回, 皮下投与（骨巨細胞腫とは用法が異なる）
2) ゾレドロン酸注　骨病変に対して3〜4週間隔, 高Ca血症に対して1週間隔. 1回4 mgを100 mLの輸液に溶解し15分以上で点滴.

□ 骨転移を有する乳癌患者に対し, デノスマブはゾレドロン酸と比較して骨関連事象の発症遅延を認めている.

制吐療法

① 高度催吐性

1) アプレピタントカプセル（125 mg）　1回1カプセル　抗がん薬投与 60〜90分前　day 1, アプレピタントカプセル（80 mg）　1回1カプセル　1日1回　朝食後　day 2〜3 または, ホスアプレピタント注 150 mg　点滴静注　day 1

2) パロノセトロン注 0.75 mg+デキサメタゾン注 9.9 mg 点滴静注 day 1
3) デキサメタゾン錠(4 mg) 1回1錠 1日2回 朝昼食後 day 2～4(5)

② 中等度催吐性
1) パロノセトロン注 0.75 mg+デキサメタゾン注 9.9または6.6 mg 点滴静注 day 1
2) デキサメタゾン錠(4 mg) 1回1錠 1日2回 朝昼食後 day 2～3(4)

□ **オプション**：カルボプラチン，オキサリプラチン，イホスファミド，イリノテカン，メトトレキサートなど使用時

1) アプレピタントカプセル(125 mg) 1回1カプセル 抗がん薬投与60～90分前 day 1, アプレピタントカプセル(80 mg) 1回1カプセル 1日1回 朝食後 day 2～3または，ホスアプレピタント注 150 mg 点滴静注 day 1
2) パロノセトロン注 0.75 mg+デキサメタゾン注 4.95または3.3 mg 点滴静注 day 1
3) デキサメタゾン錠(4 mg) 1回1錠 1日1回 朝食後 day 2～4

③ 軽度催吐性
デキサメタゾン注 6.6または3.3 mg day 1

□ ASCO(米国臨床腫瘍学会)ガイドラインでは高度催吐性に対し，オランザピンを加えた4剤併用が推奨されている．

D 薬剤師による薬学的ケア(胃がん，大腸がん，肺がんの項も適宜参照)

処方チェック
□ 術後・術前療法と転移・再発の治療では使用するレジメンが異なる．
□ レジメンの催吐性リスクに応じた制吐療法を確認．
□ オランザピンは糖尿病患者に禁忌のため使用時には患者の既往を確認．
□ **アントラサイクリン系抗がん薬の総投与量を確認**：蓄積性の心筋障害．抗HER2薬も含め定期的に心エコーで左室駆出率(LVEF)を確認．
□ パクリタキセル投与前に抗ヒスタミン薬，H_2ブロッカー，デキ

サメタゾンの処方確認.
- **タモキシフェンの併用注意**：クマリン系抗凝固薬（ワルファリン等），リトナビル，リファンピシン，SSRI（パロキセチン等）．
- 骨病変治療時は血清補正 Ca 値を確認．デノスマブは重篤な低 Ca 血症予防のため，血清補正 Ca 値が高値でなければ，Ca 500 mg および天然型ビタミン D 400 IU（デノタス®）を併用．
- 発熱性好中球減少症発症率が 20％以上のレジメンや G-CSF の併用を前提とし生存期間の延長が示されているレジメンの場合，G-CSF の一次予防的投与が推奨．

服薬指導

- **過敏症**：タキサン系，抗 HER2 薬（主にトラスツズマブ）．事前に初期症状を説明し，患者が申し出られるように指導．
- **脱毛**：アントラサイクリン系，タキサン系は高頻度．患者には事前に，投与 2～3 週間後から発現し，一時的な副作用であることを伝え，心理面へ配慮．
- **発熱**：好中球減少による易感染性状態を呈する可能性あり．Nadir 期（最低値）は投与後 7～14 日であり，外出後の手洗い・含嗽を励行．
- **末梢神経障害**：タキサン系，エリブリン．手足の痺れ，遠位感覚消失などの症状を確認．
- **便秘**：タキサン系や制吐薬によるものがあり塩類下剤や刺激性下剤等を用いて予防に努める．
- **口内炎**：エベロリムスによるアフタ性口内炎は高頻度に出現．ステロイド含有軟膏や鎮痛薬を使用．頻回の含嗽を指導．
- **内分泌療法**：化学療法に比べて副作用は少ないが，更年期症状や関節痛など内分泌療法独特の副作用が出現する場合がある．治療が長期に及ぶため，アドヒアランスを良好に保つことが重要．
- **パクリタキセル**：アルコール過敏症でないか事前に確認．通院治療の際は当日の車の運転や危険を伴う作業等を控えるよう指導．
- ガイドライン等を参考に抗がん薬治療における曝露対策を患者や関係者へ説明．
- 免疫チェックポイント阻害薬の副作用（☞ p361）

治療・副作用モニタリング

①アントラサイクリン系およびタキサン系抗がん薬
- 肝代謝型であり，肝機能低下時に副作用増強の可能性．
- **アントラサイクリン系**：血管外漏出により潰瘍を形成する．解毒薬として，デクスラゾキサンの投与を検討．
- **タキサン系**：投与初期の過敏症に注意．

②トラスツズマブ
- infusion reaction に注意．特に初回投与時，約40％に発現．症状出現時には適宜対症療法を行う．

③CDK4/6 阻害薬
- **パルボシクリブ**：好中球減少の発現頻度が高く，感染症に注意が必要．
- **アベマシクリブ**：重篤な間質性肺疾患による死亡例あり，症状を確認する．下痢が高頻度に発現するため適宜，ロペラミドを使用．

E 処方提案のポイント

- 治療目的（治癒か症状緩和・延命か）により，投与量やG-CSF等の提案が異なる．
- **制吐薬**：化学療法開始前に治療および患者関連のリスクを把握し，制吐薬を提案．
- **アロマターゼ阻害薬**：副作用として，関節痛や骨粗鬆症があるため，骨塩量減少の場合は骨吸収抑制薬の使用を検討．

参考文献

1) 日本乳癌学会編：乳癌診療ガイドライン 治療編 2018年版, 金原出版, 2018
2) 日本乳癌学会編：乳癌診療ガイドライン 薬物療法 改訂のポイント(2018年版 Ver.3), http://jbcs.gr.jp/guidline/2018/index/yakubutu/[2020年6月24日閲覧]
3) 国立がん研究センター内科レジデント編：がん診療レジデントマニュアル 第8版, 医学書院, 2019
4) がん化学療法ワークシート 第5版, じほう, 2020

(森本 麻友)

46 胃がん

A 疫学・病態
- 胃がんによる死亡数は第3位(2018年),罹患数は第2位(2017年).
- 性別では罹患数・死亡数ともに男性第2位,女性第4位.
- *H.pylori* 感染,塩分過多,野菜摂取不足などの関連が指摘されている.
- 罹患率に地域差があり,国際的には東アジアが多く,国内では東北地方の日本海側が多い.

B 患者の状態把握
症状
- 胃がん特有の症状はなく,初期は胃痛,胸焼け,食思不振.
- 進行すると短期間での体重減少,黒色便など.
- 転移,腹膜播種により悪心,排便の停止,激しい腹痛,発熱,腹部膨満感など.

検査・診断
- 血液検査,腫瘍マーカー(CEA,CA19-9)
- 診断には,内視鏡検査(超音波内視鏡を含む)が有用.
- 全身転移を検索するために,CT,MRIを用いる.
- HER2,UGT1A1,PD-L1,MSIを測定する.

C 治療(図24-2,表24-2, 3)
StageⅡ術後補助化学療法
- ACTS-GC試験により,TS-1の術後補助化学療法の有用性が示された.

 TS-1錠 80 mg/m²/日 分2 朝夕食後 day 1〜28,14日間休薬 6週毎に投与 術後8コース施行

StageⅢ術後補助化学療法
- JACCRO GC-07試験により,TS-1+ドセタキセル療法の有用性が示された.

 TS-1錠 80 mg/m²/日 分2 朝夕食後 day 1〜14,7日間休薬 2コース目から追加 ドセタキセル注 40 mg/m² day 1 1時

| 一次化学療法 | 二次化学療法 | 三次化学療法 |

- 一次化学療法
  - HER2(−)の場合
    - TS-1+シスプラチン
    - カペシタビン+シスプラチン
  - HER2(+)の場合
    - トラスツズマブ+カペシタビン+シスプラチン
  - MSI-Highの場合
    - ペムブロリズマブ
- 二次化学療法
  - ラムシルマブ+パクリタキセル
- 三次化学療法
  - ニボルマブ
  - イリノテカン
  - トリフルリジン・チピラシル

図24-2 進行・再発胃がん化学療法における診療の流れ
〔日本胃癌学会編:胃癌治療ガイドライン 医師用 第5版, 金原出版, 2018より〕

表24-2 TS-1の投与量

体表面積	初回基準量(テガフール相当量)
1.25 m² 未満	40 mg/回×2回
1.25 m² 以上〜1.5 m² 未満	50 mg/回×2回
1.5 m² 以上	60 mg/回×2回

〔大鵬薬品:ティーエスワン®添付文書より〕

間で点滴静注 3週毎に投与
7コース目から単独 TS-1錠 80 mg/m²/日 分2 朝夕食後 day 1〜28, 14日間休薬 6週毎に投与 術後1年まで

□ CLASSIC試験により, CapeOX療法の術後補助化学療法の有用性が示された.
1) カペシタビン錠 2,000 mg/m²/日 分2 朝夕食後 day 1〜14, 7日間休薬
2) オキサリプラチン注 130 mg/m² day 1 2時間(アレルギー出現時は4時間)で点滴静注 3週毎に投与 術後8コース施行

HER2陰性・進行・再発胃がんに対する1次治療

□ SPIRITS試験により, 進行・再発胃がんの1次治療としてTS-1/CDDP療法が標準治療.
1) TS-1錠 80 mg/m²/日 分2 朝夕食後 day 1〜21, 14日

表24-3 腎機能別のTS-1とカペシタビン投与量

1. TS-1

クレアチニンクリアランス(mL/min)	TS-1投与量 胃癌術後補助化学療法時	TS-1投与量 シスプラチン併用療法時
≧80	基準投与量開始	基準投与量開始
80>CCr≧60	基準投与量開始(必要に応じて1段階減量)	基準投与量開始(必要に応じて1段階減量)
60>CCr≧30	原則として1段階以上の減量(30〜40は2段階減量が望ましい)	・60〜50は好中球減少などの発現率が高い傾向 ・50>は試験結果なし
30>	投与不可	試験結果なし

〔大鵬薬品:ティーエスワン®適正使用ガイド,pp18-19,2016より〕

2. カペシタビン

クレアチニンクリアランス (mL/min)	カペシタビン投与量
≧51	基準投与量開始
50>CCr≧30	必要に応じて1段階減量投与量から開始
30>	投与不可

〔中外製薬:ゼローダ®適正使用ガイド,p10,2016より〕

間休薬
2) シスプラチン注 60 mg/m² day 8 1時間で点滴静注 5週毎に投与

□ Toga試験やAVAGAST試験により,カペシタビン/シスプラチン療法の有用性が示された.
1) カペシタビン錠 2,000 mg/m²/日 分2 朝夕食後 day 1〜14,7日間休薬
2) シスプラチン注 80 mg/m² day 1 2時間で点滴静注 3週毎に投与

HER2陽性・進行・再発胃がんに対する一次治療

1) トラスツズマブ注 初回8 mg/kg 90分で点滴静注,2回目以降 6 mg/kg day 1 30分で点滴静注
2) シスプラチン注 80 mg/m² day 1 120分で点滴静注
3) カペシタビン錠 2,000 mg/m²/日 分2 朝夕食後 day 1〜

14, 7日間休薬　3週毎に投与

▌MSI-High 陽性進行・再発胃がんに対する二次治療以降
□ KEYNOTE-158, 同-061 試験によりペムブロリズマブ療法の有用性が示された.

ペムブロリズマブ注　200 mg/body　day 1　30分で点滴静注
3週毎に投与

▌進行・再発胃がんに対する二次次治療
□ RAINBOW 試験によりラムシルマブ/パクリタキセル療法の有用性が示された.
1) ラムシルマブ注　8 mg/kg　day 1, 15　60分で点滴静注
2) パクリタキセル注　80 mg/m²　day 1, 8, 15　90分で点滴静注　4週毎に投与

▌進行・再発胃がんに対する三次治療
□ ATTRACTION-2 試験によりニボルマブ療法の有用性が示された.
1) ニボルマブ注　240 mg/body　day 1　30分で点滴静注　2週毎に投与
2) イリノテカン注　150 mg/m²　day 1, 15　90分で点滴静注　4週毎に投与
3) トリフルリジン・チピラシル錠　70 mg/m²/日　分2　朝夕食後　day 1〜5, 8〜12　14日間休薬　4週毎に投与

D 薬剤師による薬学的ケア

▌処方チェック
① 投与量
□ TS-1, カペシタビンは体表面積に合わせて投与量を算出. 腎機能により減量の必要性も確認. カペシタビンは適応(乳癌, 結腸・直腸癌)により基準投与量が異なるため注意.
□ **イリノテカン**: *UGT1A1* の遺伝子多型確認. ホモ, ダブルヘテロは減量考慮.
② 投与スケジュール
□ TS-1 の投与スケジュールがレジメンにより異なる(単独, TS-1＋ドセタキセル, TS-1＋シスプラチンなど).
□ TS-1 と FU 系抗がん薬では 7 日以上の休薬期間を確認.

□ CDDPでは大量輸液を行う．Short hydrationの報告もあり．
③ 相互作用
□ **TS-1**：ワルファリンとの併用により抗凝固能が変動．また，フェニトイン(PHT)との併用により血中PHT濃度↓ ➡ けいれん誘発のおそれ．
④ 前投薬
□ **ラムシルマブ，パクリタキセル**：過敏症予防の前投薬確認．
⑤ 検査
□ **イリノテカン**：事前の*UGT1A1*測定
□ **ペムブロリズマブ・ニボルマブ**：MSI，PD-L1の確認．ACTH，コルチゾール，TSH，FT4などの定期測定(☞p361)．

服薬指導
□ **服薬アドヒアランス**：内服抗がん薬がkey drugとなるため，服薬アドヒアランスの確保が重要．服用間隔が通常より短い場合，血中濃度↑による副作用発現が惹起される可能性があるため，2回分を一度に服用しないよう注意．
□ 副作用症状が強いときは無理に継続服用せず，医療機関に連絡するよう指導する．
□ 感染予防対策の励行．

治療・副作用モニタリング
□ **骨髄抑制**：nadir(好中球の最低値)の時期を評価．
□ **悪心・嘔吐**：あらかじめ嘔吐リスクを評価．
□ **下痢**：TS-1，イリノテカンなどでは特に発現に注意する．
□ **腎障害**：TS-1投与時にはギメラシルの腎排泄↓ ➡ 毒性が増強するおそれ．また，カペシタビン，シスプラチン投与時にも腎機能の評価が必要．
□ **手足症候群**：TS-1，カペシタビン．観察，保湿，圧迫を避けることを指導．
□ **流涙**：TS-1，カペシタビン．防腐剤非含有の人工涙液点眼で抗がん薬を洗い流す．
□ **脱毛**：パクリタキセル，ドセタキセル，イリノテカン．
□ **末梢神経障害**：パクリタキセル，オキサリプラチン．
□ **Infusion reaction，高血圧，出血，蛋白尿**：ラムシルマブ．蛋白尿出現時は尿中蛋白/尿中クレアチニン比の測定も考慮．

- □ **心障害**：トラスツズマブ．定期的な心エコー検査必要．
- □ **コリン作動性症候群**：イリノテカン．ブチルスコポラミン，アトロピン等投与．
- □ **肺炎，下痢，ホルモン異常，皮膚障害など**：ペムブロリズマブ，ニボルマブ．

E 処方提案のポイント

支持療法

- □ **Infusion reaction**：抗ヒスタミン薬（ジフェンヒドラミン）に加え，アセトアミノフェン，デキサメタゾンの投与も考慮．
- □ **悪心，嘔吐**：ステロイド，5-HT$_3$拮抗薬，アプレピタント，オランザピンの追加・延長を検討．
- □ **下痢**：イリノテカン投与時に，止瀉薬，半夏瀉心湯などを投与．
- □ **便秘**：5-HT$_3$拮抗薬による便秘．イリノテカン投与時はSN38の腸肝循環を考慮し排泄を促す．
- □ **口内炎**：頻回の嗽励行，ステロイド軟膏の投与．真菌感染の有無も考慮．
- □ **摂食状況の悪化**：味覚・嗅覚障害への対応，酸味の利用や食事を室温まで冷ます,視覚の圧迫を避けた配膳方法,経口栄養剤の処方．
- □ **皮膚障害**：保湿薬，状況に応じステロイド軟膏処方を検討．
- □ **高血圧**：高血圧治療ガイドラインに準じ，降圧薬の処方を検討．

参考文献

1) 日本胃癌学会編：胃癌治療ガイドライン 医師用 第5版，金原出版，2018
2) 日本胃癌学会ガイドライン委員会：速報版胃癌治療ガイドライン，2019-2020
3) 南博信ほか：外来治療をサポートするがん薬物療法マネジメントブック，じほう，2016

（増田 義雄）

47 大腸がん

A 大腸がんの疫学

- □ わが国の罹患数は男性で第3位，女性で第2位，全体で第1位（2017年）．

- 男女とも罹患数は死亡数の2倍以上で，生存率は比較的高い．
- 発がんの促進因子として，高脂肪食，喫煙，運動不足，過度の飲酒，赤身肉など．
- 家族性大腸腺腫症などの遺伝性大腸がんや，慢性炎症性腸疾患からの発がんの可能性もある．

B 患者の状態把握

症状
- 一般的な症状は，早期には出血以外にほとんどない．
- 進行がんでは，便通異常，便秘，腹部膨満感，体重減少などの症状がある．
- 出血症状は，血便，下血，貧血．

検査
- 血液検査として，ヘモグロビン値の低下，便潜血検査陽性などの所見がみられる．
- 診断には，注腸検査，大腸内視鏡検査が用いられる．
- **CT，MRI**：遠隔転移の有無．
- 腫瘍マーカー：血清 CEA，CA19-9，AFP．
- *RAS* 遺伝子変異，*BRAFV600E* 遺伝子検査，*UGT1A1* 遺伝子多型，MSI-High．

C 治療(標準的処方例)

① mFOLFOX6
1) オキサリプラチン注　85 mg/m^2　2時間　day 1
2) レボホリナート注　200 mg/m^2　2時間　day 1
3) フルオロウラシル注　400 mg/m^2　急速静注　day 1
4) フルオロウラシル注　2,400 mg/m^2　46時間　持続静注

2週毎投与

② FOLFIRI
1) イリノテカン注　180 mg/m^2　90分間　day 1
2) レボホリナート注　200 mg/m^2　2時間　day 1
3) フルオロウラシル注　400 mg/m^2　急速静注　day 1
4) フルオロウラシル注　2,400 mg/m^2　46時間　持続静注

2週毎投与

③ IRIS
1) TS-1錠　80〜120 mg/body/日　分2　day 1〜14，休薬14日
2) イリノテカン注　125 mg/m²　90分間　day 1, 15
4週毎投与

④ イリノテカン
イリノテカン注　150 mg/m²　90分間　day 1　2週毎投与

⑤ 5-FU＋LV
1) レボホリナート注　250 mg/m²　2時間　day 1
2) フルオロウラシル注　500 mg/m²　3分以内　day 1
週1回，6週投与し，2週休薬

⑥ UFT＋LV
1) テガフール・ウラシルカプセル　300〜600 mg/m²（300 mg/m²を基準）/日　分3　day 1〜28
2) ホリナート錠　75 mg/body/日　分3　day 1〜28
5週毎投与

⑦ CapeOX
1) カペシタビン錠　2,000 mg/m²/日　分2　day 1〜14, 7日間休薬
2) オキサリプラチン注　130 mg/m²　2時間　day 1
3週毎投与

⑧ SOX
1) TS-1錠　80〜120 mg/body/日　分2　day 1〜14，休薬7日
2) オキサリプラチン注　130 mg/m²　2時間　day 1
3週毎投与

⑨ FOLFOXIRI
1) イリノテカン注　165 mg/m²　90分間　day 1
2) オキサリプラチン注　85 mg/m²　2時間　day 1
3) レボホリナート注　200 mg/m²　2時間　day 1
4) フルオロウラシル注　3,200 mg/m²　48時間　持続静注
2週毎投与

⑩ ベバシズマブ
ベバシズマブ注　5 mg/kg　90分（2回目60分，3回目以降30分で投与可）

⑪ セツキシマブ　*RAS/BRAF*遺伝子野生型
　セツキシマブ注　初回400 mg/m²　2時間,
　2回目以降250 mg/m²　1時間　day 1　1週毎投与
⑫ パニツムマブ　*RAS/BRAF*遺伝子野生型
　パニツムマブ注　6 mg/kg　1時間以上　day 1　2週毎投与
⑬ ラムシルマブ
　ラムシルマブ注　8 mg/kg　1時間以上　day 1　2週毎投与
　＋FOLFIRI
⑭ アフリベルセプト
　アフリベルセプト注　4 mg/kg　1時間以上　day 1　2週毎投与
　＋FOLFIRI
⑮ ペムブロリズマブ　MSI-High
　ペムブロリズマブ注　200 mg/body　30分かけて　day 1　3週毎投与
⑯ レゴラフェニブ
　レゴラフェニブ錠　160 mg/body　分1　食後　day 1〜21,休薬7日　4週毎投与
⑰ トリフルリジン・チピラシル
　トリフルリジン・チピラシル錠　70 mg/m²/日　分2　朝夕食後（day 1〜5,休薬2日）×2回,2週休薬,4週毎投与

D 薬剤師による薬学的ケア

処方チェック

1. レジメン

□ 術後補助化学療法はstageⅡ,Ⅲに適応. 5-FU＋LV療法,UFT＋LV療法,カペシタビン療法,FOLFOX4療法またはmFOLFOX6療法,CapeOX療法,TS-1療法を適用. 推奨される投薬期間は6か月. 術後4〜8週頃までに開始が推奨.
□ 術後補助化学療法と,進行再発治療では使用できるレジメンが一部異なる.
□ 切除不能進行再発大腸がんに対するレジメン選択の考え方[1]を以下に示す.

① 1次治療
□ **図24-3**に準じて選択する. 分子標的治療薬の併用が推奨される

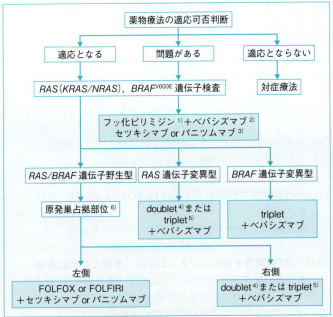

図 24-3 一次治療の方針を決定する際のプロセス
※1：フッ化ピリミジン：5-FU＋l-LV，UFT＋LV，TS-1，Cape
※2：ベバシズマブの併用が推奨されるが，適応とならない場合はフッ化ピリミジン単独療法を行う
※3：セツキシマブ，パニツムマブは，RAS(KRAS/NRAS)およびBRAF遺伝子野生型にのみ適応
※4：Doublet：FOLFOX，CAPOX，SOX，FOLFIRI，TS-1＋IRI
※5：Triplet：FOLFOXIRI
※6：腫瘍占拠部位の左側とは下行結腸，S状結腸，直腸，右側とは盲腸，上行結腸，横行結腸を指す
〔大腸癌研究会編：大腸癌治療ガイドライン 医師用 2019年版．p35，金原出版，2019より〕

が，適応とならない場合は化学療法単独．

1) ベバシズマブ併用レジメン（FOLFOX，CapeOX，SOX，FOLFIRI，IRIS，FOLFOXIRI，5-FU＋LV，カペシタビン，UFT＋LV，TS-1）
2) セツキシマブ併用レジメン（FOLFOX，FOLFIRI）

3) パニツムマブ併用レジメン(FOLFOX, FOLFIRI)
4) セツキシマブ単独 or パニツムマブ単独

②2次治療

□ **OX を含むレジメンに不応・不耐となった場合**
1) ベバシズマブ併用レジメン(FOLFIRI, CapeIRI, IRIS, イリノテカン)
2) FOLFIRI にセツキシマブ or パニツムマブ or ラムシルマブ or アフリベルセプトを併用
3) イリノテカンにセツキシマブ or パニツムマブを併用
4) ペムブロリズマブ(MSI-High にのみ適応)

□ **イリノテカンを含むレジメンに不応・不耐となった場合**
1) ベバシズマブ併用レジメン(FOLFOX, CapeOX, SOX, イリノテカン)
2) FOLFOX にセツキシマブ or パニツムマブを併用
3) ペムブロリズマブ(MSI-High にのみ適応)

□ **OX, IRI の両方を含むレジメンに不応・不耐となった場合**
1) セツキシマブ or パニツムマブにイリノテカンを併用(イリノテカン不耐でなければ併用が望ましい)
2) ペムブロリズマブ(MSI-High にのみ適応)

③3次治療

□ **セツキシマブ or パニツムマブを含むレジメンを未使用の場合**
1) セツキシマブ or パニツムマブにイリノテカンを併用(イリノテカン不耐でなければ併用が望ましい)
2) ペムブロリズマブ(MSI-High にのみ適応)

□ **セツキシマブ or パニツムマブを含むレジメンに不応・不耐となった場合**
1) トリフルリジン・チピラシル,レゴラフェニブ
2) ペムブロリズマブ(MSI-High にのみ適応)

2. 相互作用

①フッ化ピリミジン系代謝拮抗薬

□ **テガフール・ギメラシル・オテラシル配合薬との併用**:ギメラシルがフルオロウラシルの代謝を阻害し血中濃度↑ ➡ 禁忌.

□ **ワルファリンやフェニトインとの併用**:作用↑やフェニトインの血中濃度↑の可能性.

② トリフルリジン・チピラシル
- □ **フッ化ピリミジン系代謝拮抗薬や葉酸代謝拮抗剤** ➡ 重篤な骨髄抑制の可能性.

3. 配合変化
- □ **オキサリプラチン**：塩化物含有溶液により分解するため，生理食塩液等との混合を回避.
- □ **ベバシズマブ**：ブドウ糖により力価が低下するおそれがあるため混合を回避.

服薬指導，治療・副作用モニタリング
- □ **フルオロウラシル系**：出血傾向のある患者など，凝固能が変動する可能性があるため慎重に投与．輸血などの処置を必要とする場合には投与を中止.
- □ **カペシタビン**：手足症候群の発現と対処法について説明.
- □ **オキサリプラチン含有レジメン**：末梢神経障害については，早期の予防策として，クーラーの冷気や冷たい飲み物の摂取など，冷感刺激に注意する．慢性末梢神経障害が認められた場合は休薬が必要となるので，痺れ等の症状が現れたら伝えるよう指導．また，蓄積性の神経毒性に留意が必要.
- □ **イリノテカン含有レジメン**：下痢については，便通の状況を把握．発現した際は，消化のよい食事をとり，乳糖を含む食品，アルコール，高浸透圧の食品を避け，水分を多めに摂取するよう指導.
- □ **ベバシズマブ，ラムシルマブ，アフリベルセプト**：高血圧，出血，創傷治癒遅延について説明．また，消化管穿孔（突然の強い腹痛）や血栓塞栓症（胸痛，突然の意識消失，ろれつが回らなくなる）の初期症状について説明．血栓塞栓症にD-ダイマー測定．蛋白尿あり，定期的に尿検査実施.
- □ **セツキシマブ，パニツムマブ**：Infusion reactionについて説明し，投与開始後の変化に注意するよう説明．また，皮膚障害（ざ瘡様皮疹，乾皮症，爪囲炎）とその対応について説明．低Mg血症に注意．自覚症状（QT延長，痙攣，しびれ，全身倦怠感，等）を説明，血中電解質をモニタリング．必要に応じ硫酸Mgを補充.
- □ **レゴラフェニブ**：手足症候群（紅斑，角化，疼痛）と保湿薬による予防法について説明．高血圧，重篤な肝機能障害が現れることがあり，定期的に血圧値，肝機能検査値を確認．空腹時服用の場

合,食後投与と比較して未変化体の C_{max} および AUC ↓,空腹時投与を避ける.高脂肪食摂取後投与時,低脂肪食摂取後投与時に比較して活性代謝物の C_{max} および AUC ↓,高脂肪食後の投与を避ける.
- □ **トリフルリジン・チピラシル**:空腹時服用の場合,食後投与と比較してトリフルリジン C_{max} ↑,空腹時投与を避ける.
- □ **ペムブロリズマブ**:定期的に血液・尿検査を行い免疫関連有害事象の早期発見・早期治療に努める.

E 処方提案のポイント

支持療法

- □ **カペシタビンによる手足症候群**:尿素含有軟膏,ステロイド軟膏などの処方を提案.
- □ **オキサリプラチンによる末梢神経障害**:ビタミン B_{12},牛車腎気丸,プレガバリン,ミロガバリンベシル酸塩,デュロキセチン塩酸塩などを提案.
- □ **イリノテカン**:早発性下痢に対し,抗コリン薬処方を考慮.遅発性下痢に対しては,ロペラミド,半夏瀉心湯などを提案.
- □ **ベバシズマブによる高血圧**:ARB,Ca 拮抗薬などの処方.
- □ **セツキシマブ,パニツムマブによる皮膚障害**:予防的治療として保湿薬やステロイド外用,抗菌薬処方を提案.低 Mg 血症:硫酸 Mg 注による補充を提案.
- □ **セツキシマブによる Infusion reaction**:抗ヒスタミン薬の前投与により予防.
- □ **レゴラフェニブ**
- ・**手足症候群**:予防的治療として尿素含有製剤,ヘパリン類似物質含有製剤,ステロイド軟膏などの処方を提案.
- ・**高血圧**:降圧薬の処方を提案.

参考文献

1) 大腸癌研究会編:大腸癌治療ガイドライン 医師用 2019 年版.金原出版,2019

(田中 布貴)

48 肝がん

A 疫学

- 近年，死亡数は若干減少傾向，罹患数は増加．
- 原発性肝がんの95％は肝細胞がんで残りのほとんどを肝内胆管がんが占める．
- 罹患率および死亡率は男性のほうが高く，女性の約2倍．
- HBVおよびHCVの持続感染が主要な発生要因であるが，近年非B非C型肝がんが増加傾向．
- 肝発がんリスクを上昇させる因子として高齢，男性，糖尿病罹患，肥満，ALT高値，PLT低値，アルコール多飲がある．

B 患者の状態把握

症状

- 無症状のことが多い．
- 肝がんに特有の症状は少なく，慢性肝炎や肝硬変などによる症状が主なことも多い．
- がんの進行に伴い全身倦怠感，食欲不振，黄疸，浮腫，右季肋部のしこり，上部腹痛，など．肝破裂による突然の腹痛，貧血を認める場合もある．

検査

- **画像診断**：通常侵襲性の低い超音波検査をし，結節性病変が新たに指摘された場合．
- dynamic CTまたはdynamic MRIを行う．
- **腫瘍マーカー**：AFP，PIVKA-Ⅱ，AFP-L3分画．

C 治療（標準的処方例）

- 治療法としては，手術（肝切除，肝移植），局所療法〔特に経皮的ラジオ波焼灼術（RFA）〕，肝動脈化学塞栓療法（TACE），全身化学療法（ソラフェニブ，レゴラフェニブ，レンバチニブ，ラムシルマブ）などがある（図24-4）．
- 肝動注化学療法（HAIC）がよく行われてきたが，その延命効果は明らかではない．

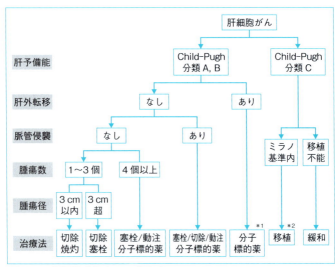

図 24-4 肝細胞癌治療アルゴリズム
＊1 Child-Pugh 分類 A のみ．＊2 患者年齢は 65 歳以下
〔日本肝臓学会編：肝癌診療ガイドライン，金原出版，2017 より〕

肝動脈化学塞栓術

1) エピルビシン　50 mg+リピオドール®　5 mL
2) ミリプラチン　120 mg+リピオドール®　6 mL
3) 動注用シスプラチン　50 mg+リピオドール®　5 mL
4) エピルビシン　50 mg+ディーシービーズ®

□ 塞栓物質としてはリピオドール，多孔性ゼラチン粒，ゼラチンスポンジあるいは球状塞栓物質が使用される．

肝動注化学療法

□ **肝動注化学療法**：以下のいずれか

1) 動注用シスプラチン　65 mg/m²　0〜40 分で肝動脈内に投与
2) シスプラチン　10 mg/body/日　30 分動注
3) フルオロウラシル　2,500 mg/body

□ 低用量 CDDP と 5-FU を組み合わせた方法(low-dose FP 療法)が比較的高い奏効率を示している．

全身化学療法(分子標的治療薬)
□ 1 次治療は 1)か 2)のいずれか.
1) ソラフェニブ錠　1回 400 mg/body　1日2回　連日投与
2) レンバチニブカプセル　12 mg/body/日(体重 60 kg 以上)　1日1回　連日投与
3) レゴラフェニブ錠　160 mg/body/日　1日1回　食後　3週内服 1週休薬
4) ラムシルマブ　8 mg/kg　60分で点滴静注　2週に1回

□ 原則としていずれも Child-Pugh A が適応.
□ **レンバチニブ**:体重 60 kg 未満の場合は 8 mg/body/日. 症例を限って Child-Pugh 分類 B(スコア 7〜8)にも投与されうるが, その場合の最大耐用量は 8 mg/body/日.
□ **レゴラフェニブ**:ソラフェニブ不応あるいは不耐例の二次治療.
□ **ラムシルマブ**:AFP≧400 ng/mL が保険適用. ソラフェニブ不応あるいは不耐例の二次治療.

D 薬剤師による薬学的ケア

処方チェック
□ **ソラフェニブ, レゴラフェニブ**:CYP3A4 および UGT1A9 により代謝. これらの酵素活性に影響する薬剤(リファンピシン, フェノバルビタール, フェニトイン等)と併用する場合には注意.

服薬指導, 治療・副作用モニタリング
① **ソラフェニブ, レンバチニブ, レゴラフェニブ, ラムシルマブ**
□ 高血圧症 ➡ 定期的な血圧測定を指導. 特に既往に高血圧症がある場合は注意.

② **ソラフェニブ, レンバチニブ, レゴラフェニブ**
□ 脳転移を有する場合, 転移部位からの出血リスク ➡ 治療開始前に脳転移有無の確認.
□ **手足症候群(HFS)**:手足への過剰な刺激・圧迫を避け, 保湿剤で皮膚を保護するよう指導.
□ **下痢**:脂肪分の多いもの・揚げ物等を避け, 室温の水分を十分摂取するよう説明.

③ **ソラフェニブ, レゴラフェニブ**
□ 高脂肪食(約 900〜1,000 kcal, 脂肪含量 50〜60%)により効果減

弱の可能性. ソラフェニブは高脂肪食摂取時には食事の1時間前から食後2時間までを避けて服用. レゴラフェニブは高脂肪食摂取後の内服を避ける.

④レゴラフェニブ, レンバチニブ
□甲状腺機能低下症 ➡ 定期的にTSH, FT_4などをモニタリング.

E 処方提案のポイント

①ソラフェニブ, レンバチニブ, レゴラフェニブ, ラムシルマブ
□下痢に対し, 整腸剤とロペラミドを投与.
□高血圧には適宜降圧薬を使用(高血圧ガイドラインに準じて選択).

②ソラフェニブ, レンバチニブ, レゴラフェニブ
□HFSに対して尿素含有製剤などの保湿剤での予防. 症状出現時はステロイド外用剤を早期に使用する. W/O型乳剤が保湿効果の持続時間, 基剤の低刺激性の点でO/W型乳剤よりもHFS予防に有用.

③レンバチニブ
□倦怠感や食欲不振に対し, ステロイド少量投与や六君子湯, 補中益気湯などを投与.
□**Low-dose FP療法**:肝機能, 腎機能の程度により適宜減量.
□肝動脈塞栓療法(TAE), TACE, 肝動脈化学療法(TAI)による発熱・腹痛に対し, 解熱鎮痛剤の投与を行う.

参考文献
1) 日本肝臓学会編:肝癌診療ガイドライン, 金原出版株式会社, 2017
2) 日本肝臓学会編:肝癌診療マニュアル第3版, 医学書院, 2020

(山本 晴菜)

49 肺がん

A 肺がんの疫学・病態
□肺がんによる死亡数は第1位(2018年), 罹患数は第3位(2017年).
□男性では悪性腫瘍による死因の第1位, 女性では第2位.

- □ 死亡数，罹患数とも増加傾向．
- □ 主な組織型として，小細胞肺がんと非小細胞肺がん(腺がん，扁平上皮がん，大細胞がん)に分類．
- □ 最大の危険因子は喫煙．
- □ 慢性閉塞性肺疾患(肺気腫，慢性気管支炎)，職業的曝露(アスベストなど)，大気汚染，肺がんの既往歴，家族歴，年齢，肺結核なども関与．

B 患者の状態把握

症状

- □ 咳嗽，喀痰，血痰，発熱，呼吸困難，胸痛などの呼吸器症状．
- □ 症状発見の肺がんは検診発見と比較して進行がんの頻度が高く，予後が悪いことが多い．
- □ 進行に伴い，発熱や全身倦怠感，体重減少，胸痛をきたす．

検査

- □ **画像診断**：質的診断(胸部X線，胸部CT)，病期診断(胸・腹部CT，脳MRIまたはCT，骨RI，PETなど)．
- □ **組織・細胞診**：気管支鏡，CTガイド下針経皮生検，胸腔鏡下肺生検，喀痰細胞診，胸水細胞診など．
- □ **血液検査**：腫瘍マーカー(CYFRA21-1，CEA，SLX，CA19-9，CA125，SCC，TPA，ProGRP，NSEなど)．
- □ **バイオマーカー**：*EGFR*遺伝子変異，*ALK/ROS1/NTRK*遺伝子転座，*BRAF*遺伝子変異，PD-L1発現率．

C 治療(標準的処方例)

小細胞肺がん

- □ StageⅠ～ⅡA期の小細胞肺がんに対して全身状態(PS)が良好であれば外科の手術が推奨．
- □ 限局型小細胞肺がん(LD)のStageⅠ～ⅡA期以外，PS良好例では化学療法と胸部放射線療法の早期同時併用が推奨．
- □ 進展型小細胞肺がん(ED)ではプラチナ製剤を含む併用化学療法が推奨であり，PS良好例ではプラチナ製剤併用療法にPD-L1阻害薬の上乗せを推奨．

①限局型小細胞がん(LD):PS 0〜2
  1) シスプラチン注　80 mg/m²　点滴静注　day 1　3〜4週毎
  2) エトポシド注　100 mg/m²　点滴静注　day 1, 2, 3(放射線施行中は4週毎)
  胸部放射線治療:加速過分割照射法　1日2回, 45 Gy/30回　3週間
  *放射線照射は化学療法1コース目のday 2から開始.
  *化学療法は放射線治療完遂後も合計4コースまで継続.
  *初期治療でCRが得られた症例では予防的全脳照射を推奨.

②進展型小細胞肺がん(ED)
  1) シスプラチン注　60 mg/m²　点滴静注　day 1
  2) イリノテカン注　60 mg/m²　点滴静注　day 1, 8, 15
  4週毎, 4コース
  1) シスプラチン注　80 mg/m²　点滴静注　day 1
  2) エトポシド注　100 mg/m²　点滴静注　day 1, 2, 3
  1) カルボプラチン注　AUC=5　点滴静注　day 1
  2) エトポシド注　100 mg/m²　点滴静注　day 1, 2, 3
  3) アテゾリズマブ注　1,200 mg/body　点滴静注　day 1
  3週毎, 4コース
  *4コース終了後, 増悪を認めなければアテゾリズマブの単剤投与を考慮

Stage Ⅳ非小細胞肺がんの1次治療

□ 組織型やバイオマーカーにより治療方針を検討. 患者のPS, 年齢に応じ推奨される薬剤が異なる.

①非扁平上皮癌

□ *EGFR*遺伝子変異陽性(エクソン19欠損・L858R変異陽性):年齢, 全身状態を考慮して以下のレジメンから選択.
  オシメルチニブ錠　80 mg/body/日　1日1回　朝食後　連日投与
  ダコミチニブ錠　45 mg/body/日　1日1回　連日投与
  ゲフィチニブ錠　250 mg/body/日　1日1回　朝食後　連日投与
  エルロチニブ錠　150 mg/body/日　1日1回　空腹時　連日投与
  アファチニブ錠　40 mg/body/日　1日1回　空腹時　連日投与
  1) エルロチニブ錠　150 mg/body/日　1日1回　空腹時　連日投与
  2) ベバシズマブ注　15 mg/kg　点滴静注　day 1　3週毎
  1) ゲフィチニブ錠　250 mg/body/日　1日1回　空腹時　連日投与

2) カルボプラチン注　AUC＝5　点滴静注　day 1
3) ペメトレキセド注　500 mg/m²　点滴静注　day 1　3〜4週毎

□ **ALK 遺伝子転座陽性**：PS 0〜2：以下のいずれか（ALK 阻害薬）．

アレクチニブカプセル　1回 300 mg/body　1日2回　連日投与

クリゾチニブカプセル　1回 250 mg/body　1日2回　朝夕食後　連日投与

セリチニブ　1回 450 mg/body　1日1回　朝食後　連日投与

□ **ROS1 遺伝子転座陽性**：

クリゾチニブカプセル　1回 250 mg/body　1日2回　朝夕食後　連日投与

□ **BRAF 遺伝子変異陽性**：PS 0〜4

1) ダブラフェニブカプセル　1回 150 mg/body　1日2回　空腹時　連日投与
2) トラメチニブ錠　2 mg/日　1日1回　空腹時　連日投与

＊食事の1時間前から食後2時間までの間の服用は避ける

□ **NTRK 遺伝子転座陽性**：*ROS1* 遺伝子転座陽性の場合にも使用可能（適応追加承認：2020年2月）

エヌトレクチニブカプセル　1回 600 mg/body　1日1回　連日投与

□ **PD-L1≧50%（*EGFR* 遺伝子変異陰性, *ALK/ROS1* 遺伝子転座陰性，もしくは不明）**：PS 0〜1：ペムブロリズマブ，もしくはプラチナ製剤＋PD-1/PD-L1 阻害薬レジメンを推奨．

ペムブロリズマブ注　200 mg/body　点滴静注　day 1　3週毎

1) ペメトレキセド注　500 mg/m²　点滴静注　day 1
2) ペムブロリズマブ注　200 mg/body　点滴静注　day 1
3) シスプラチン注　75 mg/m²　点滴静注　day 1　または
   カルボプラチン注　AUC＝5　点滴静注　day 1
   3週毎　4コース以内

＊4コース終了後，増悪を認めなければペメトレキセド＋ペムブロリズマブの維持療法を考慮

1) パクリタキセル注　200 mg/m²　点滴静注　day 1
2) カルボプラチン注　AUC＝6　点滴静注　day 1
3) ベバシズマブ注　15 mg/kg　点滴静注　day 1
4) アテゾリズマブ注　1,200 mg/body　点滴静注　day 1

3週毎　4または6コース以内
＊プラチナ併用療法終了後，病勢増悪もしくは毒性中止までベバシズマブ＋アテゾリズマブ維持療法を考慮

□ ***EGFR*** **遺伝子変異陰性，*ALK/ROS1* 遺伝子転座陰性，もしくは不明，PD-L1＜50％：PS 0-1, 75歳未満**：プラチナ製剤±PD-1/PD-L1阻害薬レジメンもしくはペムブロリズマブ単剤（PD-L1 1％以上）が推奨．ベバシズマブ投与可能例では追加を推奨．

1) シスプラチン注　75 mg/m²　点滴静注　day 1
2) ペメトレキセド注　500 mg/m²　点滴静注　day 1
   3週毎　4コース
＊4コース終了後，増悪を認めなければペメトレキセド単剤の維持療法を考慮

1) パクリタキセル注　200 mg/m²　点滴静注　day 1
2) カルボプラチン注　AUC＝6　点滴静注　day 1
3) ベバシズマブ注　15 mg/kg　点滴静注　day 1
   3週毎　6コース以内
＊プラチナ併用療法終了後，病勢増悪もしくは毒性中止までベバシズマブ単剤投与を考慮

②扁平上皮癌

□ **PD-L1≧50％：PS 0～1**：ペムブロリズマブ単剤，プラチナ製剤併用療法＋PD-1/PD-L1阻害薬．
   ペムブロリズマブ注　200 mg/body　点滴静注　day 1　3週毎

1) カルボプラチン注　AUC＝6　点滴静注　day 1
2) ペムブロリズマブ注　200 mg/body　点滴静注　day 1
3) パクリタキセル注　200 mg/body　点滴静注　day 1, 8, 15
   または
4) アルブミン懸濁型パクリタキセル注　100 mg/m²　点滴静注　day 1, 8, 15　3週毎　4コース
＊4コース終了後，増悪を認めなければペムブロリズマブの単剤投与を考慮

□ **PD-L1＜50％：PS 0～1, 75歳未満**：プラチナ製剤と第3世代以降の抗がん薬併用が推奨．シスプラチン＋ゲムシタビンへはネシツムマブの併用も考慮．ペメトレキセドおよびベバシズマブは行わないことが推奨．

1) ネダプラチン注　100 mg/m²　点滴静注　day 1
2) ドセタキセル注　60 mg/m²　点滴静注　day 1

3週毎　6コース以内
1) シスプラチン注　75 mg/m²　点滴静注　day 1
2) ゲムシタビン注　1,250 mg/m²　点滴静注　day 1, 8
3) ネシツムマブ注　800 mg/body　点滴静注　day 1, 8
　3週毎　4コース以内
＊4コース終了後，増悪を認めなければネシツムマブの単剤投与を考慮

■ Stage Ⅳ非小細胞肺がんの2次治療

□ 組織型やバイオマーカーにより以下のいずれかを選択．PS 0-2 の症例において免疫チェックポイント阻害薬未使用であればPD-1/PD-L1阻害薬が推奨される．

□ 細胞障害性抗がん薬ではPS 0-1の症例においてドセタキセルへラムシルマブの上乗せも考慮．*EGFR* T790M変異陽性例ではオシメルチニブの使用が推奨．

ペムブロリズマブ注　200 mg/body　点滴静注　day 1　3週毎

ニボルマブ注　240 mg/body　点滴静注　day 1　2週毎

1) ドセタキセル注　60 mg/m²　点滴静注　day 1　3週毎
2) ラムシルマブ注　10 mg/kg　点滴静注　day 1　3週毎

1) ペメトレキセド注　500 mg/m²　点滴静注　day 1　3週毎
2) TS-1　80〜120 mg/body　1日2回　朝夕食後　day 1〜28，休薬14日

ゲフィチニブ錠　250 mg/body/日　1日1回　朝食後　連日投与

エルロチニブ錠　150 mg/body/日　1日1回　空腹時　連日投与

アファチニブ錠　40 mg/body/日　1日1回　空腹時　連日投与

オシメルチニブ錠　80 mg/body/日　1日1回　朝食後　連日投与

ダコミチニブ錠　45 mg/body/日　1日1回　連日投与

クリゾチニブカプセル　1回250 mg/body　1日2回　朝夕食後　連日投与

アレクチニブカプセル　1回300 mg/body　1日2回　連日投与

ロルラチニブ錠　1回100 mg/body　1日1回　連日投与

1) ダブラフェニブカプセル　1回150 mg/body　1日2回　空腹時　連日投与
2) トラメチニブ錠　2 mg/day　1日1回　空腹時　連日投与
　＊食事の1時間前から食後2時間までの間の服用は避ける

D 薬剤師による薬学的ケア

処方チェック
① 副作用対策
- □ **シスプラチン**：高度催吐性があり悪心・嘔吐対策，大量輸液を行う．近年シスプラチン投与前後に合計 1.6〜2.5 L の補液を投与する short hydration の報告あり．
- □ **カルボプラチン**：Calvert の式で算出．CBDCA 投与量(mg/body) = AUC×(GFR + 25)
- □ **ペメトレキセド**：葉酸を連日服用，ビタミン B_{12} を 9 週毎筋注．

② 相互作用
- □ **ゲフィチニブ，エルロチニブ**：CYP3A4 阻害薬で血中濃度↑，誘導薬で血中濃度↓．PPI や H_2 拮抗薬で血中濃度↓，ワルファリンで PT-INR 延長．
- □ **アファチニブ**：P-gp 阻害薬で血中濃度↑，誘導薬で血中濃度↓．
- □ **オシメルチニブ**：QT 時間を延長する薬剤との併用には注意．
- □ **クリゾチニブ，アレクチニブ，セリチニブ，ロルラチニブ**：CYP3A4 阻害薬で血中濃度↑，誘導薬で血中濃度↓．QT 時間を延長する薬剤との併用に注意(クリゾチニブ，セリチニブ，ロルラチニブ)．
- □ **ダブラフェニブ**：CYP3A4 阻害薬で血中濃度↑，誘導薬で血中濃度↓．CYP2C6 誘導作用のためワルファリンの作用減弱の可能性．

服薬指導，治療・副作用モニタリング
① 服薬指導
- □ **ゲフィチニブ，エルロチニブ，クリゾチニブ，アレクチニブ，セリチニブ，ロルラチニブ**：グレープフルーツジュースで血中濃度↑，副作用増強のおそれ．
- □ **エルロチニブ，アファチニブ，アレクチニブ，ダブラフェニブ，トラメチニブ**：食事の影響を受けるため空腹時内服が推奨．
- □ **アファチニブ**：下痢の頻度が高く，あらかじめ下痢時の対応を説明．
- □ **トラメチニブ**：冷所保管．光，湿気を避けるため乾燥剤を同封した元の容器に入れて冷蔵庫で保管するよう説明．
- □ **ベバシズマブ，ラムシルマブ**：血圧上昇の可能性あり，家庭血圧の測定を指導．

- □ ペムブロリズマブ,ニボルマブ,アテゾリズマブ:免疫関連有害事象(間質性肺炎,大腸炎,内分泌障害,1型糖尿病,皮膚障害など)の初期症状を説明.

②治療・副作用モニタリング

- □ シスプラチン:累積投与量が300〜500 mg/m^2 以上で聴覚毒性(高音域),末梢神経障害のリスク↑.吃逆にはメトクロプラミド,クロルプロマジンなどで対応.
- □ カルボプラチン:投与回数の増加で過敏症の発現頻度↑.
- □ ベバシズマブ,ラムシルマブ:継続投与で血栓・塞栓症リスク↑.定期的にD-ダイマー,尿蛋白量を測定.
- **EGFR-TKI,ALK阻害薬**:間質性肺炎の初期症状を説明.
- □ クリゾチニブ:視力障害(目がかすむ,物が二重に見える,物が見づらいなど)に注意.
- **ロルラチニブ**:高コレステロール血症,高トリグリセリド血症に注意.
- **ダブラフェニブ・トラメチニブ**:発熱,視力障害,皮膚障害に注意.
- **ネシツムマブ**:低Mg血症のリスクあり.定期的に血清中電解質(Mg,Ca,K,P)をモニタリング,必要に応じてMgの補充を検討.
- □ ペムブロリズマブ,ニボルマブ,アテゾリズマブ:定期的に血液・尿検査を行い免疫関連有害事象の早期発見・早期治療に努める.ニボルマブ治療終了後にEGFR-TKI投与は重篤な間質性肺炎に注意(死亡例あり).

E 処方提案のポイント

- □ ゲフィチニブ,エルロチニブ,アファチニブ,ネシツムマブ:皮膚障害の予防に,保湿剤やステロイド外用薬,抗菌薬の積極的使用を推奨.特にアファチニブでは止瀉薬も積極的に使用を推奨.
- □ ベバシズマブ,ラムシルマブ:血圧上昇時には降圧薬の使用を提案.
- □ **ドセタキセル+ラムシルマブ併用療法**:FNの発症頻度が高く,G-CSF製剤の予防投与を主治医と協議.

参考文献

1) 日本肺癌学会編:肺癌診療ガイドライン,金原出版,2019

(田中 布貴)

50 悪性リンパ腫（非ホジキンリンパ腫，ホジキンリンパ腫）

A 悪性リンパ腫の疫学・病態
- リンパ球ががん化し，増殖して全身のあらゆる組織（多くはリンパ組織）に腫瘤を形成する疾患．
- 日本人の罹患率は人口10万人当たり約10人で，30歳以上でなだらかに増加．
- WHO分類では，ホジキンリンパ腫（HL），B細胞リンパ腫，T/Natural Killer（NK）細胞リンパ腫の3群に大別される．後者2つを合わせて非ホジキンリンパ腫（NHL）と呼ぶ．
- 日本人はB細胞リンパ腫が70%と最も多く，T/NK細胞リンパ腫が25%，HLが5%を占める．
- 好発年齢は，70歳台がピークとなっており，男女比は約3：2と男性のほうが多くなっている．
- HLはNHLと比較して予後良好である．

B 患者の状態把握

症状
- 初発症状として主に表在性リンパ節の腫脹．無痛性のことが多い．
- 全身症状として体重減少，発熱，夜間盗汗を伴うことがあり，これら3つの症状を「B症状」と言う．B症状があると予後が悪いことが多い．
- 免疫力の低下によりサイトメガロウイルス，結核，真菌などの感染症を合併．

診断・検査

1. 診断
- **ヘマトキシリン，エオジン染色**：形態学的診断に有用．
- **免疫組織染色**：腫瘍細胞の性状を確認する．
- **臨床病期分類**：Ann Arbor分類（表24-4）．
- NHLの悪性度（進行速度）による分類（表24-5）．

予後予測因子（IPS：international prognosis score，表24-6）
- 該当項目数と予後は負の相関を示す．

表 24-4 Ann Arbor 分類による臨床病期

病期	病変部位
I	単独リンパ節領域の病変（Ⅰ）． またはリンパ節病変を欠く単独リンパ外臓器または部位の限局性病変（ⅠE）．
Ⅱ	横隔膜の同側にある 2 つ以上のリンパ節領域の病変（Ⅱ）． または所属リンパ節病変と関連している単独リンパ外臓器または部位の限局性病変で，横隔膜の同側にあるその他のリンパ節領域の病変はあってもなくてもよい（ⅡE）． 病変のある領域の数は下付きで，例えばⅡ3 のように表してもよい．
Ⅲ	横隔膜の両側にあるリンパ節領域の病変（Ⅲ）．それはさらに隣接するリンパ節病変と関連しているリンパ外進展を伴ったり（ⅢE），または脾臓病変を伴ったり（ⅢS），あるいはその両者（ⅢES）を伴ってもよい．
Ⅳ	1 つ以上のリンパ外臓器のびまん性または播種性病変で，関連するリンパ節病変の有無を問わない．または隣接する所属リンパ節病変を欠く孤立したリンパ外臓器病変であるが，離れた部位の病変を併せ持つ場合．

A および B 分類（症状）
各病期は以下のように定義される全身症状の有無に従って，A または B のいずれかに分類される．
1) 発熱：38℃ より高い理由不明の発熱．
2) 寝汗：寝具（マットレス以外の掛け布団，シーツなどを含む，寝間着は含まない）を変えなければならない程のずぶ濡れになる汗．
3) 体重減少：診断前の 6 か月以内に通常体重の 10% を超す原因不明の体重減少．

2．検査
① 組織検査
□ **リンパ節または節外病変の生検**：HL では Hodgkin 細胞や Reed-Sternberg 細胞がみられる．
□ **骨髄穿刺，生検**：リンパ腫細胞の骨髄浸潤を確認する．
② 血液検査
□ **血清 LDH・血清中可溶性インターロイキン-2 受容体（sIL-2R）**：リンパ腫の病勢と相関．
□ **赤沈亢進・リンパ球減少・好中球増加・好酸球数増加・貧血**：HL．
□ **汎血球減少（骨髄浸潤や血球貪食症候群合併時）**：NHL

表 24-5 NHL の病型分類

悪性度	B 細胞性	T/NK 細胞性
低悪性度 indolent	・慢性リンパ性白血病/小リンパ球性リンパ腫 ・リンパ形質細胞性リンパ腫 ・脾辺縁帯リンパ腫 ・マントル細胞リンパ腫 ・節性辺縁帯リンパ腫 ・粘膜関連(MALT)リンパ腫 ・濾胞性リンパ腫	・T 細胞大顆粒リンパ球性白血病 ・菌状息肉症/セザリー症候群 ・成人 T 細胞白血病/リンパ腫(くすぶり型,慢性型の一部) ・原発性皮膚未分化大細胞型リンパ腫
中等度 aggressive	・びまん性大細胞型 B 細胞リンパ腫	・末梢性 T 細胞リンパ腫・非特定型 ・腸症関連 T 細胞リンパ腫 ・未分化大細胞リンパ腫 ・肝脾 T 細胞リンパ腫 ・成人 T 細胞白血病/リンパ腫(急性型,リンパ腫型,慢性型の一部) ・節外性 NK/T 細胞リンパ腫・鼻型 ・血管免疫芽球性 T 細胞リンパ腫
高悪性度 highly aggressive	・バーキットリンパ腫/白血病	・急速進行性 NK 細胞白血病

〔日本血液学会:造血器腫瘍診療ガイドライン 2018 年版補訂版の WHO 分類より〕

③ 画像検査
□ **PET, CT**:病変の広がり(病期)を確認する.
□ **MRI**:中枢神経症状や髄膜刺激症状がある症例で行う.

C 治療

ホジキンリンパ腫(HL)

古典的ホジキンリンパ腫
□ **限局期**:ABVD 療法 4 コース + 30 Gy IFRT (involved-field radiotherapy)
□ 予後良好群では副作用軽減目的に ABVD 療法を 2 コースへ減らすことも可能.
□ **進行期**:ABVD 療法 6-8 コース,BV 併用 AVD 療法

表 24-6 悪性リンパ腫の予後予測因子

HL	限局期	① 巨大腫瘤の存在 ② 病変数 ≧ 4 か所 ③ 年齢 ≧ 40 歳	④ 男性 ⑤ 赤沈亢進
	進行期	① 血清 ALB < 4 g/dL ② Hb 濃度 < 10.5 g/dL ③ 男性 ④ 年齢 ≧ 45 歳	⑤ stage Ⅳ ⑥ WBC ≧ 15,000/μL ⑦ リンパ球数 < 600/μL あるいは WBC 分画 < 8%
NHL	ⅰ) 濾胞性リンパ腫 Follicular International Prognosis Index 2（FLIPI 2）	① 血清 β_2MG 値 > 正常値 ② 最も大きな節外病変の長径 > 6 cm ③ 骨髄浸潤あり ④ Hb 濃度 < 12 g/dL ⑤ 年齢 ≧ 61	
	ⅱ) びまん性大細胞型 B 細胞リンパ腫 National Comprehensive Cancer Network（NCCN-IPI）	① 年齢 ② 血清 LDH ③ 病期 ④ 節外病変 ⑤ PS によるスコア評価	
	ⅲ) アグレッシブ リンパ腫 International Prognosis Index（IPI）	① 年齢 ≧ 61 ② 血清 LDH > 正常値 ③ 全身状態（PS）が 2〜4 ④ stage Ⅲ または Ⅳ ⑤ 節外病変の数 > 1 か所	
	ⅳ) アグレッシブ リンパ腫 60 歳以下の予後不良因子（年齢調整 IPI）	① 臨床病期が Ⅲ または Ⅳ ② 血清 LDH > 正常値 ③ PS：2〜4	

□ **再発・難治性**：ニボルマブ，ペムブロリズマブ
① **ABVD 療法**　1 コース：4 週間
　1) ドキソルビシン注　1 回 25 mg/m²（day 1, 15）
　2) ブレオマイシン注　1 回 9 mg/m²（day 1, 15）
　3) ビンブラスチン注　1 回 6 mg/m²（day 1, 15）
　4) ダカルバジン注　1 回 375 mg/m²（day 1, 15）
② **BV 併用 AVD 療法**　1 コース：4 週間
　1) ブレンツキシマブ ベドチン注　1 回 1.2 mg/kg（day 1, 15）
　2) ドキソルビシン注　1 回 25 mg/m²（day 1, 15）

3) ビンブラスチン注　1回 6 mg/m^2(day 1, 15)
4) ダカルバジン注　1回 375 mg/m^2(day 1, 15)

非ホジキンリンパ腫（NHL）

1. 濾胞性リンパ腫（FL：Follicular lymphoma）※高腫瘍量の場合

- **初発限局期**：放射線治療ができない場合は，初発進行期 FL 療法に準ずる．
- **初発進行期**：R-CVP 療法，R-CHOP 療法，BR 療法．
- 初回治療の場合や腫瘍量が多い場合には，R やオビヌツズマブは併用化学療法実施から日を置いて行うこともある．上記レジメンの R はオビヌツズマブに置き換え可能．

①CVP 療法　1コース：3週間
1) シクロホスファミド注　1回 750 mg/m^2(day 1)
2) ビンクリスチン注　1回 1.4 mg/m^2(day 1)
3) プレドニゾロン　1日 100 mg/body(day 1〜5)

②CHOP 療法　1コース：3週間
1) シクロホスファミド注　1回 750 mg/m^2(day 1)
2) ドキソルビシン注　1回 50 mg/m^2(day 1)
3) ビンクリスチン注　1回 1.4 mg/m^2(day 1)
4) プレドニゾロン　1日 100 mg/body(day 1〜5)

③BR 療法　1コース：4週間
1) ベンダムスチン注　1回 90 mg/m^2(day 1〜2)
2) リツキシマブ注　1回 375 mg/m^2(day 1)

2. マントル細胞リンパ腫

①限局期
- IFRT 単独(30〜36 Gy)，または IFRT + 化学療法(CHOP など)．

②初発進行期
- **65 歳＞**：VR-CAP 療法，BR 療法，R-CHOP 療法など．
- **65 歳≦**：R 併用化学療法(R-CHOP 療法，R 併用高用量 AraC 療法など)．

③再発・治療抵抗性
- ベンダムスチン，ボルテゾミブ，フルダラビン，イブルチニブ，クラドリビンの各単剤療法．
- 上記抗腫瘍薬 + リツキシマブまたは他の抗腫瘍薬との併用療法．
- 放射免疫療法薬(^{90}Y イブリツモマブ チウキセタン)単独療法．

④ VR-CAP 療法　1 コース：3 週間
1) ボルテゾミブ注　1 回 1.3 mg/m²(day 1, 4, 8, 11)
2) リツキシマブ注　1 回 375 mg/m²(day 1)
3) シクロホスファミド注　1 回 750 mg/m²(day 1)
4) ドキソルビシン注　1 回 50 mg/m²(day 1)
5) プレドニゾロン　1 日 100 mg/body(day 1〜5)

3. びまん性大細胞型 B 細胞リンパ腫

- **初発限局期**：3 週間隔　R-CHOP 療法 3 コース + IFRT，または R-CHOP 療法 6〜8 コース．
- **初発進行期**：3 週間隔　R-CHOP 療法 6〜8 コース．
- **中枢神経再発予防**：メトトレキサート(MTX)髄腔内投与．
- **高齢者(≧80 歳)**：R-CHOP 療法(減量，またはコース数を減らす)．

4. バーキットリンパ腫

① 初回治療
- modified CODOX-M/IVAC±R 療法，R-hyper-CVAD/MA 療法，DA-EPOCH-R 療法など．
- 治療強度の高いレジメンの施行が困難な場合は DA-EPOCH-R 療法が考慮される．
- 初回化学療法時には腫瘍崩壊症候群予防が推奨される．

② CODOX-M/IVAC 療法　1→2→1→2…

1 CODOX-M　1 コース：3 週間
1) シクロホスファミド注　1 回 800 mg/m²(day 1)，200 mg/m²(day 2〜5)
2) ビンクリスチン注　1 回 1.5 mg/m²(day 1, 8)
3) ドキソルビシン注　1 回 40 mg/m²(day 1)
4) メトトレキサート注　3,000 mg/m²(day 10)
(+MTX 注髄腔内投与 day 15，シタラビン注 70 mg/m² 髄腔内投与 day 1, 3)

2 IVAC　1 コース：3 週間
1) イホスファミド注　1 回 1,500 mg/m²(day 1〜5)
2) エトポシド注　1 回 60 mg/m²(day 1〜5)
3) シタラビン注　1 回 2 g/m²(day 1　12 時間毎 4 回)
(+MTX 注/プレドニゾロン注 20 mg 髄腔内投与 day 5)

③ hyper-CVAD/MA 療法　1→2→1→2…
　1 hyper-CVAD　1コース：3週間
　1) シクロホスファミド注　1回 300 mg/m²×2(day 1〜3)
　2) ビンクリスチン注　1回 1.4 mg/m²(day 4, 11)
　3) ドキソルビシン注　1回 50 mg/m²(day 4)
　4) デキサメタゾン注　1日 33 mg/body(day 1〜4)
　2 MA　1コース：3週間
　1) 高用量メトトレキサート注　1回 1,000 mg/m²(day 1　24時間)
　2) 高用量シタラビン注　1回 3 g/m²(day 2, 3　12時間毎4回)
④ DA-EPOCH 療法　1コース：3週間
　1) エトポシド注　1日 50 mg/m²(day 1〜5持続)
　2) ビンクリスチン注　1日 0.4 mg/m²(day 1〜5持続)
　3) ドキソルビシン注　1日 10 mg/m²(day 1〜5持続)
　4) シクロホスファミド注　1回 750 mg/m²(day 5)
　5) プレドニゾロン注　1日 120 mg/m²(day 1〜5)

5. 節外性 NK/T 細胞リンパ腫，鼻型

① 初発限局期
□ 同時化学放射線療法（RT2/3DeVIC療法）．
② 初発進行期，初回再発/治療抵抗性
□ SMILE療法．
③ DeVIC 療法　1コース：3週間
　1) カルボプラチン注　1回 300 mg/m²(day 1)
　2) エトポシド注　1回 100 mg/m²(day 1〜3)
　3) イホスファミド注　1回 1,500 mg/m²(day 1〜3)
　4) デキサメタゾン注　1日 33 mg/body(day 1〜3)
④ SMILE 療法　1コース：4週間
　1) メトトレキサート注　1回 2,000 mg/m²(day 1)
　2) エトポシド注　1回 100 mg/m²(day 2〜4)
　3) イホスファミド注　1回 1,500 mg/m²(day 2〜4)
　4) デキサメタゾン注　1日 33 mg/body(day 2〜4)
　5) L-アスパラギナーゼ注　1回 6,000 U/m²(day 8〜20 まで隔日)

infusion reaction 予防

1) アセトアミノフェン　500〜1,000 mg　内服または点滴静注
　　点滴静注の30分以上前に投与

2) ジフェンヒドラミン　30〜50 mg　内服または点滴静注　点滴静注の30分以上前に投与
3) プレドニゾロン注　100 mg　点滴静注の1時間以上前に投与
4) デキサメタゾン注　20 mg　点滴静注の1時間以上前に投与
5) メチルプレドニゾロン注　80 mg　点滴静注の1時間以上前に投与

感染予防
1) ST合剤　1回1錠　1日1回　経口　または　2錠/日を週3回内服
2) フルコナゾールカプセル（200 mg）　1日1カプセル　1日1回　経口

※アゾール系抗真菌薬は相互作用が多く，ワルファリンの作用増強，ビンクリスチン・シクロホスファミドの副作用増強など注意が必要である．
※ST合剤によるアレルギー症状発現時は，代替薬としてアトバコンやペンタミジンを検討する．
※ボリコナゾール注射薬は添加物の蓄積にて腎機能障害が懸念される．腎機能障害がある場合はボリコナゾール錠への変更も考慮する．

D 薬剤師による薬学的ケア

処方チェック

① 投与量・投与速度

- **ドキソルビシン**：心毒性があり，累積投与量が $500\ mg/m^2$ を超えると重篤な心筋障害を起こすことが多くなるので注意．心機能検査などを確認する．
- **ブレオマイシン**：肺毒性（間質性肺炎や肺線維症など）があり，累積投与量が300 mgを超えないよう注意．
- **リツキシマブ**：初回，最初の1時間は25 mL/時，その後患者の状態を十分に観察しながら100 mL/時，さらにその後は200 mL/時まで上げることが可能．2回目以降は100 mL/時で開始可能．
- **オビヌツズマブ**：リツキシマブ同様，infusion reactionに注意．添付文書上，発現頻度は60.2%．
- **ベンダムスチン**：溶解液として注射用水を使用し，濃度を2.5 mg/mLに調製して使用．調製後は，3時間以内に投与を終了する．
- **ブレンツキシマブ ベドチン**：肝機能障害のある患者および重度の腎機能障害のある患者では，本剤の構成成分であるモノメチルアウリスタチンE（MMAE）の血中濃度が上昇するため，減量を

- □ ダカルバジン：光に不安定で，光分解物（発痛物質）の生成により，血管痛等を引き起こすことがある．疼痛の軽減・血管炎予防のために，点滴静注する場合には輸液バッグと点滴ルート全般を遮光する．

② 相互作用
- □ ブレオマイシンとブレンツキシマブ ベドチン併用禁忌：間質性肺炎発現の可能性あり．
- □ シクロホスファミドとペントスタチン併用禁忌：心毒性による死亡例あり．

服薬指導・副作用モニタリング

① 服薬指導
- □ 個々の患者に応じた副作用の予防と早期対応を実施する．
- □ **感染予防対策の励行**：感染予防薬の内服，人混みや感染のある人との接触を避ける，手洗い・うがいの励行，きつく歯みがきをしない等を指導する．
- □ Infusion reaction：発熱，悪寒，悪心，呼吸困難，掻痒感，皮疹，咳嗽等が出現した場合はすぐに知らせるように指導する．
- □ **血管外漏出，血管痛**：点滴挿入部やその周辺に発赤・腫れ・痛み等が生じた場合はすぐに知らせるように指導する．
- □ **末梢神経障害**：しびれ，筋力低下等が認められた場合は，休薬，減量等の適切な対応が必要であることを指導する．

② 副作用モニタリング
- □ **腫瘍崩壊症候群**：高 K 血症，低 Ca 血症，高 P 血症，代謝性アシドーシス，高尿酸血症を呈し，不整脈や急性腎不全に至る場合もある．
- □ infusion reaction：投与開始 30 分～2 時間後から出現．アナフィラキシー様症状・肺障害・心障害など伴うことがある．血液中の腫瘍量が多い（25,000/μL 以上）患者で高頻度かつ重篤化しやすい．
- □ **ヘルペスウイルス感染，帯状疱疹，ニューモシスチス肺炎，サイトメガロウイルス感染などの日和見感染**：ST 合剤，アシクロビルなどの抗ウイルス剤の予防投与を考慮する．
- □ ***de novo* B 型肝炎**：リツキシマブにより，B 型肝炎ウイルスキャリア患者は劇症肝炎または肝炎が増悪することがある．

- **骨髄抑制**：薬剤投与後7〜14日で好中球や血小板数が最小値となるため，適時G-CSFの投与を行う．
- **血管外漏出**：アントラサイクリン系，ビンカアルカロイド系等で注意．血管外に漏出した場合には，投与を中止し，漏出部の組織液を可能な限り吸引するなど適切な局所処置を行う．
- **シクロホスファミド**：出血性膀胱炎に注意が必要．輸液負荷や，適宜水分摂取を行う．大量投与にはメスナを投与して予防する．
- **ビンクリスチン**：便秘に注意が必要．適宜下剤を併用する他，十分な水分補給・適度な運動や腹部のマッサージなどを行う．その他，末梢神経障害が主な副作用．
- **ステロイド**：高血糖に注意が必要．特に糖尿病患者ではインスリン投与量の調整が必要となる可能性がある．
- **ニボルマブ**：内分泌障害，間質性肺炎，下痢・大腸炎，皮膚障害等の免疫関連有害事象(irAE)発現に注意．
- **L-アスパラギナーゼ**：悪心嘔吐，食欲不振，倦怠感がある．膵分泌機能異常，高アンモニア血症，重篤な凝固異常は特徴的な副作用であり，該当検査値のモニタリングが必要．
- **メトトレキサート**：24時間ごとに血中濃度を確認し，適切に排泄されていることを確認する．排泄が遅延している場合には，追加のロイコボリン救援療法を考慮する．

E 処方提案のポイント

- **infusion reaction**：リツキシマブ，オビヌツズマブ投与30分前に抗ヒスタミン薬・解熱鎮痛薬などの前投薬を行う．
- **腫瘍崩壊症候群**：特に高悪性度リンパ腫の初期治療ではラスブリカーゼの併用が推奨される．
- **悪心・嘔吐**：各抗がん薬の催吐リスクに応じた予防制吐対策を講じる．例えば高度リスクでは，抗がん薬投与前に5-HT$_3$拮抗薬＋デキサメタゾン＋アプレピタントの予防投与を行う．その上で患者個々の症状に応じた制吐対策として，抗不安薬(ロラゼパムなど)や胃薬(PPI薬など)，漢方薬も考慮する．また，薬剤による副作用以外の要因として便秘や電解質異常等も視野に入れ適切な薬剤の使用を検討する．

参考文献
1) 造血器腫瘍診療ガイドライン 2018年版補訂版,金原出版,2020
2) 血液病レジデントマニュアル第3版,医学書院,2019
3) 血液専門医テキスト 改訂第3版,南江堂,2019

(平野 達也)

51 白血病

A 白血病の疫学
- 人口10万人あたり男性は11.2人,女性は7.7人である.
- 急性骨髄性白血病(AML)が約50%と最も多く,急性リンパ性白血病(ALL)が約20%,慢性骨髄性白血病(CML)が約20%である.
- AMLは50歳以降に急激に増加し,男女差を認める(男>女).
- ALLは5歳未満〔FAB分類(表24-6によるL1)〕と60歳以上(L2)に多く,男女差はほとんどない.

B 患者の状態把握

症状
- 発熱などの感染症.
- 倦怠感・息切れ・動悸などの貧血症状.
- 四肢の点状出血や歯肉,鼻出血などの出血傾向.
- 中枢神経症状(精神症状・頭痛・嘔吐)・歯肉腫脹・リンパ節腫脹・肝脾腫などの臓器障害.

診断・検査
①診断
- 急性白血病のFAB分類(表24-7).
- 急性白血病のWHO分類(表24-8).

②血液検査
- 貧血.
- 血小板↓.
- 白血球↑(AMLでは減少を認めることもある),成熟好中球↓,芽球↑.
- **ALL**:赤芽球・巨核球↓・LDH↑・高尿酸血症.
- **CML**:ビタミンB_{12}↑・好中球アルカリホスファターゼ(NAP)

表 24-7　急性白血病の FAB 分類

AML	M0	最未分化型	MPO 陰性，免疫学的に骨髄系陽性
	M1	未分化型	骨髄芽球≧ 90%
	M2	分化型	骨髄芽球＜ 90%，成熟顆粒球系細胞≧ 10%，単球系細胞＜ 20%
	M3	急性前骨髄球性白血病	t(15；17)があり，fagott 細胞が特徴的
	M4	急性骨髄単球性白血病	顆粒球系細胞≧ 20%，単球系細胞≧ 20%，血清・尿リゾチーム高値
	M5	急性単球性白血病	M5a：芽球 80%以上は未分化型 M5b：芽球 80%未満は分化型 血清・尿リゾチーム高値
	M6	急性赤白血病	赤芽球≧ 50%，かつ非赤芽球細胞の芽球≧ 30%
	M7	急性巨核芽球性白血病	MPO 陰性，免疫学的に巨赤芽球系陽性
ALL	L1		芽球は小型で細胞質は少ない
	L2		大小不同のことが多く，異型が強く，核は不規則
	L3	バーキット型	細胞質の好塩基性が強く，空胞を認める

スコア↓（急性転化時は↑）．
□ **TdT（terminal deoxy-transferase：DNA 合成酵素）**：CML の急性転化時の鑑別に有用．

③ 骨髄検査
□ **May-Giemsa 染色**：骨髄中の芽球比率を調べる．急性前骨髄性白血病（APL）ではアズール顆粒や faggot（Auer 小体の束）を有する前骨髄球が増加．
□ **ミエロペルオキシダーゼ（MPO）染色**：骨髄性は 3% 以上陽性，ALL では 3% 未満．
□ **エステラーゼ二重染色**：M4，M5 の鑑別（表 24-7）に使用．
□ **PAS 染色**：M6 の診断（表 24-7）に使用．

④ 細胞表面形質（免疫マーカー）
□ **AML**：CD13（M0〜M2, M4, M5），CD33（M0〜M5），CD14（M4, M5），グリコホリン A・ヘモグロビン A（M6），CD41・CD61（M7）．

表 24-8 白血病および類縁疾患の分類

1	急性骨髄性白血病ならびに類縁前駆細胞腫瘍[*1]	
2	系統不明確白血病	
3	前駆リンパ性腫瘍[*2]	1) Bリンパ芽球性白血病/リンパ腫 2) Tリンパ芽球性白血病/リンパ腫
4	成熟B細胞腫瘍	1) 慢性リンパ性白血病/小リンパ球性リンパ腫 2) B細胞前リンパ球性白血病 3) 毛様細胞白血病
5	成熟T細胞腫瘍・NK細胞腫瘍	1) T細胞前リンパ球性白血病 2) T細胞大顆粒リンパ球性白血病 3) 成人T細胞白血病/リンパ腫
6	骨髄増殖性腫瘍群	1) BCR-ABL陽性慢性骨髄性白血病 　4) 原発性骨髄線維症 2) 慢性好中球性白血病 　5) 本態性血小板血症 3) 真性赤血球増多症 　6) 慢性好酸球性白血病
7	骨髄異形成症候群[*3]	

以下の詳細な分類は http://www.jalsg.jp/leukemia/pathology.html 参照
*1:急性骨髄性白血病のWHO分類
*2:リンパ性白血病のWHO分類
*3:骨髄異形成症候群のWHO分類

□ **ALL**:CD10・CD19・CD20(L1・L2のB細胞系とL3),CD2・CD3・CD5・CD7(L1・L2のT細胞系),sIg(L3).
□ **CLL(慢性リンパ性白血病)**:CD5,CD19,CD23,κまたはλ軽鎖,IgM,IgD・IgG.

⑤ 染色体分析・遺伝子検査

□ **AML**:t(8;21)・t(15;17)・inv(16)・t(16;16)は予後良好,-5・-7・5q-・3q異常・複雑な核型異常は予後不良群とされる.予後良好群であっても,c-kitの変異やFLT3遺伝子変異を併せ持つ症例は予後不良である可能性がある.
□ **APL**:t(15;17),またはPML-RARAキメラ遺伝子.
□ **ALL**:t(9;22)・フィラデルフィア(Ph)染色体[成人のALLで25%に陽性],t(8;14)[Burkittリンパ腫/白血病],t(4;11)は予後不良因子とされる.
□ **CML**:90〜95%でPh染色体[t(9;22)],またはBCR-ABL融合遺伝子を確認.

C 治療

急性前骨髄球性白血病（APL）
□ t(15;17)をもち，前骨髄球増加・播種性血管内凝固症候群（DIC）による出血傾向が特徴的．

1. 寛解導入療法
□ WBC＜3,000/μL かつ APL 細胞数＜1,000/μL．
1) トレチノインカプセル　1日 45 mg/m² 　1日 2～3回　経口　day 1～地固め療法開始日まで

□ 3,000≦WBC＜10,000/μL または APL 細胞数≧1,000/μL では以下を追加．
2) イダルビシン注　12 mg/m²　30分で点滴静注　day 1～3
3) シタラビン注＊　100 mg/m²　24時間持続点滴静注　day 1～5

＊ WBC≧10,000/μL 時は day 1～7 へ増量

レチノイン酸症候群（ATRA 症候群または APL 分化症候群）
□ オールトランスレチノイン酸（ATRA）による APL 細胞分化誘導により，腫瘍細胞の増加，末梢血の急速な WBC 増加に伴う血管透過性亢進による肺浸潤や急性呼吸促迫症候群（ARDS）様の発熱・呼吸困難・心不全・腎不全へと進展する重篤な病態．治療は ATRA の中止と副腎皮質ホルモンの投与．

2. 地固め療法（3コース）
① 第1コース
1) ミトキサントロン注　7 mg/m²　30分で点滴静注　day 1～3
2) シタラビン注　200 mg/m²　24時間持続点滴静注　day 1～5

② 第2コース
1) ダウノルビシン注　50 mg/m²　30分で点滴静注　day 1～3
2) シタラビン注　200 mg/m²　24時間持続点滴静注　day 1～5

□ 第2コース終了後，血小板が10万/L以上に回復次第，髄腔内投与（MTX + AraC + PSL）を行う．

③ 第3コース
1) イダルビシン注　12 mg/m²　30分で点滴静注　day 1～3
2) シタラビン注　140 mg/m²　24時間持続点滴静注　day 1～5

3. 再発 APL の再寛解導入療法
□ ATO（亜ヒ酸）を含むレジメンが第1選択となる．
□ ATO を使用できない場合，ゲムツズマブ オゾガマイシン（GO）

やタミバロテン（Am80）の使用が考慮される．また，中枢神経浸潤予防に髄腔内投与（MTX + AraC + PSL）を行う．

AML
① 寛解導入療法：アントラサイクリン系（IDR または DNR）+ 標準量 AraC．

1) イダルビシン塩酸塩注　12 mg/m²　30 分で点滴静注　day 1～3
   または　ダウノルビシン塩酸塩注　50 mg/m²　30 分で点滴静注　day 1～5
2) シタラビン注　100 mg/m²　24 時間持続点滴静注　day 1～7

② 地固め療法：大量 Ara-C 療法（HD-AraC）　3～4 コース
シタラビン注*　2 g/m²/回　1 日 2 回　3 時間で点滴静注　day 1～5

*高齢者では 1.5 g/m²/回に減量してもよい．

□ シタラビン大量療法時には，シタラビンによる発熱，皮疹を予防するため，mPSL（40 mg/body）を投与する．また，角結膜炎予防のため，ステロイドの点眼を行う．

③ *FLT3* 遺伝子変異陽性の再発・難治性の AML
ギルテリチニブ錠*　120 mg　1 日 1 回　day 1～28

*使用前に承認されたコンパニオン診断キットにより *FLT3* 遺伝子変異の同定が必要である．

フィラデルフィア染色体陰性 ALL（Ph-ALL）
□ ALL に対する標準治療は確立していない．

1. 寛解導入療法
① Hyper-CVAD 療法：1, 3, 5, 7 コース

1) シクロホスファミド注　300 mg/m²×2　3 時間で点滴静注　day 1～3
2) ドキソルビシン注　50 mg/m²　1 時間で点滴静注　day 4
3) ビンクリスチン注　1.4 mg/m²（最大 2 mg）　静注　day 4, 11
4) デキサメタゾン注　40 mg/body　1 時間で点滴静注　day 1～4, day 11～14

② HD-MTX-AraC：2, 4, 6, 8 コース

1) メトトレキサート（MTX）注 1 g/m²　24 時間点滴静注　day 1
2) ロイコボリン注　15 mg/body×4　MTX 投与終了 12 時間後より点滴静注　day 2, 3
3) シタラビン注　3 g/m²×2　2～3 時間で点滴静注　day 2, 3

- 寛解導入療法を VCR, PSL およびアントラサイクリン系薬, L-ASP(＋CPA)の併用で行い, 寛解後療法に大量メトトレキサートや大量 AraC を含むものが多い.

2. 寛解後療法(地固め療法・維持療法)

- 寛解後には, 維持療法を含めて約 2 年間の治療を行うことが一般的である.
- 地固め療法は治療法によりかなり異なるが, 基本的な考え方としては, 寛解導入療法で使用しなかった薬剤を含む, なるべく多種類の薬剤を組み合わせて使用する. 大量シタラビン($1〜3$ g/m^2)や大量の MTX($1〜3$ g/m^2)は妥当な選択肢である.

3. 再発または難治性 Ph-ALL

- 再発時期や前治療歴によって再寛解導入療法の内容が考慮される.

ネララビン注*　1,500 mg/m^2　2 時間　点滴静注　day 1, 3, 5

*前駆 T 細胞 ALL 再発の場合

ブリナツモマブ注*　9 μg　24 時間持続点滴静注　day 1〜7(第 1 サイクルのみ)　28 μg　24 時間持続点滴静注　day 8〜28

*体重 45 kg 未満は 1 日 5 μg/m^2(day 1〜7)および, 15 μg/m^2(day 8〜28)

- day 29〜42 は休薬する. 第 2 サイクルからは day 1 から 1 サイクル目の day 8 以降の用量で投与する.

イノツズマブ オゾガマイシン注*　0.8 mg/m^2　1 時間で点滴静注　day 1　0.5 mg/m^2　1 時間で点滴静注　day 8, 15

*1 サイクルで寛解が得られた場合は 2 コース目以降の day 1 も 0.5 mg/m^2 で投与する

- 近年, 25 歳以下, 2 回以上の前駆 B 細胞 ALL 再発例では, チサゲンレクルユーセル(CAR-T 療法)が治療選択肢に加わった.

フィラデルフィア染色体陽性 ALL(Ph ＋ ALL)

① 寛解導入療法

- 以下を HyperCVAD/MA 療法に髄腔内化学療法(MTX ＋ AraC ＋ PSL)と併用

1) イマチニブ錠　1 回 400〜600 mg　1 日 1 回　食後に経口　day 1〜14
2) ダサチニブ錠*　1 回 70 mg　1 日 1 回　経口　連日
3) ポナチニブ錠*　1 回 30 mg　1 日 1 回　経口　day 1〜14

② **維持療法**

□ 月に1回のビンクリスチンとプレドニゾロンを2年間繰り返す. これに以下のいずれかのTKIを加える.

1) イマチニブ錠　1回600〜800 mg　1日1回　食後に経口
2) ダサチニブ錠*　1回100 mg　1日1回　経口
3) ポナチニブ錠*　1回30 mg　1日1回　経口

＊ダサチニブ, ポナチニブの国内での適応は再発・難治症例

③ **再発または難治性Ph＋ALL**

□ 以下のいずれかと寛解導入療法レジメンを併用.

1) ダサチニブ錠　1回70 mg　1日2回　経口
2) ポナチニブ錠　1回45 mg　1日1回　経口

□ イマチニブ継続中の再発ではダサチニブへの変更, BCR-ABL T315I変異陽性例ではポナチニブへの変更が妥当である.

CML

① **慢性期**：以下のいずれか.

1) イマチニブ錠　1回400 mg　1日1回　食後に経口
2) ニロチニブカプセル*　1回400 mg　1日2回　食事の1時間以上前または食後2時間以降に経口
3) ダサチニブ錠　1回100 mg　1日1回　経口

＊初発の慢性期のCMLの場合は300 mgを1日2回

② **前治療薬に抵抗性または不耐容時**：以下のいずれか.

1) ボスチニブ錠　1回500 mg　1日1回　食後に経口
2) ポナチニブ錠　1回45 mg　1日1回　経口

＊T315I遺伝子変異に有効

③ **移行期・急性転化期**：以下のいずれか.

1) ダサチニブ錠　1回70 mg　1日2回　経口
2) ニロチニブカプセル　1回400 mg　1日2回　食事の1時間以上前または食後2時間以降に経口
3) ポナチニブ錠　1回45 mg　1日1回　経口
4) イマチニブ錠　1回600 mg　1日1回　または　1回400 mg　1日2回　食後に経口（イマチニブ未治療例のみ）

慢性リンパ性白血病（CLL）

□ わが国のCLLの大部分は無治療で経過観察する.

□ 治療開始時の標準治療は, フルダラビン, シクロホスファミド,

リツキシマブの併用療法(FCR療法)である(17p欠損や*TP53*変異がない場合).再発難治のCLLに対する治療としてオファツムマブ,アレムツズマブ,イブルチニブなどが承認されている.

D 薬剤師による薬学的ケア

処方チェック

①投与量・投与速度

□ **アントラサイクリン系薬剤の総投与量と心毒性**：

イダルビシン	最大 120 mg/m²	ミトキサントロン	最大 160 mg/m²(既治療例は最大 100 mg/m²)
ダウノルビシン	最大 25 mg/kg		

□ **腎障害**：イダルビシンは禁忌,フルダラビンはCcr<30 mL/分では禁忌.三酸化砒素・シタラビン・ミトキサントロン・エトポシドでは減量など検討.

□ **肝障害**：イダルビシンは重篤な肝障害時は禁忌,総ビリルビン(T-Bil)値が2.6〜5.0 mg/dLでは50%減量.イマチニブは中等度肝機能障害で400 mg以下,高度肝機能障害で300 mg以下に減量.ビンクリスチンはT-Bil>3.0 mg/dLで50%減量.

②相互作用

□ **三酸化砒素**：クラリスロマイシン・アムホテリシンB・フルコナゾールなどの併用薬でQT延長・心室性不整脈を起こす可能性.

□ **フルダラビン**：ペントスタチンとの併用禁忌(致命的な肺毒性).

□ **TKI(チロシンキナーゼ阻害薬),*FLT3*阻害薬**：CYP3A4阻害薬で血中濃度↑,CYP3A4誘導薬で血中濃度↓.ニロチニブ,ダサチニブ,ボスチニブはプロトンポンプ阻害薬・H_2受容体拮抗薬などによる胃内pHの上昇により血中濃度↓.

□ **6-メルカプトプリン**：アロプリノールで血中濃度↑.ワルファリンとの併用で抗凝血作用↓,メサラジンやサラゾスルファピリジンとの併用で骨髄抑制.

□ **メトトレキサート**：尿酸性化薬剤(フロセミド・チアジド系利尿薬など)でメトトレキサートが尿細管に沈着するリスクあり.尿のアルカリ化と同時に十分な水分補給を行う.NSAIDs,スルホンアミド系薬剤,ペニシリン,テトラサイクリン,プロベネシド,フェニトイン,バルビツール酸誘導体,ST合剤でメトレ

キサートの副作用が増強する可能性. 高用量を投与する際は, これらの使用を一時的に中止することを考慮する.

服薬指導・治療・副作用モニタリング

1. 服薬指導

- CMLにおけるTKIの服薬アドヒアランスは分子遺伝学的寛解への到達率に影響するため, 非常に重要である.
- イマチニブ, ダサチニブ, ニロチニブ, ボスチニブ, ポナチニブのTKIは, グレープフルーツジュースなど一部の柑橘類によりCYP3A4が阻害され, TKIの血中濃度↑. グレープフルーツは避ける.

2. 治療・副作用モニタリング

①TKI
- **浮腫**: TKIによる眼瞼・顔面・下肢浮腫, 胸水, 腹水. 利尿薬, 減量, 中断または中止. 心エコー検査によるLVEFの確認を考慮する.
- **下痢**: ボスチニブに特徴的. 早ければ数時間で発現. 可能であれば休日中の開始が望まれる. 排便回数7回/日以上出現時ボスチニブ中断. CDトキシンの検査を行った上で, ロペラミドの併用も検討する. 再開時は400 mgへ減量再開.
- **末梢動脈閉塞性疾患(PAOD)**: ニロチニブ, ポナチニブで報告あり. 高血圧, 糖尿病, 脂質異常症等の管理, 胸痛, 腹痛, 四肢痛, 片麻痺, 視力低下, 息切れ, しびれ等の発現に注意. PAOD確定時は, 永続的に中止.
- **悪心・嘔吐**: イマチニブ, ボスチニブは中等度催吐性, ダサチニブは最小度催吐性あり. 空腹時は避け, 多めの水で服用する, 1日投与量を2回に分割するなど.
- **その他**: 脱毛, 血糖値↑・膵酵素↑(ニロチニブ), 胸水貯留・出血(ダサチニブ), リパーゼ, アミラーゼ↑(ニロチニブ).
- **高血圧**: ポナチニブにて報告あり. 降圧薬を検討する.
- **発疹**: イマチニブ, ニロチニブ, ダサチニブ, ボスチニブ等のTKI. 外用または全身性ステロイド投与にて症状軽減が可能. 減量または中断, 中止も考慮. TKI以外にも, シタラビンでも注意.

②その他
- **QT延長・不整脈**: 三酸化砒素で問題となる. 血清K値やMg濃

度を一定以上に保ち，QTc が 500 sec を超えた場合は中止を検討．ダサチニブ，ニロチニブでも可能性あり，この場合は QTc が 480 sec を超えた場合は中止を検討．
- □ **心毒性**：アントラサイクリン系薬剤の総投与量と関連．うっ血性心不全の治療に準ずる．
- □ **腫瘍崩壊症候群**：リスクに応じて，補液負荷や，キサンチンオキシダーゼ阻害薬（アロプリノール，フェブキソスタット），ラスブリカーゼの投与を行う．
- □ **シタラビン症候群**：大量療法時には結膜炎・結膜充血などの眼症状予防にステロイド点眼を使用する．手足症候群は投与量と相関し，持続点滴時に出現する頻度が高い．休薬と保湿クリーム・ステロイド外用薬などを塗布．
- □ **出血性膀胱炎**：シクロホスファミド大量療法時に注意．シクロホスファミド投与量の 40% にあたるメスナを使用．
- □ **脂質代謝異常**：ATRA による高 TG 血症に注意が必要．
- □ **出血**：血小板輸血により血小板数を 2 万/μL 以上に保つ．

E 処方提案のポイント

- □ 肝機能・腎機能だけでなく，副作用も考慮した上で化学療法の投与量の調節を行う．
- □ 予想される副作用の予防薬や支持療法の併用を確認する．
- □ TKI 内服では，既往歴や服薬アドヒアランス，生活スタイルに合わせた薬剤選択や投与方法の検討が必要．

参考文献
1) 造血器腫瘍診療ガイドライン 2018 年版補訂版，金原出版，2020
2) 血液病レジデントマニュアル第 3 版，医学書院，2019
3) 血液専門医テキスト改訂第 3 版，南江堂，2019

(山下 花南恵)

52 多発性骨髄腫

A 疫学・病態

- □ 多発性骨髄腫（MM：multiple myeloma）は，形質細胞のがん化に

- よる疾患で高齢者に多い.
- わが国における発症率は人口10万人あたり約5人で,死亡数は年間4,000人前後である.
- 現時点では,治癒を期待できる疾患ではない.治療介入により良好なQOLを維持しながら長期生存を目指すことが治療目標である.

B 患者の状態把握

症状

- 骨髄でがん化した形質細胞が周囲の骨を破壊しながら増殖するため高Ca血症となり,症状としては,腰,背中,肋骨などの骨痛あるいは骨病変が最も多い.
- 造血機能の低下に伴い,貧血,倦怠感,発熱および感染症などが現れる.
- 治療の中心は化学療法で,患者の年齢や全身状態により造血幹細胞移植も積極的に検討される.最近,薬剤の開発が目覚ましく治療成績も向上している.
- 全身化学療法の対象となるのは,臓器障害(溶骨病変,貧血,腎不全,高Ca血症などCRAB症状)・病状進行のバイオマーカーのうち1つ以上を有している症候性MMである.
- くすぶり型(無症候性)MMでは,無治療経過観察(watchful waiting)が原則である.
- 近年,2年以内に80%以上の見込みで臓器障害を有するMMに進行すると予測される例(**表24-9**の病状進行のバイオマーカーを有する場合)も,治療対象に含められた.

検査・診断

①検査

- **尿**:ベンスジョーンズ蛋白(BJP),尿蛋白量.
- **血液**:赤血球数,ヘモグロビン,白血球数,血小板数,LDH,BUN,クレアチニン,Ca,Alb,蛋白分画免疫グロブリン(IgG,IgA,IgM,IgD),免疫電気泳動,免疫固定法,β_2ミクログロブリン,CRP.
- **骨髄**:骨髄腫細胞(形態,表面マーカー,染色体).
- **画像**:全身骨X線,CT,MRI,PET.

表 24-9　症候性 MM とくすぶり型 MM の診断基準(IMWG)

症候性 MM の診断基準	1) 骨髄に 10％以上のクローナルな形質細胞を認める．または生検で確認された骨または髄外形質細胞腫を認める． 2) 以下の骨髄腫診断事象を 1 項目以上有する．臓器障害(高カルシウム血症，腎障害，貧血，骨病変)，病状進行のバイオマーカー(形質細胞比率 60％以上，血清遊離鎖軽鎖比 100 以上，骨病変 2 か所以上)
くすぶり型 MM の診断基準	1) 血中 M 蛋白量(IgG か IgA)3 g/dL 以上あるいは尿中 M 蛋白量 500 mg/24 時間，または骨髄中のクローナルな形質細胞が 10～60％． 2) 骨髄腫診断事象を認めない．アミロイドーシスの合併を認めない．

表 24-10　多発性骨髄腫の病期分類(R-ISS：revised ISS)

病期	基準
Ⅰ期	血清 β_2 ミクログロブリン<3.5 mg/L かつ血清アルブミン≧3.5 g/dL で，かつ血清 LDH 正常で，間期核 FISH で高リスク染色体異常を認めない
Ⅱ期	Ⅰでもかでもないもの
Ⅲ期	血清 β_2 ミクログロブリン≧5.5 mg/L で，かつ間期核 FISH で高リスク染色体異常を認める．または，血清 LDH 高値 高リスク染色体異常：del(17q)，t(4：14)，t(14：16)

② 診断
- ①血中もしくは尿中 M 蛋白の増加，または②骨髄検査にて 10％以上の形質細胞の検出により確定され，③X 線による溶骨性骨病変などの臓器障害の出現，④軟部組織中の形質細胞腫の存在—があれば症候性 MM と診断される．
- 表 24-10 に International Staging System(ISS)の改訂病期分類を示す．血清 β_2 ミクログロブリン値，血清アルブミン値，染色体異常によって 3 期に分類される．

C 治療(標準的処方例)
- **自家移植適応のある患者**：BLd 療法(VRd 療法ともいう)，BCD 療法，Bd 療法(Vd 療法ともいう)，Ld 療法(Rd 療法ともいう)など

□ **自家移植非適応の患者**：DMPB療法，DLd療法(DRd療法)，MPB療法，Bd療法(Vd療法)，Ld療法(Rd療法)，BLd療法(VRd療法)など

① **Ld療法**
1) レナリドミドカプセル　5～25 mg/body/日　1日1回　day 1～21　休薬7日
2) レナデックス®錠　40 mg/body/日(75歳以上は20 mg)　1日1回　day 1, 8, 15, 22　適宜減量　4週間毎

② **BLd療法**
1) ボルテゾミブ注　1.3 mg/m²　day 1, 4, 8, 11
2) レナリドミドカプセル　5～25 mg/body/日　1日1回　day 1～14　休薬7日
3) レナデックス®錠　20 mg/body/日　1日1回　day 1, 2, 4, 5, 8, 9, 11, 12　適宜減量　3週間毎

(ボルテゾミブ注をday 1, 8, 15とする方法も行われている)

③ **DBd療法**

1～3コース
1) ダラツムマブ注　16 mg/kg　day 1, 8, 15
2) ボルテゾミブ注　1.3 mg/m²　day 1, 4, 8, 11
3) デキサメタゾン注またはレナデックス®錠　20 mg/body/日　1日1回　day 1, 2, 4, 5, 8, 9, 11, 12　適宜減量　3週間毎

4～8コース
1) ダラツムマブ注　16 mg/kg　day 1
2) ボルテゾミブ注　1.3 mg/m²　day 1, 4, 8, 11
3) デキサメタゾン注またはレナデックス®錠　20 mg/body/日　1日1回　day 1, 2, 4, 5, 8, 9, 11, 12　適宜減量　3週間毎

9コース目以降
ダラツムマブ注　16 mg/kg　day 1　4週間毎

④ **DLd療法**

1～2コース
1) ダラツムマブ注　16 mg/kg　day 1, 8, 15, 22
2) レナリドミドカプセル　5～25 mg/body/日　1日1回　day 1～21　休薬7日
3) デキサメタゾン注またはレナデックス®錠　40 mg/body/日

1日1回　day 1, 8, 15, 22　適宜減量　4週間毎

3〜6コース
1) ダラツムマブ注　16 mg/kg　day 1, 15
2) レナリドミドカプセル　5〜25 mg/body/日　1日1回　day 1〜21　休薬7日
3) デキサメタゾン注またはレナデックス®錠　40 mg/body/日　1日1回　day 1, 8, 15, 22　適宜減量　4週間毎

7コース目以降
1) ダラツムマブ注　16 mg/kg　day 1
2) レナリドミドカプセル　5〜25 mg/body/日　1日1回　day 1〜21　休薬7日
3) デキサメタゾン注またはレナデックス®錠　40 mg/body/日　1日1回　day 1, 8, 15, 22　適宜減量　4週間毎

⑤ **KRd療法**：18コースを超える投与は許容されない．

1コース
1) カルフィルゾミブ注　20 mg/m²　day 1, 2
2) カルフィルゾミブ注　27 mg/m²　day 8, 9, 15, 16
3) レナリドミドカプセル　5〜25 mg/body/日　1日1回　day 1〜21　休薬7日
4) レナデックス®錠　40 mg/body/日　1日1回　day 1, 8, 15, 22　適宜減量　4週間毎

2〜12コース
1) カルフィルゾミブ注　27 mg/m²　day 1, 2, 8, 9, 15, 16
2) レナリドミドカプセル　5〜25 mg/body/日　1日1回　day 1〜21　休薬7日
3) レナデックス®錠　40 mg/body/日　1日1回　day 1, 8, 15, 22　適宜減量　4週間毎

13〜18コース
1) カルフィルゾミブ注　27 mg/m²　day 1, 2, 15, 16
2) レナリドミドカプセル　5〜25 mg/body/日　1日1回　day 1〜21　休薬7日
3) レナデックス®錠　40 mg/body/日　1日1回　day 1, 8, 15, 22　適宜減量　4週間毎

⑥ Kd 療法
 1 コース
 1) カルフィルゾミブ注　20 mg/m²　day 1, 2
 2) カルフィルゾミブ注　56 mg/m²　day 8, 9, 15, 16
 3) レナデックス®錠　20 mg/body/日　1日1回　day 1, 2, 8, 9, 15, 16, 22, 23　適宜減量　4週間毎

 2 コース目以降
 1) カルフィルゾミブ注　56 mg/m²　day 1, 2, 8, 9, 15, 16
 2) レナデックス®錠　20 mg/body/日　1日1回　day 1, 2, 8, 9, 15, 16, 22, 23　適宜減量　4週間毎

⑦ Weekly Kd 療法
 1 コース
 1) カルフィルゾミブ注　20 mg/m²　day 1
 2) カルフィルゾミブ注　70 mg/m²　day 8, 15
 3) レナデックス®錠またはデキサメタゾン注　40 mg/body/日　1日1回　day 1, 8, 15, 22　適宜減量　4週間毎

 2〜9 コース
 1) カルフィルゾミブ注　70 mg/m²　day 1, 8, 15
 2) レナデックス®錠またはデキサメタゾン注　40 mg/body/日　1日1回　day 1, 8, 15, 22　適宜減量　4週間毎

 10 コース目以降
 1) カルフィルゾミブ注　70 mg/m²　day 1, 8, 15
 2) レナデックス®錠またはデキサメタゾン注　40 mg/body/日　1日1回　day 1, 8, 15　適宜減量　4週間毎

⑧ IRd 療法
 1) イキサゾミブカプセル　4 mg　空腹時　週1回　day 1, 8, 15
 2) レナリドミドカプセル　5〜25 mg/body/日　1日1回　day 1〜21　休薬7日
 3) レナデックス®錠　40 mg/body/日　1日1回　day 1, 8, 15, 22　適宜減量　4週間毎

⑨ Pd 療法
 1) ポマリドミドカプセル　4 mg　day 1〜21　休薬7日
 2) レナデックス®錠　40 mg/body/日(75歳以上は20 mg)　1日1回　day 1, 8, 15, 22　適宜減量　4週間毎

⑩ PVd療法

1～8コース
1) ボルテゾミブ注　1.3 mg/m²　day 1, 4, 8, 11
2) ポマリドミドカプセル　4 mg　day 1～14　休薬7日
3) レナデックス®錠　20 mg/body/日(75歳以上は10 mg)　1日1回　day 1, 2, 4, 5, 8, 9, 11, 12　適宜減量　3週間毎

9コース目以降
1) ボルテゾミブ注　1.3 mg/m²　day 1, 8
2) ポマリドミドカプセル　4 mg　day 1～14　休薬7日
3) レナデックス®錠　20 mg/body/日(75歳以上は10 mg)　1日1回　day 1, 2, 8, 9　適宜減量　3週間毎

⑪ その他の治療

ELd療法，EPd療法など

⑫ 骨病変に対する治療

1) ゾレドロン酸注　4 mg　3～4週毎
2) デノスマブ注　120 mg　4週毎　皮下注

D 薬剤師による薬学的ケア

処方チェック

① **サリドマイド，レナリドミドやポマリドミドを含む併用療法**
☐ 深部静脈血栓症(DVT)の発症予防のため，低用量アスピリン(81～100 mg/日)の予防内服を確認する．危険因子に応じてワルファリン等(4～6か月間)も考慮される．

② **レナリドミド**
☐ 血栓症や進行性の腎障害を有する場合は不適．

③ **サリドマイド**
☐ 血栓症や重篤な末梢神経障害を有する場合は不適．

④ **ボルテゾミブ**
☐ 間質性肺炎，重篤な末梢神経障害を有する場合は不適．
☐ アシクロビルは帯状疱疹の発生予防として推奨される．

⑤ **骨病変を有する初発骨髄腫**：デノスマブまたはゾレドロン酸の投与が推奨される．
☐ 腎障害例ではデノスマブのほうが望ましい．
☐ デノスマブは重篤な低Ca血症を避けるためビタミンDとCaを

予防的に補充する．
- 投与前に歯科医師による口腔内の評価と必要な歯科処置を受け，投与開始後は口腔内ケアとともに，侵襲的歯科処置が必要な場合は主治医・歯科医師と十分相談することで顎骨壊死が抑制される．

服薬指導

① 内服管理の注意すべきポイント（骨髄腫患者は高齢者が多い）
- 患者の病状，副作用，服薬アドヒアランス，血液検査結果などのさまざまな所見を確認．
- 食事などの生活状況，家族による服薬補助の状況などを確認しながら安心して外来治療に臨めるように，薬剤指導を実施する．
- ポリファーマシーに注意する．

② 患者とのコミュニケーションで大切なこと
- 薬を飲み続ける目的（例：病的骨折の回避など）を患者・家族，医療者と一緒に考える．
- 患者と一緒に「QOL を維持した長期生存を目指して，生きる治療目標」を設定し，医療者と共有してアドヒアランス向上を図ることが重要である．
- 食生活や生活習慣を知り，内服しやすい方法を提示する．（例：空腹時内服が難しい場合には，患者の一日の生活リズムを聴取して薬を飲むタイミングを一緒に考える）

③ 感染予防対策の励行
- 人混みや感染のある人との接触時はマスクを使用．手洗い・うがいの励行を指導する．

④ 感染症
- ヘルペスウイルス感染，帯状疱疹，ニューモシスチス肺炎の初期症状を説明し，早期治療の必要性を指導する．

---

column 特定薬剤治療管理について

表24-11の免疫調節薬（サリドマイド，レナリドミド，ポマリドミド）の内服薬3剤に限り，特定薬剤治療管理料2(100点)が認められている．安全管理手順については TERMS や RevMate を遵守する必要があり，医師と薬剤師の協働が重要である．

表 24-11 多発性骨髄腫の主な治療薬の副作用

分類	一般名 (商品名®)	副作用 / 備考
免疫調節薬	サリドマイド (サレド®)	催奇形性, 深部静脈血栓症, 肺塞栓症, 肝機能障害, 発疹, 眠気, 便秘, 嘔気, 味覚異常
		「サリドマイド製剤安全管理手順(TERMS)」を適正に遵守する
	レナリドミド (レブラミド®)	催奇形性, 深部静脈血栓症, 肺塞栓症, 発疹, 味覚異常
		・「レブラミド・ポマリスト適正管理手順(RevMate®)」を適正に遵守する ・腎機能障害患者:投与量および投与間隔の調節を考慮
	ポマリドミド (ポマリスト®)	催奇形性, 深部静脈血栓症, 肺塞栓症, 発疹
		「レブラミド・ポマリスト適正管理手順(RevMate®)」を適正に遵守する
プロテアソーム阻害薬	ボルテゾミブ (ベルケイド®)	肺障害, 心障害, 末梢神経障害, 発疹, 肝機能障害
		間質性肺炎を有する場合は不適
	カルフィルゾミブ (カイプロリス®)	肝機能障害, QT間隔延長, Infusion reaction, 高血圧
		Ccr<15 mL/分は休薬
	イキサゾミブ (ニンラーロ®)	下痢, 悪心, 末梢神経障害, 発疹
		・空腹時に経口投与 ・重度の腎機能障害(Ccr <30 mL/分) ➡ 減量を考慮 ・中等度以上の肝機能障害のある患者(総ビリルビン値が基準値上限の1.5倍超) ➡ 減量を考慮
抗体薬	エロツズマブ (エムプリシティ®)	Infusion reaction(43%)
		・前投薬:抗ヒスタミン薬, H_2受容体拮抗薬および解熱鎮痛薬 ・著効していても薬剤自体がM蛋白として検出されることがあるため, 注意して結果を評価する
	ダラツムマブ (ダラザレックス®)	Infusion reaction(48%), 呼吸困難, 咳嗽
		・前投薬:副腎皮質ホルモン, 解熱鎮痛薬および抗ヒスタミン薬 ・輸血時の間接クームス試験結果が偽陽性となる可能性について関係者に周知する ・著効していても薬剤自体がM蛋白として検出されることがあるため, 注意して結果を評価する

すべての治療薬を通して骨髄抑制, 感染症およびB型肝炎ウイルス再活性化に注意する.

表 24-12 高齢者における薬剤減量の推奨例

薬剤	標準用量	減量 1 段階	減量 2 段階
デキサメタゾン	40 mg/日	20 mg/日	10 mg/日
レブラミド®	25 mg/日	15 mg/日	10 mg/日
ベルケイド®	1.3 mg/m² 週 2 日	1.3 mg/m² 週 1 日	1 mg/m² 週 2 日
プレドニゾロン	60 mg/m²/日	30 mg/m²/日	15 mg/m²/日

⑤ Infusion reaction(ダラツマブ・エロツズマブ)
- 発熱,悪寒,悪心,呼吸困難,掻痒感,皮疹,咳嗽等が出現した場合はすぐに知らせるよう指導する.

治療・副作用モニタリング
- **腫瘍崩壊症候群**:初回投与時に注意 ➡ 高 K 血症,低 Ca 血症,高 P 血症,代謝性アシドーシス,高尿酸血症を呈し,不整脈や急性腎不全に至る場合もある.
- **高血糖**:デキサメタゾン併用時,特に糖尿病患者ではインスリン投与量の調整が必要となる可能性がある.
- **ボルテゾミブ**:末梢神経障害は静脈投与より皮下投与のほうが軽度で,効果は同等.皮下投与では,注射部位反応を軽減するため腹部でローテーションする.腎障害時にも投与できる.特に腫瘍量が多い症例では肺障害に注意.
- **レナリドミド**:腎障害のある患者では減量する.C_{cr} 30~60 mL/min で 10 mg/日.C_{cr} 30 mL/min 未満で 15 mg 隔日.透析患者では 5 mg/日.
- 表 24-12 に高齢者における薬剤減量の推奨例を示す.

E 処方提案のポイント
- MM が原因の急性腎機能障害は治療開始に伴い改善することが多く,腎機能に応じたレナリドミドの適正な投与量を提案する.
- **日和見感染**:ヘルペスウイルス感染,帯状疱疹,ニューモシスチス肺炎など ➡ ST 合剤,アシクロビルなどの抗ウイルス薬の予防投与を考慮する.

参考文献

1) 造血器腫瘍診療ガイドライン 2018 年版補訂版，金原出版，2020
2) 血液病レジデントマニュアル第 3 版，医学書院，2019
3) Antonio Palumbo, et al.：Blood. 2011 Oct 27；118(17)：4519-29(PMID：21841166)

（高栁 信子）

53 免疫チェックポイント阻害薬

A 概説

- わが国で承認されている免疫チェックポイント阻害薬(ICI：immune checkpoint inhibitor)は，ニボルマブ，イピリムマブ，ペムブロリズマブ，アベルマブ，アテゾリズマブ，デュルバルマブがある(2020 年 7 月現在).
- PD-1 経路(腫瘍微小環境)では，がん細胞表面の PD-L1/PD-L2 と T 細胞の PD-1 受容体が結合し T 細胞が不活性化される.
- CTLA-4 経路(リンパ組織)では，抗原提示細胞表面の CD80/CD86 と T 細胞の CTLA-4 受容体が結合し T 細胞が不活化される.

B 患者の状態把握

適応

- 各薬剤の対象疾患を表 24-13 にまとめる.
- 間質性肺炎，自己免疫疾患，臓器移植歴，結核，PS 3〜4 の患者への投与は推奨されないが，他の治療選択肢がない場合に限り慎重投与.
- ドライバー遺伝子変異/転座陰性の非小細胞肺癌で PD-L1 ≧ 50%の 1 次治療は，ペムブロリズマブ単独または細胞傷害性抗がん薬 + PD-1/PD-L1 阻害薬が推奨．PD-L1 < 50%もしくは不明の場合は，細胞傷害性抗がん薬 + PD-1/PD-L1 阻害薬が推奨.
- 腎細胞癌に対するニボルマブ + イピリムマブは，IMDC リスク分類が intermediate(中リスク)または poor(高リスク)の患者が対象.
- 高頻度マイクロサテライト不安定性(MSI-High)を有する固形癌

表 24-13 免疫チェックポイント阻害薬の対象疾患

分類	治療薬	対象疾患	販売開始
PD-1阻害薬	ニボルマブ	悪性黒色腫,非小細胞肺癌,腎細胞癌,古典的ホジキンリンパ腫,頭頸部癌,胃癌,悪性胸膜中皮腫,MSI-High を有する結腸・直腸癌,食道癌	2014年9月
	ペムブロリズマブ	悪性黒色腫,非小細胞肺癌,古典的ホジキンリンパ腫,尿路上皮癌,MSI-High を有する固形癌,腎細胞癌,頭頸部癌,食道扁平上皮癌	2017年2月
PD-L1阻害薬	アベルマブ	メルケル細胞癌,腎細胞癌	2017年11月
	アテゾリズマブ	非小細胞肺癌,小細胞肺癌,乳癌(トリプルネガティブ),肝細胞癌	2018年4月
	デュルバルマブ	非小細胞肺癌(根治的化学放射線療法後の維持療法),進展型小細胞肺癌	2018年8月
CTLA-4阻害薬	イピリムマブ	悪性黒色腫,腎細胞癌,MSI-High を有する結腸癌,非小細胞肺癌	2015年8月

に対するペムブロリズマブは標準的な治療が困難な場合に限られ,検査,治療のタイミングを慎重に検討.
- MSI-High は婦人科がん,消化器がんで多いが,全体の発現頻度は約 4%と報告されている.

検査
- 胸部 X 線
- 血液検査(KL-6, SP-D, CK, ミオグロビン, 血糖, HbA1c, TSH, 遊離 T3, 遊離 T4, ACTH, コルチゾール, クレアチニンなど)
- ペムブロリズマブ;TPS*(非小細胞肺がん),CPS**(頭頸部癌).
- PD-L1
- MSI;MSI-High の場合リンチ症候群の可能性があるため,事前の説明,同意が必要.

* TPS(tumor proportion score)…腫瘍細胞のうち PD-L1 を発現した腫瘍細胞が占める割合.
** CPS(Combined positive score)…腫瘍組織において PD-L1 を発現した腫瘍細胞および免疫細胞(マクロファージおよびリンパ球)が占める割合.

C 治療(標準的処方例)

① ニボルマブ

ニボルマブ注　240 mg/body　30分で点滴静注　day 1　2週間間隔

□ 悪性黒色腫の術後補助療法は12か月間まで

② ニボルマブ＋イピリムマブ：根治切除不能な悪性黒色腫.

ニボルマブ注　80 mg/body　30分で点滴静注　day 1
イピリムマブ注　3 mg/kg　90分で点滴静注　day 1　3週間間隔で4回
その後, ニボルマブ注　240 mg/body　30分で点滴静注　day 1　2週間間隔

③ ニボルマブ＋イピリムマブ：根治切除不能または転移性の腎細胞癌.

ニボルマブ注　240 mg/body　30分で点滴静注　day 1
イピリムマブ注　1 mg/kg　30分で点滴静注　day 1　3週間間隔で4回
その後, ニボルマブ注　240 mg/body　30分で点滴静注　day 1　2週間間隔

④ ペムブロリズマブ

ペムブロリズマブ注　200 mg/body　30分で点滴静注　day 1　3週間間隔

□ 悪性黒色腫の術後補助療法は12か月間まで.

⑤ ペムブロリズマブ＋ペメトレキセド＋プラチナ製剤：Ⅳ期非小細胞肺癌(非扁平上皮癌), ドライバー遺伝子変異/転座陰性, PD-L1＜50%もしくは不明.

ペムブロリズマブ注　200 mg/body　30分で点滴静注　day 1
ペメトレキセド注　500 mg/m^2　10分で点滴静注　day 1
シスプラチン注　75 mg/m^2　60分で点滴静注　day 1　もしくは
カルボプラチン注　AUC=5　60分で点滴静注　day 1　3週間間隔　4回まで

□ 増悪なければペムブロリズマブ＋ペメトレキセドの維持療法を考慮.

⑥ **ペムブロリズマブ＋パクリタキセル製剤＋カルボプラチン**：Ⅳ期非小細胞肺癌（扁平上皮癌），ドライバー遺伝子変異／転座陰性，PD-L1 ＜ 50％もしくは不明．

ペムブロリズマブ注　200 mg/body　30 分で点滴静注　day 1
パクリタキセル注　200 mg/m²　180 分で点滴静注　day 1
　もしくは
nab-パクリタキセル注　100 mg/m²　30 分で点滴静注　day 1, 8, 15
カルボプラチン注　AUC＝6　60 分で点滴静注　day 1　3 週間間隔　4 回まで

☐ 増悪なければペムブロリズマブの維持療法を考慮．

⑦ **ペムブロリズマブ＋アキシチニブ**：根治切除不能または転移性の腎細胞癌．

ペムブロリズマブ注　200 mg/body　30 分で点滴静注　day 1　3 週間間隔
アキシチニブ錠(5 mg)　1 回 1 錠　1 日 2 回　連日

☐ アキシチニブは適宜増減．

⑧ **アベルマブ**

アベルマブ注　10 mg/kg　60 分で点滴静注　day 1　2 週間間隔

⑨ **アベルマブ＋アキシチニブ**：根治切除不能または転移性の腎細胞がん．

アベルマブ注　10 mg/kg　60 分で点滴静注　day 1　2 週間間隔
アキシチニブ錠(5 mg)　1 回 1 錠　1 日 2 回　連日

☐ アキシチニブは適宜増減．

⑩ **アテゾリズマブ**

アテゾリズマブ注　1,200 mg/body　60 分で点滴静注　day 1　3 週間間隔

⑪ **アテゾリズマブ＋ベバシズマブ＋パクリタキセル＋カルボプラチン**：Ⅳ期非小細胞肺がん（非扁平上皮がん），ドライバー遺伝子変異／転座陰性，PD-L1 ＜ 50％もしくは不明．

アテゾリズマブ注　1,200 mg/body　60 分で点滴静注　day 1
ベバシズマブ注　15 mg/kg　90 分で点滴静注　day 1
パクリタキセル注　200 mg/m²　180 分で点滴静注　day 1
カルボプラチン注　AUC＝6　60 分で点滴静注　day 1　3 週間間隔　4〜6 回まで

□ 増悪なければベバシズマブ＋アテゾリズマブの維持療法を考慮.
⑫ **アテゾリズマブ＋カルボプラチン＋エトポシド**：進展型小細胞肺がん.

> アテゾリズマブ注　1,200 mg/body　60分で点滴静注　day 1
> カルボプラチン注　AUC＝5　60分で点滴静注　day 1
> エトポシド注　100 mg/m²　90分で点滴静注　day 1～3　3週間隔　4回まで

□ 増悪なければアテゾリズマブを継続する.

⑬ **アテゾリズマブ＋nab-パクリタキセル**：PD-L1陽性転移・再発トリプルネガティブ乳がん.

> アテゾリズマブ注　840 mg/body　60分で点滴静注　day 1, 15
> nab-パクリタキセル注　100 mg/m²　30分で点滴静注　day 1, 8, 15　4週間間隔

⑭ **デュルバルマブ**

> デュルバルマブ注　10 mg/kg　60分で点滴静注　2週間間隔　12か月間まで

⑮ **イピリムマブ**

> イピリムマブ注　3 mg/kg　90分かけて点滴静注　day 1　3週間間隔　4回

D 薬剤師による薬学的ケア

処方チェック

① 投与量

□ ニボルマブは悪性黒色腫のイピリムマブと併用時のみ80 mg/body.
□ アテゾリズマブは肺がん（1,200 mg/body）と，乳がん（840 mg/body）で異なる.
□ イピリムマブは悪性黒色腫（3 mg/kg）と，腎細胞がん（1 mg/kg）で異なる.

② 投与スケジュール

□ ニボルマブはイピリムマブの併用時のみ3週間間隔.
□ ニボルマブ，ペムブロリズマブの悪性黒色腫における術後補助療法は12か月間まで.
□ デュルバルマブは12か月間まで.

- □ イピリムマブは4回まで.

③ 相互作用
- □ **ワクチン**：過度な免疫応答に基づく症状が発現する場合あり. 不活性化ワクチン（破傷風,インフルエンザ,肺炎球菌）接種患者の安全性プロファイルは,非接種患者と変わらなかったとの報告あり（イピリムマブ）.
- □ **EGFR-TKI**：ニボルマブ投与終了後にEGFR-TKI（オシメルチニブ,ゲフィチニブ）を投与し両剤の影響が否定できない間質性肺疾患が発現. 死亡例の報告もあり.

④ 適用上の注意
- □ アベルマブの前投薬（抗ヒスタミン薬,解熱鎮痛薬等）を確認.
- □ アテゾリズマブの点滴時間は初回60分,2回目以降は30分まで短縮可.
- □ インラインフィルターを使用して投与.

患者指導
- □ irAE（免疫関連有害事象：immune-related Adverse Effect）と自覚症状について説明し,症状出現時の連絡先,受診方法を確認.
- □ 治療日記等への症状の記録を指導し,患者と医療者で副作用発現状況の共有,早期発見につなげる.
- □ 他の医療施設を受診時には必ず,免疫チェックポイント阻害薬で治療中を伝えるよう指導する.

副作用モニタリング
- □ T細胞活性化作用により過度の免疫反応に起因すると考えられる,さまざまな疾患や病態が現れることがある. 頻度は低いが重篤または死亡に至る例も報告されている.
- □ 重篤なirAEへの対応を,救急部も含め院内全体で取り決めておく.
- □ がん診療オープンカンファレンス等で近隣医療施設とも情報を共有する.
- □ 皮膚障害,胃腸障害（大腸炎,下痢含む）,発熱,倦怠感,食欲低下,甲状腺機能障害が比較的頻度が高い.
- □ 多くのirAEは抗PD-1抗体に比べ,抗CTLA-4抗体で高頻度. 甲状腺機能低下症は抗PD-1抗体で高頻度.
- □ 抗PD-1抗体と抗CTLA-4抗体の併用はirAEが高頻度に発現し,より注意が必要.

- 他の抗悪性腫瘍薬と併用の場合は，それぞれの抗がん薬の副作用にも注意する．
- 副作用発現時期はさまざまである．投与終了後に重篤な副作用が現れることもあり，数か月は症状を観察する．
- irAEの発現が治療効果と相関するという報告もある．
- ニボルマブの特に注意を要する副作用とモニタリング項目，対応について**表24-14**を参照．

E 処方提案のポイント

- 発現した副作用に応じた専門医と連携し対応する．過度の免疫反応による副作用が疑われた場合には，ステロイドの投与を検討する．
- ステロイド投与が長期にわたる場合，ステロイドの副作用にも注意する．
- ステロイド投与で症状改善した場合，4～6週間以上かけてステロイドを漸減．日和見感染症に対する抗菌薬の予防投与を検討．
- **重症筋無力症**：コリンエステラーゼ阻害薬はピリドスチグミン，アンベノニウム，ネオスチグミン等，免疫抑制薬はシクロスポリン，タクロリムス等を検討．
- **大腸炎，下痢**：症状が軽微な場合は対症療法として整腸薬．ロペラミド等の止瀉薬で対処すると適切な治療開始が遅れ重症化することがあり，注意が必要．脱水予防にこまめな水分摂取を指導．
- **1型糖尿病**：数日の経過で重篤なケトアシドーシスに陥る場合あり，注意が必要．インスリンの持続静注と補液(脱水と電解質の補正)を行い，血糖値・電解質などを頻回に測定．
- **甲状腺機能障害**：甲状腺機能低下症の場合，レボチロキシンまたはリオチロニン等の甲状腺ホルモンを投与．甲状腺，副腎機能がともに障害されている場合，甲状腺ホルモンの補充のみを行うとかえって副腎機能が悪化するため，副腎皮質ホルモンの補充を先行させる．ICI終了後もホルモン補充継続を要する場合が多い．甲状腺機能亢進症の場合，非選択的β遮断薬の投与を検討．
- **副腎障害**：副腎クリーゼを疑えば，ACTH，コルチゾールの測定用検体採取後，躊躇なく治療を開始．心機能監視下に500～1,000 mL/時で生食を点滴．ヒドロコルチゾン100 mg静注後，ヒドロコルチゾン100～200 mg/5%ブドウ糖液を24時間で点滴．

表 24-14 ニボルマブの副作用・モニタリング項目・対処法

副作用	モニタリング	対処法
間質性肺炎	発熱,空咳,呼吸困難,息切れ,定期的な胸部X線検査,KL-6,SP-A,SP-D,SpO$_2$	Grade 1；休薬,呼吸器専門医と連携.Grade 2；中止.1 mg/kg/日のmPSL静注.Grade 3〜4；入院.2〜4 mg/kg/日のmPSL静注
重症筋無力症	筋力低下,眼瞼下垂,呼吸困難,嚥下障害,複視.CK,心電図,血中/尿中ミオグロビン	神経内科専門医と連携.抗コリンエステラーゼ薬,ステロイド,免疫抑制剤の投与,血液浄化療法,免疫グロブリン療法などを検討
大腸炎,重度の下痢	便の性状（下痢・血便・タール便）,回数,腹痛,圧痛.症状が長引く場合,CT,腹部X線,内視鏡検査	Grade 1(BLより4回/日未満の排便回数増加)；対症療法.Grade 2(BLより4〜6回/日の増加,腹痛,粘液/血液便)；休薬,対症療法.5〜7日間を超えて持続の場合,0.5〜1 mg/kg/日のmPSL内服.Grade 3〜4(BLより7回/日の増加,高度の腹痛,腹膜刺激症状)；中止.1〜2 mg/kg/日のmPSL静注
1型糖尿病	口渇,多飲,多尿,体重減少.ケトアシドーシス；著しい倦怠感,悪心嘔吐,深く大きい呼吸,手足の振戦.血糖値,HbA1c,血清Cペプチド,GAD抗体,血中ケトン体,尿糖,尿ケトン体,尿Cペプチド	糖尿・内分泌内科専門医と連携,インスリン投与.糖尿病性ケトアシドーシスの場合,輸液や電解質補充,速攻型インスリン持続注入.他の副作用のためステロイド投与の場合,血糖の著しい上昇のおそれあり注意
肝不全,肝炎,肝機能障害	黄疸,肝性脳症,出血傾向,倦怠感,悪心嘔吐,食欲不振,かゆみ.AST,ALT,Al-P,γ-GTP,T-Bil	Grade 1；継続.Grade 2；休薬,肝機能モニタリングを3日毎.5〜7日を超えて持続または悪化,0.5〜1 mg/kg/日のmPSL内服.Grade 3〜4；中止,肝臓専門医と連携.モニタリングを1〜2日毎.1〜2 mg/kg/日のmPSL静注
甲状腺機能低下症	だるさ,むくみ,寒がり,動作やしゃべり方が遅い.TSH,FT$_3$,FT$_4$,ACTH,コルチゾール	無症候性；継続.FT4低値,TSH>10μg/mL,TSH軽度上昇が2回連続,TSH低値の場合は内分泌専門医と連携.症候性；休薬,甲状腺エコーを検討,ホルモン療法開始,甲状腺・副腎機能とも障害の場合,副腎皮質ホルモンの補充を先行

（次頁に続く）

(前頁から続き)

副作用	モニタリング	対処法
副腎障害	倦怠感,意識が薄れる,思考錯乱,悪心嘔吐,食欲不振,低血圧,判断力の低下.ACTH,コルチゾール,TSH,FT_3,FT_4	無症候性;継続.内分泌専門医と連携.症候性;休薬.ホルモン補充療法開始.甲状腺・副腎機能とも障害の場合,副腎皮質ホルモンの補充を先行.副腎クリーゼ疑いの場合;休薬,心機能監視下で生食投与,ステロイド静注
神経障害	末梢神経障害.ギラン・バレー症候群:腹痛,下肢の筋力低下・麻痺,指先のしびれ.脱髄疾患:麻痺,顔や四肢の異常感覚,視力障害	Grade 1;継続.Grade 2;休薬,0.5〜1 mg/kg/日のPSL静注.Grade 3〜4;中止,神経内科専門医と連携.1〜2 mg/kg/日のPSL静注
腎障害	腎不全.尿細管間質性腎炎;関節痛,発熱,頭痛.糸球体腎炎:尿量減少,浮腫,全身倦怠感.Cr,BUN,電解質,尿蛋白	Grade 1;継続,Crを毎週モニタリング.Grade 2〜3;休薬,腎臓専門医と連携.Crを2〜3日毎モニタリング.0.5〜1 mg/kg/日のPSL静注.腎生検を検討.Cr上昇が7日間を超えて持続または悪化の場合,Grade 4の対応.Grade 4;Crを毎日モニタリング,1〜2 mg/kg/日のPSL静注
重度の皮膚障害	倦怠感,全身の赤い斑点と水疱,発熱,眼瞼の発赤腫脹,結膜充血,ひどい口内炎.皮疹が全身に急速に広がる場合は連絡・受診するよう指導	Grade 1〜2;継続,抗ヒスタミン薬,局所ステロイドなどを投与.症状が1〜2週間を超えて持続または再発の場合,休薬.0.5〜1 mg/kg/日のPSL静注.Grade 3〜4;休薬,皮膚科専門医と連携,皮膚生検を検討.1〜2 mg/kg/日のPSL静注
静脈血栓塞栓症	静脈血栓塞栓症:むくみ,熱感,局所の痛み.深部静脈血栓症・肺塞栓症:発汗,発熱,意識障害,咳,胸痛.Dダイマー	休薬,循環器専門医と連携.エコー,造影CT,動脈血ガス検査などを検討.抗凝固療法,血栓溶解療法,血管内治療法などを検討
Infusion reaction	呼吸困難,意識障害,眼瞼・口唇・舌の腫脹,発熱,寒気,嘔吐,咳など.2回目以降の発現もあるため毎回注意が必要	軽症〜中等症;注入速度を緩めるか中断.症状改善しない場合,解熱鎮痛薬,抗ヒスタミン薬,ステロイドを投与.次回からアセトアミノフェン,ジフェンヒドラミン,必要に応じてステロイドを予防投与.重症;酸素吸入,アドレナリン,気管支拡張薬,ステロイド,昇圧薬などを投与.今後の投与中止を検討

- **皮膚障害**：Stevens-Johnson症候群，中毒性表皮壊死症などの重症例は投与中止．ステロイド外用剤は使用部位，症状の程度により適切なクラスを選択し，使用期間にも注意．ニボルマブによる治療を受けた悪性黒色腫患者における白斑の出現が，治療効果と相関したとの報告がある．
- **Infusion reaction**：軽症の場合は，点滴速度の調整(減速や中断)と必要に応じた対症療法を提案．Infusion reaction発症例では，次回から解熱鎮痛薬(アセトアミノフェン)，抗ヒスタミン薬(ジフェンヒドラミン)，ステロイドの予防投与を検討．
- **脳炎**：けいれん発作，重積にはフェニトイン，ジアゼパム，脳浮腫にはグリセオール®，ステロイドの投与を検討．
- **ステロイド不応性・難治性のirAE**：ステロイド不応性・難治性の大腸炎・下痢に対し，抗TNF-α抗体製剤(インフリキシマブ5 mg/kg)の追加が有効の報告あり(保険適用外)．腸穿孔や敗血症がある場合は感染症悪化のおそれあり，原則禁忌．ステロイド不応性・難治性の肝障害に対してはインフリキシマブ自体に肝毒性があり，原則禁忌．ミコフェノール酸モフェチルの追加投与(1,000 mg/回，1日2回)を考慮．

参考文献

1) 日本臨床腫瘍学会編：がん免疫療法ガイドライン，金原出版，2016
2) 厚生労働省：最適使用推進ガイドライン ニボルマブ(遺伝子組み換え)～非小細胞肺癌～ 平成29年2月(令和2年2月改訂)
 https://www.pmda.go.jp/files/000233975.pdf〔2020年7月31日閲覧〕
3) 小野薬品：オプジーボ®安全性・適正使用情報
 https://www.opdivo.jp/basic-info/report/〔2020年9月25日閲覧〕

(平畠 正樹)

第25章 緩和

54 オピオイド

A 定義

- オピオイドとは，麻薬性鎮痛薬やその関連合成鎮痛薬などのアルカロイドおよびモルヒネ様活性を有する内因性または合成ペプチド類の総称．
- オピオイド受容体はオピオイドやその拮抗薬が特異的に結合し，その結果生理作用を発現させる部位である．

B がん疼痛の薬物療法に用いられる各オピオイドの特徴

- 各オピオイドの特徴を**表25-1**に，主なオピオイド製剤とその特徴を**表25-2**に示す．

表25-1 がん性疼痛の緩和に用いられる各オピオイドの特徴

オピオイド	作用機序	薬物動態	特徴
モルヒネ	主にμ受容体	・経口投与時，肝での初回通過効果により，70～80％がグルクロン酸抱合 ・活性のないモルヒネ-3-グルクロニド(M3G)または活性代謝物モルヒネ-6-グルクロニド(M6G)へ代謝	・腎機能障害時にはM6Gの血中濃度↑． ・傾眠・鎮静・せん妄など出現のおそれ
オキシコドン	主にμ受容体	・経口時の生体内利用率は約60％ ・CYP3A4によりノルオキシコドン(薬理活性なし)に，CYP2D6によりオキシモルフォン(活性代謝物)に代謝	・モルヒネとオキシコドンの力価の比は経口で3：2，静脈内投与で2：3 ・腎機能障害時でも活性代謝物が蓄積しにくい

(次頁に続く)

(前頁から続き)

オピオイド	作用機序	薬物動態	特徴
フェンタニル	μ受容体に対して完全作動薬	・ほとんど肝でCYP3A4により、活性のないノルフェンタニルに代謝 ・モルヒネよりも生物学的利用率が高い. ・蛋白結合率は84％、血漿アルブミン濃度やα₁酸性糖蛋白質濃度の変動に注意	・主要代謝物は不活性 ・腎機能低下時にも使用可能 ・高脂溶, 低分子量のため, 皮膚吸収が良好 ・口腔粘膜吸収剤は即効性 ・便秘・眠気少ない
コデイン	オピオイド受容体に対する親和性は低い	・7〜9％は肝のCYP3A4によりN-脱メチル化されノルコデインとなり、30〜40％はグルクロン酸抱合を受けて、腎から排泄 ・4〜13％は、肝のCYP2D6によってO-脱メチル化され、モルヒネへ変換後、尿中へ排出	・弱オピオイドに分類 ・モルヒネの1/6〜1/10の鎮痛作用 ・CYP2D6欠損患者で、鎮痛作用↓
トラマドール	・主要代謝物モノ-O-脱メチル体：μ受容体 ・セロトニン・ノルアドレナリン再取り込み阻害作用を基盤とした下行性抑制賦活作用	・経口時の生体内利用率は約75％ ・中枢移行性も良好 ・主に肝のCYP2D6およびCYP3A4で代謝 ・O-デスメチルトラマドールおよびN-デスメチルトラマドールに変換され、腎よりトラマドールとして約30％、代謝物として約60％が排泄 ・O-デスメチルトラマドールは、μオピオイド受容体に作用しトラマドールの数倍の鎮痛効果を発揮.	・弱オピオイドに分類 ・神経障害性疼痛に効果的 ・経口モルヒネと経口トラマドールの鎮痛力価の比は約1：5 ・有効限界あり（1回100 mg, 1日400 mgを超えて使用しない） ・MAO阻害薬を投与中の患者および投与中止後14日以内の患者に禁忌
ペンタゾシン	・κ受容体に対して作動薬 ・μ受容体に対して拮抗薬もしくは部分作動薬	・肝で主にグルクロン酸抱合を受け、活性のない代謝物となる	・モルヒネ長期投与患者への投与により、退薬症状や鎮痛効果低下

(次頁に続く)

（前頁から続き）

オピオイド	作用機序	薬物動態	特徴
ブプレノルフィン	・μ受容体に対して作動薬 ・κ受容体に対して拮抗薬	・主に肝のCYP3A4によりノルブプレノルフィンに代謝	・μオピオイド受容体に対する親和性がモルヒネよりも強い ・モルヒネ大量投与患者でブプレノルフィンを投与すると，モルヒネと競合するために，鎮痛効果↓
メサドン	・μ受容体に対する親和性 ・NMDA受容体拮抗作用	・主にCYP3A4およびCYP2D6で活性のない代謝物となる ・半減期は約30〜40時間 ・定常状態に達するまで約1週間を要する	・他の強オピオイド鎮痛剤から切り替えて使用 ・QT延長や呼吸抑制の報告が多い ・定期的に心電図を測定
タペンタドール	・μ受容体作動性 ・ノルアドレナリン再取り込み阻害作用による下行性抑制賦活作用	・主にグルクロン酸抱合を受け，活性のない代謝物となる	・中等度の肝障害のある患者で血中濃度↑ ・MAO阻害薬を投与中の患者および投与中止後14日以内の患者に禁忌
ヒドロモルフォン	・主にμ受容体	・経口投与時のバイオアベイラビリティは24%．主に肝臓でグルクロン酸抱合される ・主要代謝物に薬理活性がない ・CYP代謝を受けない	・モルヒネとヒドロモルフォンの力価の比は経口で5：1，静脈内投与で8：1

表25-2 がん性疼痛の緩和に用いられる主なオピオイド製剤とその特徴

一般名	商品名	投与経路	投与間隔（時間）	T$_{max}$（時間）(mean±SD)	半減期（時間）(mean±SD)
			特徴		
モルヒネ	パシーフ®カプセル	経口	24	速放部：0.7〜0.9 徐放部：8.4〜9.8	11.3〜13.5
		速放性細粒と徐放性細粒がカプセルに充填され，1日1回投与で投与後早期から24時間安定した鎮痛効果が維持される．			
	MSコンチン®錠	経口	12	2.7 ± 0.8	2.58 ± 0.85
		高級アルコールをコーティングしたモルヒネ粒子を圧縮した構造で，腸管内の水分により徐々に溶解される．			
	モルペス®細粒	経口	12	2.4〜2.8	6.9〜8.7
		モルヒネを含む粒子に徐放性被膜をコーティング．			
	モルヒネ塩酸塩末・錠	経口	定期：4 レスキュー：1	0.5〜1.3	2.0〜3.0
	オプソ®内服液	経口	定期：4 レスキュー：1	0.5 ± 0.2	2.9 ± 1.1
	アンペック®坐剤	直腸内	定期：6〜12 レスキュー：2	1.3〜1.5	4.2〜6.0
		吸収が速やかで，投与後約8時間まで有効血中濃度が保たれる．			
	モルヒネ塩酸塩注	皮下 静脈内 硬膜外 くも膜下	単回・持続	静脈内：< 0.5	静脈内：2.0
オキシコドン	オキシコンチン®TR錠	経口	12	3.5 ± 1.1	4.2 ± 0.4
		不正使用防止を目的にポリエチレンオキサイドが使用された錠剤で，ハンマーを使っても割れない構造になっている．			
	オキノーム®散	経口	定期：6 レスキュー：1	1.7〜1.9	4.5〜6.0
	オキファスト®注	皮下 静脈内	単回・持続		3.3 ± 0.8
フェンタニル	デュロテップ®MTパッチ	経皮	72	30〜36	21〜23
		マトリックスタイプの経皮吸収型製剤．他のオピオイド鎮痛剤から切り替えて使用する．			

（次頁に続く）

（前頁から続き）

一般名	商品名	投与経路	投与間隔（時間）	T_{max}（時間）（mean±SD）	半減期（時間）（mean±SD）
			特徴		
フェンタニル	フェントス®テープ	経皮	24	18～26	20～26
	フェンタニル注	静脈内 硬膜外 くも膜下	静・硬：持続 くも膜下：単回	静脈内：投与直後 硬膜外：<0.2～0.5	静脈内： 3.65±0.17
	アブストラル®舌下錠	経口腔粘膜	2時間以上あけて1日4回まで	0.5～1.0	5.2～13.5
		舌下に溶かして口腔粘膜より吸収させる．モルヒネ経口換算60 mg/日以上定期的な強オピオイドの投与を受けている患者を対象とする．定期投与量に関わらず，100 μg から開始．			
コデイン	コデインリン酸塩（1%，10%）	経口	定期：4～6 レスキュー：1	0.8±0.2	3.3～3.7
		コデインは体内でモルヒネに代謝されることにより鎮痛効果を発揮するとされている．			
トラマドール	トラマール®OD錠	経口	定期：4～6	トラマドール： 1.8±0.8 M1：2.2±1.0	トラマドール： 6.06±1.58 M1：6.81±1.21
		肝障害・腎障害患者では C_{max}，$AUC_{0～∞}$，$T_{1/2}$ が延長．			
ブプレノルフィン	レペタン®坐剤	直腸内	8～12	1.0～2.0	ND
	レペタン®注	筋肉内	6～8	<0.08	2～3
ペンタゾシン	ソセゴン®注	皮下 筋肉内	3～4	筋注：0.2～0.5	筋注：1.3～2.0
		麻薬拮抗性鎮痛薬．			
メサドン	メサペイン®錠	経口	8	4.9±2.1	37.2±4.6
		・換算比は一定のものはない． ・他の強オピオイドで治療困難な場合に使用． ・e-learning 受講済みの処方医であることを確認．			

（次頁に続く）

(前頁から続き)

一般名	商品名	投与経路	投与間隔（時間）	T_{max}（時間）(mean±SD)	半減期（時間）(mean±SD)
			特徴		
タペンタドール	タペンタ®錠	経口	12	5	5〜6
		不正使用防止目的として，ハンマーを使っても壊れない構造．			
ヒドロモルフォン	ナルサス®錠	経口	24	3.3〜5.0	8.9〜16.8
		原薬と2種類の高分子を含む製剤により，消化管の広範囲で薬物を徐々に放出させる．			
	ナルラピド®錠	経口	4〜6	0.5〜1.0	5.3〜18.3
	ナルベイン®注	皮下静脈内	単回・持続	皮下：0.083〜0.28	静脈内：2.5±0.36 皮下：5.1±3.5

〔日本緩和医療学会編：がん疼痛の薬物療法に関するガイドライン2020年版，金原出版，p54-56 より〕

C 非がん患者の苦痛症状緩和に用いられるオピオイド

慢性疼痛
□ トラマドール，ブプレノルフィン貼付剤(慢性腰痛症と変形性関節症のみに保険適用)，モルヒネ製剤(モルヒネ塩酸塩末とモルヒネ塩酸塩錠)と，フェンタニル製剤やオキシコドン製剤が使用可能．先発品と後発品でがん性疼痛と適応が異なることに注意．

末期心不全
□ 治療抵抗性の呼吸困難に対しては，少量のモルヒネなどオピオイドの有効性ならびに安全性が報告されている．嘔気・嘔吐，便秘，呼吸抑制などの副作用や，高齢者ならびに腎機能障害患者における過量投与に注意する．

D オピオイドスイッチング

□ オピオイドスイッチングとは，オピオイドの副作用により鎮痛効果を得るだけのオピオイドを投与できない時や鎮痛効果が不十分な時に，投与中のオピオイドから他のオピオイドに変更することをいう．表25-3に換算表を示す．

表 25-3　換算表

投与経路	静脈内投与・皮下投与	経口投与	直腸内投与	経皮投与
モルヒネ	10～15 mg	30 mg	20 mg	
コデイン		200 mg		
トラマドール		150 mg		
オキシコドン	15 mg	20 mg		
フェンタニル	0.2～0.3 mg			0.2～0.3 mg
タペンタドール		100 mg		
ヒドロモルフォン	1～2 mg	6 mg		

モルヒネ経口 30 mg を基準とした場合に，計算上等力価となるオピオイドの換算量を示す．
〔日本緩和医療学会編：がん疼痛の薬物療法に関するガイドライン 2020 年版，金原出版，p59 より〕

E オピオイドによる副作用対策

嘔気・嘔吐

- CTZ（化学受容器引金帯：chemoreceptor trigger zone）に豊富に発現しているμ受容体を刺激することにより起こる．活性化されたμ受容体がこの部位でのドパミン遊離を引き起こし，ドパミンD_2受容体が活性化され，VC（嘔吐中枢：vomiting center）が刺激される．
- また，前庭器にあるμ受容体の刺激によりヒスタミン遊離が起き，遊離されたヒスタミンがCTZおよびVCを刺激することでも起こる．
- さらに，消化管蠕動運動が抑制され胃内容物の停滞が起こることにより，求心性にシグナルが伝わりCTZおよびVCが刺激されることもある．
- オピオイド投与初期あるいは増量時に起こることが多く，数日以内に耐性を生じ，症状が治まってくることが多い．原則として制吐薬の予防投与は行わないが，悪心が生じやすい患者では予防投与を行ってもよい．第一選択薬は抗ヒスタミン薬やドパミン受容体拮抗薬であり，効果がなければ異なる作用機序の薬剤を投与する．表 25-4 に示す．

表25-4 オピオイドによる嘔気・嘔吐治療薬一覧

主な作用部位	薬剤名	剤形	1回投与量
前庭器 (抗ヒスタミン薬)	ジフェンヒドラミン・ジプロフィリン	錠	1錠
		注	1 mL
CTZ (ドパミン受容体拮抗薬)	プロクロルペラジン	錠	5 mg
		注	5 mg
消化管 (消化管運動亢進薬)	メトクロプラミド	錠	5〜10 mg
		注	10 mg
	ドンペリドン	錠	5〜10 mg
		坐薬	60 mg
CTZ・VCなど (非定型抗精神病薬)	オランザピン※	錠	2.5 mg
	リスペリドン	錠	0.5〜1 mg
		液	0.5 mg

※糖尿病患者に禁忌

便秘
- オピオイドによる便秘はオピオイド誘発性便秘(OIC：opioid-induced constipation)という．OICに保険適用のあるナルデメジンが選択肢となる．耐性形成はほとんど起こらないため，オピオイドスイッチング，継続的な下剤(表25-5)投与など対策が必要．

眠気
- オピオイド投与開始初期や増量時に出現することが多いが，耐性が速やかに生じ，数日以内に自然に軽減ないし消失することが多い．
- 対策として，痛みがなく眠気のある場合はオピオイドを減量する．眠気のためにオピオイドの増量が困難な場合は，オピオイドスイッチングを検討する．
- オピオイド以外の眠気の原因として，薬剤(向精神薬，睡眠薬など)，高Ca血症，全身衰弱，がんの脳転移，脳血管障害，肝・腎機能低下，感染症，心不全，低血圧なども考慮．

せん妄・幻覚
- 周囲を認識する意識の清明度が低下し，記憶力，見当識障害，言

表 25-5 下剤一覧

	薬剤名	1日用法・用量	作用発現時間	備考
末梢性μオピオイド受容体拮抗薬	ナルデメジン錠	0.2 mg(分1)	4〜5時間	OICに保険適用
浸透圧性下剤 / 塩類下剤	酸化マグネシウム	1,000〜2,000 mg(分2〜3)	8〜10時間	
浸透圧性下剤 / 糖類下剤	ラクツロースシロップ65%	10〜60 mL/日(分2〜3)	1〜3日	
大腸刺激性下剤	センノシド錠	12〜48 mg/回	8〜10時間	尿の色調変化あり
大腸刺激性下剤	ピコスルファート内用液	10〜15滴/回	7〜12時間	
漢方薬	大建中湯	7.5〜15 g(分3)		成分:乾姜,人参,山椒
Cl⁻チャネルアクチベーター	ルビプロストンカプセル	24〜48 μg(分2)	13時間	便の水分量が低下している場合に有効
グアニル酸シクラーゼC受容体アゴニスト	リナクロチド錠	0.25〜0.5 mg(分1,食前)		
胆汁酸トランスポーター阻害薬	エロビキシバット錠	5〜15 mg(分1,食前)	5〜6時間	
坐薬	炭酸水素ナトリウム・無水リン酸二水素ナトリウム坐剤	1個/回	10〜30分	発泡性
浣腸	グリセリン浣腸液50%	10〜150 mL/回		

語能力の障害などの認知機能障害が起こる状態.通常,数時間から数日の短期間に発現し,日内変動が大きい.
□ オピオイドによるせん妄,幻覚は投与開始初期や増量時に出現することが多い.オピオイドを含む薬剤性のせん妄は,原因薬剤の投与中止により数日から1週間で改善する場合が多い.

- 対策として，オピオイドが原因薬剤として疑われる場合は，オピオイドの減量やオピオイドスイッチングを検討．薬物療法としてハロペリドール，クエチアピン，オランザピンなどの投与を検討．

呼吸抑制
- オピオイドの用量依存的な延髄の呼吸中枢への直接作用による．
- 二酸化炭素に対する呼吸中枢の反応が低下し，呼吸回数が減少．
- オピオイド投与により痛みが消失した後で，縮瞳，傾眠，呼吸数低下がみられた場合に注意．
- **呼吸抑制が発生した場合の対応**：除痛が得られている場合は過量投与を疑い，オピオイドをいったん減量または中止する．舌根沈下などがあれば，下顎挙上などによって気道を確保する．また，必要に応じて酸素吸入を行う．呼吸数が改善しない場合には，ナロキソンを投与する．

排尿障害
- オピオイド投与による尿管の緊張や収縮の増加．
- 排尿反射を抑制，外尿道括約筋の収縮および膀胱容量の増加により生じる．
- 薬物療法として排尿筋の収縮を高めるコリン作動薬や，括約筋を弛緩させるα_1受容体遮断薬の投与が行われることがある．

瘙痒感
- 硬膜外投与やくも膜下投与では他の投与経路に比して高率で発現．
- 薬物療法として抗ヒスタミン薬が一般的であるが，無効であることも多い．

口内乾燥
- オピオイドは用量依存的に外分泌腺における分泌を抑制する．
- 対処法として，頻回の水分や氷の摂取，部屋を加湿するなど水分と湿度の調節の他，人工唾液や口腔内保湿剤を使用．キシリトールガムを噛むなど，唾液腺の分泌促進を試みる．

F 処方提案のポイント
- 患者背景（経口投与の可否・腎機能や肝機能など）を考慮して，適切な投与経路・薬剤・投与量・投与間隔を提案する．
- 制吐目的でも用いられるD_2拮抗薬は錐体外路症状の原因となり得るため，適切な時期に漸減・中止を提案する．

□ 慢性疼痛に用いられる薬剤選択が適切であるか確認する．漫然と投与を継続せず，患者の QOL を考慮して処方提案する．

参考文献

1) 日本緩和医療学会編：がん疼痛の薬物療法に関するガイドライン 2020 年版，金原出版，2020
2) 日本緩和医療薬学会編：臨床緩和医療薬学，真興交易医書出版部，2008
3) 国立がんセンター中央病院薬剤部編著，オピオイドによるがん疼痛緩和改訂版，エルゼビア・ジャパン，2012
4) 慢性疼痛治療ガイドライン作成ワーキンググループ編：慢性疼痛治療ガイドライン，真興交易医書出版部，2018
5) 日本循環器学会，日本心不全学会編：急性・慢性心不全診療ガイドライン 2017 年改訂版，ライフサイエンス出版，2017

(薩摩 由香里)

付録

1 緊急安全性情報，安全性速報

□ 2020 年 5 月 31 日までに発出されたものを以下に記載する．

A 緊急安全性情報（イエローレター）

発出年月日	内容
2007/03/20	タミフル® 服用後の異常行動
2004/03/05	インスリン自己注射用注入器オプチペンプロ 1 による過量投与の防止
2003/09/10	経口腸管洗浄剤（ニフレック®）等による腸管穿孔および腸閉塞
2003/03/07	ガチフロ® 錠 100 mg（ガチフロキサシン水和物）による重篤な低血糖，高血糖
2002/11/07	抗精神病薬セロクエル®錠（クエチアピンフマル酸塩）投与中の血糖値上昇による糖尿病性ケトアシドーシスおよび糖尿病性昏睡
2002/10/28	ラジカット® 注 30 mg（エダラボン）による急性腎不全
2002/10/15	ゲフィチニブによる急性肺障害，間質性肺炎
2002/07/23	塩酸チクロピジン製剤による重大な副作用の防止
2002/04/16	抗精神病薬ジプレキサ®錠（オランザピン）投与中の血糖値上昇による糖尿病性ケトアシドーシスおよび糖尿病性昏睡
2000/11/15	インフルエンザの臨床経過中に発症した脳炎・脳症の重症化と解熱剤（ジクロフェナクナトリウム）の使用
2000/10/05	塩酸ピオグリタゾン投与中の急激な水分貯留による心不全
2000/02/23	ベンズブロマロンによる劇症肝炎
1999/06/30	塩酸チクロピジン製剤による血栓性血小板減少性紫斑病（TTP）
1998/12/18	ウィンセフ® 注（硫酸セフォセリス）投与に伴う痙攣，意識障害
1998/08/07	オダイン® 錠（フルタミド）投与に伴う重篤な肝障害

（次頁に続く）

(前頁から続き)

発出年月日	内容
1997/12/01	糖尿病治療薬トログリタゾン投与に伴う重篤な肝障害
1997/08/14	抗菌処理カテーテルを使用した際に発生したアナフィラキシー・ショック
1997/08/06	CPI社製ペースメーカーにおけるペーシング不全
1997/07/28	塩酸イリノテカン製剤と骨髄機能抑制

B 安全性速報（ブルーレター）

発出年月日	内容
2019/05/17	抗悪性腫瘍剤ベージニオ®錠投与患者における間質性肺疾患
2015/02/04	抗てんかん薬，双極性障害治療薬ラミクタール®錠投与患者における重篤な皮膚障害
2014/10/24	ソブリアード®カプセル100 mgによる高ビリルビン血症
2014/04/17	ゼプリオン®水懸筋注25 mg, 50 mg, 75 mg, 100 mg, 150 mgシリンジの使用中の死亡症例
2014/01/17	月経困難症治療剤ヤーズ®配合錠による血栓症
2013/05/17	ケアラム®25 mg/コルベット®錠25 mg（イグラチモド）とワルファリンとの相互作用が疑われる重篤な出血
2012/09/11	ランマーク®皮下注120 mgによる重篤な低カルシウム血症
2011/08/12	プラザキサ®カプセルによる重篤な出血
2010/10/12	ビクトーザ®皮下注18 mgのインスリン治療からの切り替えにより発生した糖尿病性ケトアシドーシス，高血糖
2009/11/18	ネクサバール®錠投与後の肝不全，肝性脳症
2008/12/19	ネクサバール®錠200 mgによる急性肺障害，間質性肺炎
2006/12/21	リツキシマブ（遺伝子組換え）によるB型肝炎の増悪等

（高瀬 友貴）

2 重篤副作用疾患別対応マニュアル・疾患リスト

部位・領域	副作用名
がん	手足症候群
過敏症	アナフィラキシー，血管性浮腫(非ステロイド性抗炎症薬によらないもの)，非ステロイド性抗炎症薬(NSAIDs，解熱鎮痛薬)によるじんま疹/血管性浮腫
感覚器(眼)	網膜・視路障害，緑内障，角膜混濁
感覚器(口)	薬物性味覚障害
感覚器(耳)	難聴(アミノグリコシド系抗菌薬，白金製剤，サリチル酸剤，ループ利尿剤による)
肝臓	薬物性肝障害
血液	再生不良性貧血(汎血球減少症)，薬剤性貧血，出血傾向，無顆粒球症(顆粒球減少症，好中球減少症)，血小板減少症，血栓塞栓症(血栓塞栓症，塞栓症，梗塞)，播種性血管内凝固(全身性凝固亢進障害，消費性凝固障害)，血栓性血小板減少性紫斑病(TTP)，ヘパリン起因性血小板減少症(HIT)
呼吸器	間質性肺炎，非ステロイド性抗炎症薬による喘息発作，急性肺損傷・急性呼吸窮迫症候群(急性呼吸促迫症候群)，肺水腫，急性好酸球性肺炎，肺胞出血，胸膜炎，胸水貯留
口腔	骨吸収抑制薬に関連する顎骨壊死・顎骨骨髄炎，薬物性口内炎，抗がん剤による口内炎
骨	骨粗鬆症，特発性大腿骨頭壊死症
消化器	麻痺性イレウス，消化性潰瘍，偽膜性大腸炎，急性膵炎(薬剤性膵炎)，重度の下痢
心臓・循環器	心室頻拍，うっ血性心不全
神経・筋骨格系	薬剤性パーキンソニズム，白質脳症，横紋筋融解症，末梢神経障害，ギラン・バレー症候群，ジスキネジア，痙攣・てんかん，運動失調，頭痛，急性散在性脳脊髄炎，無菌性髄膜炎，小児の急性脳症
腎臓	急性腎障害(急性尿細管壊死)，間質性腎炎，ネフローゼ症候群，血管炎による腎障害(ANCA関連含む)，腫瘍崩壊症候群，腎性尿崩症，低カリウム血症

(次頁に続く)

(前頁から続き)

部位・領域	副作用名
精神	悪性症候群，薬剤惹起性うつ病，アカシジア，セロトニン症候群，新生児薬物離脱症候群
代謝・内分泌	偽アルドステロン症，甲状腺中毒症，甲状腺機能低下症，高血糖，低血糖
泌尿器	尿閉・排尿困難，出血性膀胱炎
皮膚	スティーブンス・ジョンソン症候群，中毒性表皮壊死症（中毒性表皮壊死融解症），薬剤性過敏症症候群，急性汎発性発疹性膿疱症，薬剤による接触皮膚炎，多形紅斑
卵巣	卵巣過剰刺激症候群（OHSS）

（高瀬 友貴）

3 妊婦・授乳婦への薬物投与

A 催奇形性情報の読み方

- 妊娠中に薬物服用歴がなくても，児の先天異常の自然発生率は2～3％といわれている．
- 新生児奇形のすべての原因に薬物の服用が関係するわけではない．
- 添付文書で「禁忌」であっても，ヒトにおける使用経験で催奇形性や胎児毒性が示されていない薬剤も少なくない．
- 妊娠中期以降は胎児毒性の点において薬物療法を考慮する必要がある．
- 医薬品が投与された妊娠時期を確認し，その時期に応じた情報を入手する．
- 服薬による胎児への影響とともに，医薬品の有益性・必要性なども説明する．

B ヒトで催奇形性・胎児毒性を示す明らかな証拠が報告されている医薬品

- 代表的なものを以下に記載する．

妊娠初期

一般名または医薬品群名	代表的商品名	報告された催奇形性・胎児毒性
エトレチナート	チガソン	催奇形性：レチノイド胎児症(皮下脂肪に蓄積されるため継続治療後は年単位で血中に残存)
カルバマゼピン	テグレトール, 他	催奇形性
サリドマイド	サレド	催奇形性：サリドマイド胎芽病(上下肢形成不全, 内臓奇形, 他)
シクロホスファミド	エンドキサン	催奇形性
ダナゾール	ボンゾール, 他	催奇形性：女児外性器の男性化
チアマゾール	メルカゾール	催奇形性：MMI奇形症候群
トリメタジオン	ミノアレ	催奇形性：胎児トリメタジオン症候群
バルプロ酸ナトリウム	デパケン, セレニカR, 他	催奇形性：二分脊椎, 胎児バルプロ酸症候群
ビタミンA(大量)	チョコラA, 他	催奇形性
フェニトイン	アレビアチン, ヒダントール, 他	催奇形性：胎児ヒダントイン症候群
フェノバルビタール	フェノバール, 他	催奇形性：口唇裂・口蓋裂, 他
ミコフェノール酸モフェチル	セルセプト	催奇形性：外耳・顔面奇形, 口唇・口蓋裂, 遠位四肢・心臓・食道・腎臓の奇形, 他　流産
ミソプロストール	サイトテック	催奇形性, メビウス症候群, 四肢切断, 子宮収縮・流産
メトトレキサート	リウマトレックス, 他	催奇形性：メトトレキサート胎芽病
ワルファリン	ワーファリン, 他	催奇形性：ワルファリン胎芽病, 点状軟骨異栄養症, 中枢神経系の先天異常

妊娠中・後期

一般名または医薬品群名	代表的商品名	報告された催奇形性・胎児毒性
アミノグリコシド系抗結核薬	カナマイシン注, ストレプトマイシン注	胎児毒性:非可逆的第8脳神経障害, 先天性聴力障害
アンジオテンシン変換酵素阻害薬(ACE阻害薬)	カプトプリル, レニベース, 他	胎児毒性:胎児腎障害・無尿・羊水過少, 肺低形成, 四肢拘縮, 頭蓋変形
アンジオテンシンⅡ受容体拮抗薬(ARB)	ニューロタン, バルサルタン, 他	
テトラサイクリン系抗菌薬	アクロマイシン, レダマイシン, ミノマイシン, 他	胎児毒性:歯牙の着色, エナメル質の形成不全
ミソプロストール	サイトテック	子宮収縮, 流早産

妊娠後期

一般名または医薬品群名	代表的商品名	報告された催奇形性・胎児毒性
非ステロイド性消炎鎮痛薬(インドメタシン, ジクロフェナクナトリウム, 他)	インダシン, ボルタレン, 他	胎児毒性:動脈管収縮, 胎児循環持続症, 羊水過少, 新生児壊死性腸炎

証拠は得られていないもののヒトでの催奇形性・胎児毒性が強く疑われる医薬品

一般名または医薬品群名	代表的商品名	催奇形性を強く疑う理由
アリスキレン	ラジレス	ACE阻害薬, ARBと同じくレニン-アンジオテンシン系を阻害する降圧薬
リバビリン	コペガス, レベトール	生殖試験で強い催奇形性と胎仔毒性
レナリドミド	レブラミド	サリドマイドの誘導体, 生殖試験で催奇形性
ポマリドミド	ポマリスト	

C 授乳中に安全に使用できると思われる医薬品
MMM 分類

代表的な薬効分類	一般名	MMM分類	代表的な薬効分類	一般名	MMM分類
鎮暈・鎮吐剤	ジメンヒドリナート	L2	抗リウマチ薬	セルトリズマブペゴル	L3
血液・体液用薬	フィルグラスチム	L4	免疫抑制薬	アザチオプリン	L3
成長ホルモン	ソマトロピン	L3		シクロスポリン	記載なし
その他のホルモン	デスモプレシン	L2		タクロリムス	L3
吸入ステロイド薬	ブデソニド	L1	片頭痛治療薬	エレトリプタン	L3
				スマトリプタン	L3
ビタミンD薬	カルシトリオール	L3	甲状腺ホルモン薬	リオチロニン	L2
麻酔薬	ミダゾラム	L2		レボチロキシン	L1
強心薬	ジゴキシン	L2	糖尿病治療薬	インスリン	L1
抗不整脈薬，麻酔薬	リドカイン	L2	痛風治療薬	アロプリノール	L2
抗不整脈薬	キニジン	L3	消化器官用薬	ウルソデオキシコール酸	L3
	フレカイニド	L3		オメプラゾール	L2
	プロカインアミド	L3		シメチジン	L1
	ベラパミル	L2		センナ，センノシド	L3
	メキシレチン	L2		ドンペリドン	L3
抗ヒスタミン薬	ジフェンヒドラミン	L2		ニザチジン	L2
	フェキソフェナジン	L2		ピコスルファートナトリウム水和物	記載なし
	ロラタジン	L1		ファモチジン	L1
	デスロラタジン	L2		ラニチジン	L2
抗リウマチ薬	アダリムマブ	L3		ロペラミド	L2
	インフリキシマブ	L3		硫酸マグネシウム	L1
	エタネルセプト	L2	解熱・鎮痛薬	アセトアミノフェン	L1
				イブプロフェン	L1

（次頁に続く）

(前頁から続き)

代表的な薬効分類	一般名	MMM分類
解熱・鎮痛薬	インドメタシン	L3
	ジクロフェナク	L2
	セレコキシブ	L2
	ナプロキセン	L3
	フルルビプロフェン	L2
喘息治療薬	テオフィリン	L3
	モンテルカスト	L3
抗血栓薬	ダルテパリン	L2
	ワルファリン	L2
止血薬	トラネキサム酸	L3
抗菌薬	アジスロマイシン	L2
	アズトレオナム	L2
	アモキシシリン	L1
	アンピシリン	L1
	イソニアジド	L3
	イミペネム-シラスタチン	L3
	エタンブトール	L3
	エリスロマイシン	L3
	オフロキサシン	L2
	クラリスロマイシン	L1
	クリンダマイシン	L2
	クロキサシリン	L2
	シプロフロキサシン	L3
	セファクロル	L1
	セファゾリン	L1

代表的な薬効分類	一般名	MMM分類
抗菌薬	セファレキシン	記載なし
	セフォタキシム	L2
	セフォペラゾン	記載なし
	セフタジジム	L1
	セフトリアキソン	L1
	セフロキシム	L2
	ドキシサイクリン	L3
	ノルフロキサシン	記載なし
	バンコマイシン	L1
	ピペラシリン	L2
	ピラジナミド	L3
	ベンジルペニシリン	記載なし
	ホスホマイシン	L3
	モキシフロキサシン	L3
	リファンピシン	L2
	レボフロキサシン	L2
抗真菌薬	フルコナゾール	L2
抗寄生虫薬	アルベンダゾール	L2
	イベルメクチン	L3
抗マラリア薬	塩酸キニーネ	L2
利尿薬	アセタゾラミド	L2
	スピロノラクトン	L2
降圧薬	アムロジピン	L3
	エナラプリル	L2
	カプトプリル	L2

(次頁に続く)

(前頁から続き)

代表的な薬効分類	一般名	MMM分類	代表的な薬効分類	一般名	MMM分類
降圧薬	ジルチアゼム	L3	降圧薬	メチルドパ	L2
	ニカルジピン	L2		ラベタロール	L2
	ニフェジピン	L2	抗ウイルス薬	アシクロビル	L2
	ヒドララジン	L2		オセルタミビル	L2
	プロプラノロール	L2		バラシクロビル	L2

L1 Compatible：適合
L2 Probably Compatible：おそらく適合
L3 Probably Compatible：おそらく適合(潜在的(有益性＞リスク)で投与)
L4 Potentially Hazardous：悪影響を与える可能性あり(乳児または母乳産生にリスクあり)
L5 Hazardous：禁忌
〔Hale's Medications & Mothers' Milk 2019, 18th edition, Thomas W. Hale, SPRINGER PUBLISHING COMPANY, 2019 より〕

参考文献

1) 日本産科婦人科学会ほか編：産婦人科診療ガイドライン―産科編2017，日本産科婦人科学会，2017
2) Hale's Medications & Mothers' Milk 2019, 18th edition, Thomas W. Hale, SPRINGER PUBLISHING COMPANY, 2019
3) 国立成育医療研究センター 妊娠と薬情報センター https://www.ncchd.go.jp/kusuri/lactation/druglist.html〔2020年5月26日閲覧〕

（藤田 和美）

4 ステロイドの力価一覧

作用時間分類	一般名	代表的な商品名	臨床的対応量[1] (mg)	力価比(対コルチゾール)[2] 抗炎症作用	力価比(対コルチゾール)[2] 電解質作用	血漿半減期 (hr)	生物活性の半減期 (hr)	HPA系抑制量[3] (mg/day)
短時間型 Short acting	コルチゾール(ヒドロコルチゾン)	コートリル®	20	1	1	1.2〜1.5	8〜12	30
短時間型 Short acting	コルチゾン	コートン®	25	0.8	0.8	1.2〜1.5	8〜12	37.5
中間型 Intermediate acting	プレドニゾロン	プレドニン®	5	3.5〜4	0.8	2.5〜3.3	18〜36	7.5
中間型 Intermediate acting	メチルプレドニゾロン	メドロール®	4	5	0.5	2.8〜3.3	18〜36	6
中間型 Intermediate acting	トリアムシノロン	レダコート®	4〜5	5	0	—	24〜48	6
長時間型 Longest acting	デキサメタゾン	デカドロン®	0.5〜0.75	25〜30	0	3.5〜5.0	36〜54	0.75〜1
長時間型 Longest acting	ベタメタゾン	リンデロン®	0.5〜0.75	25〜30	0	3.5〜5.0	36〜54	0.75〜1

*1 コルチゾールの平均分泌量(20 mg)に対応する投与量.
*2 生理的糖質コルチコイドとしてのコルチゾールの抗炎症作用とコルチゾールの電解質作用(鉱質コルチコイド作用)をそれぞれ1としたときの効力比.
*3 長期投与によりHPA系機能を抑制すると考えられる1日投与量.
[宮澤 諭一:ステロイド服薬指導のためのQ&A改訂4版.p13 表3,フジメディカル出版,2016 より]

(藤田 和美)

索引

欧文

数字・記号
0.9％生理食塩液 10
1回量調剤 1
1号液（開始液） 9
2号液（脱水補給液） 9
3号液（維持液） 9
4号液（術後回復液） 9
5-FU＋LV 315, 317
5％ブドウ糖液 10
7％炭酸水素ナトリウム 296
12誘導心電図 53
％T＞MIC 22

A
ABVD療法 335
activation syndrome 257
AC療法 301
Af，心電図 53
AHA/ACC分類 126
AIDS 97
AIUEO-TIPS 67
*ALK*遺伝子転座陽性 327
ALL 342
All or noneの法則 37
AML 342
Ann Arbor分類 333
APL 345
ART，HIV 99
AUC 21
AUC/MIC 22

B
B型肝炎 154

B症状 332
BAL 55
BLd療法 354
BPSD 249
*BRAF*遺伝子変異陽性 327
BR療法 336
BV併用AVD療法 335

C
C型肝炎 155
CAPD 183
CapeOX 315, 317
Cheyne-Stokes呼吸 64
Child-Pugh分類 32
CHOP療法 336
CKD 176
CL 21
C_{max}/MIC 22
CML 342
Cockcroft-Gault式 27
CODOX-M/IVAC療法 337
COPD 65, 103
CT，画像検査 52
CTZ 377
CVP療法 336

D
D-ソルビトール 184
DA-EPOCH療法 338
DBd療法 354
DeVIC療法 338
DI 17
DIC 195
DLd療法 354
DOAC 124

E

EGFR 遺伝子変異陽性　326
EIS　54
ERCP　54
ESD　54
EVL　54

F

FAB 分類, 急性白血病の　343
FOLFIRI　314, 317
FOLFOX　317
FOLFOXIRI　315, 317
Forrester 分類　126

G

GCS　67
Glasgow Coma Scale　67

H

H.pylori　136
Harris-Benedict 式　13
HD　183
HD-MTX-AraC　346
HERZ 法, 結核　93
HFS　323
HIV　97
Hoek の式　28
Hyper-CVAD 療法　338, 346

I

ICI　361
IFN　156
infusion reaction, インフリキシマブの　145
irAE　366
IRd 療法　356
IRIS　315, 317

J

JAK 阻害薬　223

Japan Coma Scale　67
JCS　67

K

Kd 療法　356
K_{el}　21
KRd 療法　355
Kussmaul 呼吸　64

L

L-アスパラギナーゼ　338
Ld 療法　354
LVEF　126

M

MAO-B 阻害薬　241
MARTA　262
mFOLFOX6　314
MMM 分類　388
MRI, 画像検査　52
MS コンチン®　374

N

N-アセチルシステイン　113
nab-パクリタキセル　365
NaSSA　255
Nohria-Stevenson 分類　126
NPC/N 比　13
NSAIDs 潰瘍　138
NTRK 遺伝子転座陽性　327
NYHA 心機能分類　126

P

PAOD　350
Pd 療法　356
pH に注意を要する医薬品　7
PK　21
PK/PD　21
PPN　13
PVd 療法　357

R

ROS1 遺伝子転座陽性 327
rt-PA 246

S

SERM 227
Sicilian Gambit 122
　── の分類 121
SMILE 療法 338
SNRI 255
SOAP 形式 73
SOFA スコア 89
SOX 315, 316
SpO_2 65
SSRI 255
ST 合剤 339

T

$t_{1/2}$ 21
TACE 54
TAE 54
TC 療法 301
TDM 対象薬物 25
Time above MIC 22
T_{max} 21
Torsade de pointes, 心電図 54
TPN 8, 13
TS-1 308, 315, 317, 329
TS-1 療法 302

U

UFT + LV 315, 317
UTI 81

V・W

Vaughan-Williams 分類 121
Vd 21
VF, 心電図 53
von Harnack の換算表, 小児薬用量 36
VR-CAP 療法 337
VT, 心電図 53
wearing off 現象 240

和文

あ

アカシジア 262
アキシチニブ 364
悪性症候群, 抗精神病薬による 262
悪性リンパ腫 332
アサコール® 148
アザチオプリン 113, 141, 145, 151, 188
アジスロマイシン 79
アシドーシス 12
アスパラギン酸 Ca 229
アスピリン 117, 245
アスペルギルス 86
アセトアミノフェン 338
アセナピン 266
アゾセミド 129
アダリムマブ 141, 149, 223, 276
アテゾリズマブ 304, 326, 327, 364
アデノシン三リン酸 293, 296
アデホビル 157
アテローム血栓性脳梗塞 243
アトピー性皮膚炎 269
アトルバスタチン 213
アナストロゾール 300
アバタセプト 223
アピキサバン 123, 245
アピドラ 203
アファチニブ 326, 329
アブストラル® 375
アフリベルセプト 316
アプレピタント 304
アプレミラスト 275
アベマシクリブ 302

アベルマブ　364
アマンタジン　241
アミオダロン　121, 123
アミトリプチリン　256
アミノ酸製剤　13
アミノレバン®　163, 164
アムシノニド　270
アムホテリシンB　86, 91
アムロジピン　133
アメジニウム　184
アモキシシリン　78, 138
アモキシシリン・クラブラン酸　78
アリピプラゾール　255, 259, 267
アリロクマブ　214
アルガトロバン　117, 245
アルカローシス　12
アルクロメタゾン　270
アルツハイマー型，認知症　248
アルテプラーゼ　117, 244
アルファカルシドール　179, 229
アルブミン懸濁型パクリタキセル
　　　　　　　　　　　　　328
アルメタ®　270
アレクチニブ　327, 329
アレルギー性肝障害　34
アレンドロン酸　227
アロプリノール　179, 209
安全性速報　383
アンテベート®　270
アンピシリン・スルバクタム　109
アンブロキソール　109
アンペック®　374

い

イエローレター　382
胃がん　308
イキサゾミブ　356
イキセキズマブ　276
イグラチモド　222
イコサペント酸エチル　118

意識障害の評価法　67
維持輸液　8
イストラデフィリン　240
イソソルビド　293
イソニアジド　95
イソプレナリン　296
イダルシズマブ　246
イダルビシン　345, 346
イノツズマブ オゾガマイシン　347
イノレット　203
イバンドロン酸　227
イピリムマブ　363, 365
イフェンプロジル　296
イブジラスト　296
イホスファミド　337, 338
イマチニブ　347, 348
イミプラミン　256
イミペネム　167
医薬品
　——, pHに注意を要する　7
　——, 懸濁，注入に注意を要する　6
　——, 配合変化に注意を要する　7
　——, 服用方法に注意を要する　3
　—— 情報　17
イリノテカン　311, 314, 315, 326
インスリン抵抗性　200
陰性症状，統合失調症　259
インターフェロン　156
インダカテロール　108
インドメタシン　208
院内肺炎　79
インフリキシマブ　141, 149, 222, 276

う

ウステキヌマブ　141, 276
うつ病　253
ウパダシチニブ　223
ウラリット®　209
ウリナスタチン　167, 280
ウロキナーゼ　117

え

エキセメスタン 300, 302
エクラー® 270
エスシタロプラム 254
エストラジオール 227
エゼチミブ 118, 213
エタネルセプト 223
エダラボン 245
エタンブトール 95
エチゾラム 296
エチレフリン 184
エテルカルセチド 179
エドキサバン 123, 245
エトポシド 326, 337, 338, 365
エトレチナート 275
エナラプリル 118, 129
エヌトレクチニブ 327
エピルビシン 322
エベロリムス 302
エポエチンβ 178
エボカルセト 179
エボロクマブ 118, 214
エリブリン療法 302
エルカトニン 227
エルデカルシトール 179, 229
エルトロンボパグ 193
エルバスビル 158
エルロチニブ 326, 329
エレンタール® 143
エンタイビオ® 143, 151
エンタカポン 240
エンテカビル 157, 159

お

オイラゾン® 270
嘔気・嘔吐, オピオイドによる 377
オキサリプラチン 309, 314
オキシコドン 371
オキシコンチン® 374
オキノーム® 374
オキファスト® 374
オザグレル 246
オシメルチニブ 326, 329
オゼンピック® 204
オピオイド 371
オピオイドスイッチング 376
オピオイド誘発性便秘 378
オプソ® 374
オラパリブ療法 304
オランザピン 259
オロパタジン 276

か

回転性めまい 296
開放隅角緑内障 285
潰瘍性大腸炎 147
下顎呼吸 65
化学受容器引金帯 377
画像検査 52
カナマイシン 163
ガベキサート 167, 196
カペシタビン 309, 310, 315, 317
カペシタビン療法 302
カモスタット 168
ガランタミン 250
カルシトリオール 179, 229
カルシポトリオール 274
カルバマゼピン 234
カルフィルゾミブ 355, 356
カルベジロール 118, 123, 129
カルペリチド 117, 128
カルボシステイン 109
カルボプラチン 302, 326-328, 338, 364
眼圧検査 56, 285
肝炎 154
眼科疾患 283
肝がん 321
間欠的血液浄化法 31
肝硬変 33, 161

カンジダ 85
間質性肺炎 111
肝障害, 薬物療法の注意点 32
肝性脳症 163
関節症性乾癬 273
関節リウマチ 221
乾癬 273
感染症 77
乾燥濃縮人アンチトロンビンⅢ 196
間代発作, てんかん 233
眼底検査 56, 285
カンデサルタン 118, 129, 178
含糖酸化鉄 192
肝動注化学療法 322
がん疼痛の薬物療法 371
肝動脈化学塞栓療法 54, 322
肝動脈塞栓療法 54
眼内炎 86
肝不全 33
カンレノ酸カリウム 162
緩和 371

き

記憶障害 248
期外収縮 63
気管支肺胞洗浄 55
疑義照会 3
起坐呼吸 65
急性肝炎 33
急性冠症候群 115
急性骨髄性白血病 342
急性心不全 128
急性膵炎 165
急性前骨髄球性白血病 345
急性閉塞隅角緑内障, 禁忌薬 289
急性リンパ性白血病 342
強直間代発作, てんかん 233
虚血性心疾患 121
起立性低血圧, フィジカルアセスメント 61

ギルテリチニブ 346
緊急安全性情報 382
キンダベート® 270

く

隅角検査 285
クエチアピン 267
クエン酸第一鉄 Na 178, 192
クスマウル呼吸 64
ゲセルクマブ 276
苦痛症状緩和, 非がん患者の 376
くも膜下出血 244
グラスゴー・コーマ・スケール 67
グラゾプレビル 158, 159
クラリスロマイシン 109, 138
クリアランス 21
クリゾチニブ 327, 329
グリメサゾン® 270
クリンダマイシン 78
グルタチオン 283
グレカプレビル/ピブレンタスビル 158

クローン病 140
クロピドグレル 117, 245
クロベタゾール 270
クロベタゾン 270
クロミプラミン 256
クロルマジノン 175

け

計数調剤 1
経皮的動脈血酸素飽和度 65
下剤 379
血圧, フィジカルアセスメント 58
血液疾患 191
血液透析 182
欠神発作, てんかん 233
血清免疫学的検査 50
血糖測定 201
ゲフィチニブ 326, 329

ゲムシタビン 329
幻覚, オピオイドによる 378
限局型小細胞がん 326
検査, 病態を理解するための 47
懸濁に注意を要する医薬品 6
見当識障害 248
原発開放隅角緑内障 287

こ

抗うつ薬 255
抗胸腺細胞グロブリン 193
抗菌薬関連下痢症 80, 92
高血圧 132
高血糖, MARTA による 262
膠原病 221
甲状腺疾患 217
抗精神病薬等価換算 261
高体温 66
高張液 10
口内乾燥, オピオイドによる 380
高尿酸血症 207
高プロラクチン血症 262
高齢者に対する薬物療法の注意点 40
呼吸, フィジカルアセスメント 64
呼吸器感染症 77
呼吸器疾患 103
呼吸性アシドーシス 12
呼吸性アルカローシス 12
呼吸抑制, オピオイドによる 380
ゴセレリン 300
骨髄検査 51
骨粗鬆症 226
コデイン 372, 375
個別 eGFR 28
ゴリムマブ 149, 223
コルチゾール 391
コルチゾン 391
コルヒチン 208
コレスチミド 213

さ

催奇形性 37, 385
最高血中濃度到達時間 21
再生不良性貧血 192
細胞外液補充液 11
細胞内外の電解質組成 9
左室駆出率 126
サラゾスルファピリジン 148, 149, 222
サリルマブ 223
サルメテロール/フルチカゾン 106, 109
酸塩基平衡 10
三環系うつ薬 255
散剤 2
サンディミュン® 149

し

ジアゼパム 234, 267, 296
子宮収縮抑制薬 280
シクロスポリン 113, 188, 193, 275
シクロホスファミド 113, 188, 301, 336-338, 346
ジゴキシン 123
脂質異常症 212
耳小骨筋反射検査 55
シスタチン C 28
ジストニア 262
シスプラチン 310, 322, 326, 328, 329
持続性心室頻拍 121
持続的血液浄化法 31
シタラビン 337, 345, 346
市中肺炎 78
失神性めまい 296
シナカルセト 179
耳鼻科疾患 292
ジフェニドール 296
ジフェンヒドラミン 185, 339
ジフラール® 270
ジフルコルトロン 270

ジフルプレドナート 270
ジフロラゾン 270
脂肪乳剤 14
シメチジン 139
視野検査 285
ジャパン・コーマ・スケール 67
重篤副作用疾患別対応マニュアル
　　　　　　　　　　　　　　384
授乳婦
　　──，薬物療法の注意点 37
　　── への薬物投与 385
腫瘍関連検査 51
循環器疾患 115
消化性潰瘍 136
小細胞肺がん 325
消失速度定数 21
焦点発作，てんかん 232
小児，薬物療法の注意点 34
小児薬用量 35
　　── の換算式 36
食道カンジダ 86
処方監査 2
処方整理の実践，高齢者 44
徐脈，フィジカルアセスメント 63
視力検査 56
ジルチアゼム 118, 134
シルニジピン 178
シロスタゾール 245
シロドシン 173
心因性過換気 65
腎盂腎炎 82
腎機能の評価 27
真菌感染症 84
腎クリアランスの推定 27
神経疾患 232
心原性脳塞栓症 243
人工呼吸器関連肺炎 79
心室期外収縮 121
心室細動，心電図 53
心室頻拍，心電図 53

腎障害，薬物療法の注意点 27
身体診察 57
進展型小細胞肺がん 326
腎排泄に影響する要因，薬物の 27
シンバスタチン 213
腎泌尿器疾患 172
心房細動，心電図 53
シンポニー® 149

す

髄液検査 51
膵炎 165
遂行機能障害 249
水剤 2
錐体外路症状，抗精神病薬による
　　　　　　　　　　　　　　262
髄膜炎 86
スクラルファート 139
スクロオキシ水酸化鉄 178
ステラーラ® 141
ステロイドの力価一覧 391
ストレプトマイシン 95
スピロノラクトン 129, 162
スペシャルポピュレーションに対する
　　薬物療法の注意点 27
スボレキサント 266
スミフェロン® 157
スルファメトキサゾール 86
スルファメトキサゾール・トリメトプ
　　リム 82

せ

生化学検査 47
整形外科疾患 221
精神疾患 253
生体検査 51
セクキヌマブ 276
節外性 NK/T 細胞リンパ腫，鼻型
　　　　　　　　　　　　　　338
セツキシマブ 316, 317

絶対性不整脈　63
切迫早産　279
セファゾリン　82
セファレキシン　78, 82
セフェピム　90
セフォタキシム　90
セフタジジム　82
セフトリアキソン　79, 82, 90
セフメタゾール　83
セベラマー　178
セリチニブ　327
セルトラリン　254
セルトリズマブ ペゴル　223, 276
ゼルヤンツ®　151
セレギリン　240
セレコキシブ　222
セロトニン症候群　257
喘息　103
選択的エストロゲン受容体修飾薬　227
ゼンタコート®　141
前頭側頭型，認知症　248
センノシド　184
全般発作，てんかん　232
せん妄　264
── ，オピオイドによる　378
線溶抑制型，DIC　196
前立腺炎　83
前立腺肥大症　172

そ

瘙痒感，オピオイドによる　380
続発緑内障　285
ソセゴン®　375
ソタロール　123
ゾニサミド　240
ソホスブビル　158
ソホスブビル/ベルパタスビル　159
ソホスブビル/レジパスビル　158
ソラフェニブ　323
ソリフェナシン　174
ゾレドロン酸　227, 304

た

ダイアコート®　270
体温，フィジカルアセスメント　66
体温低下　66
胎児毒性　37, 385
代謝性アシドーシス　12
代謝性アルカローシス　12
代用血漿剤　14
ダウノルビシン　345
タカルシトール　275
ダカルバジン　335
タクロリムス　113, 149, 188, 222, 271
ダコミチニブ　326, 329
ダサチニブ　347, 348
タゾバクタム・ピペラシリン　79, 82, 91
タダラフィル　173
脱力発作，てんかん　233
ダナパロイド　196
多発性骨髄腫　351
── の主な治療薬の副作用　359
ダビガトラン　123, 245
ダブラフェニブ　327, 329
タペンタ®　376
タペンタドール　373, 376
タムスロシン　173
タモキシフェン　300
ダラツムマブ　354
ダルテパリン　196
ダルナビル・コビシスタット　100
ダルベポエチン　178

ち

チアマゾール　218
チェーンストークス呼吸　64
チオトロピウム　106, 108
チオプロニン　284

チモロール　287
中止後症候群，抗うつ薬　257
注射　8
中心静脈栄養　8, 13
中枢性めまい　296
中毒性肝障害　33
注入に注意を要する医薬品　6
調剤　1
聴力検査　55
聴力低下　292

つ

ツインライン®　143
痛風　207
ツロブテロール　108

て

手足症候群　320, 323
低アルブミン血症　163
テイコプラニン　91
定常状態　21
低張電解質輸液　9
低分子デキストラン加乳酸リンゲル液　293
ティンパノメトリ　55
テオフィリン　106, 108
テガフール・ウラシル　315
デキサメタゾン　270, 274, 305, 338, 339, 346, 354, 391
テクスメテン®　270
鉄欠乏性貧血　192
デノスマブ　227, 304
テノホビルアラフェナミド　157
テノホビルアラフェナミド・エムトリシタビン・ビクテグラビル　99
テノホビルジソプロキシル　157
デプロドン　270
デュタステリド　173
デュピルマブ　272
デュルバルマブ　365
デュロキセチン　254
デュロテップ®　374
テリパラチド　229
テルミサルタン　134, 178
デルモベート®　270
電解質　8
電解質組成，細胞内外の　9
てんかん　232
てんかん重積状態　232
電気生理学検査　53

と

統合失調症　258
洞性不整脈　63
透析　181
　──，薬物療法の注意点　31
透析患者の便秘　184
等張電解質輸液　10
糖尿病　199
糖尿病性ケトアシドーシス，MARTA による　262
糖尿病性昏睡，MARTA による　262
投与ルート，電解質・輸液　8
ドキソルビシン　301, 335-338, 346
特発性間質性肺炎　112
トコフェロール　214
トシリズマブ　223
ドセタキセル　301, 304, 308, 328, 329
突発性難聴　292
ドネペジル　250
トピラマート　236
トピロキソスタット　179, 209
トファシチニブ　151, 223
トプシム®　270
ドブタミン　129
トラスツズマブ　301, 304, 310
トラスツズマブ エムタンシン　304
トラスツズマブ デルクステカン　304
トラゾドン　267
トラマール®　375

トラマドール　372, 375
トラメチニブ　327, 329
トリアムシノロン　270, 391
トリクロルメチアジド　178
トリフルリジン・チピラシル　311, 316
トリメトプリム　86
トルサード・ド・ポアンツ, 心電図　54
ドルテグラビル　99
トルバプタン　129, 162
トルリシティ®　204
トレシーバ　203
トレチノイン　345
ドロキシドパ　184
トロンボモデュリン アルファ　196

な
内視鏡検査　54
内視鏡的逆行性胆管膵管造影　54
内視鏡的硬化療法　54
内視鏡的静脈瘤結紮療法　54
内視鏡的粘膜下層剥離術　54
内分泌学的検査　50
内分泌代謝疾患　199
ナファモスタット　167, 196
ナフトピジル　173
ナプロキセン　208
ナルサス®　376
ナルフラフィン　185
ナルベイン®　376
ナルラピド®　376
難聴　292

に
ニカルジピン　245
ニコペリック　183
ニコランジル　117
ニトログリセリン　117, 129
ニフェカラント　121

ニフェジピン　118
ニボルマブ　311, 329, 363
　──の副作用　368
乳がん　299
乳児の薬剤摂取量　39
乳汁移行, 薬物の　37
ニューモシスチス肺炎　86
尿アルカリ化薬　209
尿酸産生過剰型　209
尿酸排泄低下型　209
尿量, フィジカルアセスメント　69
尿路感染症　81
ニロチニブ　348
妊娠初期, 催奇形性　386
妊娠中・後期, 胎児毒性　387
認知症　248
ニンテダニブ　113
妊婦
　──, 薬物療法の注意点　36
　──への薬物投与　385

ね
ネシツムマブ　329
ネダプラチン　328
ネフローゼ症候群　186
眠気, オピオイドによる　378
ネララビン　347
ネリゾナ®　270

の
脳血管障害　242
脳血管性認知症, 認知症　248
脳梗塞　243
脳出血　244
ノボラピッド®　203
ノボリン®R　203
ノルアドレナリン　129
ノルトリプチリン　256

は

バーキットリンパ腫　337
パーキンソニズム　262
パーキンソン病　238
バイエッタ®　204
肺炎　78
バイオアベイラビリティ　21
肺がん　324
肺結核　92
敗血症　88
敗血症性ショック　90
配合変化
　──，注意すべき　16
　── に注意を要する医薬品　7
バイタルサイン　58
排尿困難　69
排尿障害，オピオイドによる　380
ハイリスク薬　73
白内障　283
パクリタキセル
　　　　　　301, 303, 311, 327, 328, 364
パシーフ®　374
播種性血管内凝固症候群　195
バゼドキシフェン　227
白血病　342
発熱，フィジカルアセスメント
　　　　　　　　　　　　　63, 66
パニツムマブ　316
バリシチニブ　223
パリペリドン　259
バルプロ酸　233, 267
パルボシクリブ　302
パロキセチン　254
パロノセトロン　305
ハロペリドール　266
パンクレアチン　168
半減期　21
バンコマイシン　91

ひ

非がん患者の苦痛症状緩和　376
ビキサロマー　178
ビクトーザ®　204
ピコスルファート　184
ビスダーム®　270
ビスホスホネート　227
非前庭性めまい　296
ビソプロロール
　　　　　118, 121, 123, 129, 134
ピタバスタチン　118
非蛋白カロリー窒素比　13
人プロトロンビン複合体　246
ヒドロキシジン　296
ヒドロコルチゾン　270, 271, 391
ヒドロモルフォン　373, 376
皮膚科疾患　269
ビベグロン　173
非扁平上皮癌　326
非ホジキンリンパ腫　332, 336
びまん性大細胞型B細胞リンパ腫
　　　　　　　　　　　　　337
ピモベンダン　129
ヒューマリン®R　203
ヒューマログ®　203
ヒュミラ®　141, 149
標準化eGFR　28
病棟薬剤業務　70
ピラジナミド　95
ピルシカイニド　123
ピルフェニドン　112
ピレノキシン　283
ビンクリスチン　336, 338, 346
貧血　191
ビンブラスチン　335, 336
頻脈，フィジカルアセスメント　62

ふ

ファスジル　246

ファモチジン 138, 168
ファレカルシトリオール 179
フィアスプ 203
フィジカルアセスメント 57
フィラデルフィア染色体陰性 ALL 346
フィラデルフィア染色体陽性 ALL 347
フィルゴチニブ 224
フェニトイン 236
フェノバルビタール 233, 234
フェノフィブラート 118
フェブキソスタット 179, 209
フエロン® 157
フェンタニル 372, 375
フェントス® 375
負荷心電図 53
腹水 162
腹膜透析 182
服薬アドヒアランスの確認 72
服薬管理支援, 高齢者 45
服用方法に注意を要する医薬品 3
浮腫 162
ブシラミン 222
婦人科疾患 279
不整脈 120
――, フィジカルアセスメント 63
ブデソニド 141, 149
ブデソニド/ホルモテロール 106
浮動性めまい 296
ブプレノルフィン 167, 373, 375
部分発作, てんかん 233
プラスグレル 117
プラミペキソール 241
ブリナツモマブ 347
ブリモニジン 287
ブリンゾラミド 287
ブルーレター 383
フルオシノニド 270
フルオシノロン 270

フルオロウラシル 314, 322
フルコート® 270
フルコナゾール 86, 339
フルシトシン 87
フルチカゾン 105
フルボキサミン 254
フルメタ® 270
フレイル 40
ブレオマイシン 335
プレドニゾロン 86, 106, 109, 141, 149, 187, 209, 222, 270, 293, 336-339, 391
ブレンツキシマブ ベドチン 335
プロアクティブ療法, アトピー性皮膚炎 270
プロカテロール 104, 108
プログラフ® 149
フロセミド 128, 162
ブロダルマブ 276
ブロナンセリン 259
プロピベリン 174
プロブコール 213
プロプラノロール 218
フロプロピオン 168
分布容積 21

へ

閉塞隅角緑内障 285
――, 禁忌薬 288
ペガシス® 156
ベザフィブラート 214
ベタヒスチン 296
ベタメタゾン 149, 270, 272, 274, 280, 391
ベトネベート® 270
ベドリズマブ 143, 151
ベニジピン 118, 178
ベバシズマブ 303, 315, 317, 326
ヘパリン 196, 245
ヘパン ED® 164

ペフィシチニブ 223
ベプリジル 123
ペマフィブラート 214
ペムブロリズマブ
　　　　　311, 316, 327-329, 363
ペメトレキセド 327, 329, 363
ベラパミル 121, 123
ベリチーム 168
ペルツズマブ 301, 304
ペロスピロン 267
ベンズブロマロン 209
ペンタサ® 141, 145, 148, 151
ペンタゾシン 167, 372, 375
ベンダムスチン 336
扁桃炎 78
便秘, オピオイドによる 378
扁平上皮癌 328
ベンラファキシン 254

ほ
ボアラ® 270
膀胱炎 82
乏尿 69
ホジキンリンパ腫 332, 334
補充輸液 8
ボスチニブ 348
ホスフェニトイン 234
ポナチニブ 347, 348
ボノプラザン 138
ポマリドミド 356
ポリカルボフィル 184
ボリコナゾール 86
ホリナート 315
ポリファーマシー 41
ホルター心電図 53
ボルテゾミブ 337, 354, 357

ま
マイザー® 270
マキサカルシトール 179, 275

末期腎不全 31
末梢静脈栄養 13
末梢神経障害 319
末梢性めまい 295
末梢動脈閉塞性疾患 350
マプロチリン 257
慢性骨髄性白血病 342
慢性腎臓病 176
慢性心不全 129
慢性膵炎 166
慢性疼痛 376
慢性閉塞性肺疾患 65, 103
マントル細胞リンパ腫 336

み
ミアンセリン 267
ミオクロニー発作, てんかん 233
ミカファンギン 86, 91
ミコフェノール酸モフェチル 188
ミソプロストール 138
ミゾリビン 188
ミトキサントロン 345
ミドドリン 184
ミノドロン酸 227
耳鳴り 292
脈拍, フィジカルアセスメント 62
ミラベグロン 173
ミリプラチン 322
ミルタザピン 254, 257
ミルナシプラン 254
ミルリノン 129

む・め
無尿 69
メコバラミン 293
メサデルム® 270
メサドン 373, 375
メサペイン® 375
メサラジン 141, 148, 149, 151

メチルプレドニゾロン
　　　　　　　113, 187, 339, 391
メテノロン　193
メトクロプラミド　296
メトトレキサート　222, 337, 338, 346
メトロニダゾール　139
メナテトレノン　229
メニエール　297
めまい　292, 295
メマンチン　250
メロペネム　79, 83, 90, 167
免疫関連有害事象　366
免疫チェックポイント阻害薬　361

も
モメタゾン　270
モリヘパミン®　163
モルヒネ　117, 371, 374
モルペス®　374
モンテプラーゼ　117
モンテルカスト　105

や
薬剤管理指導　70
薬剤管理指導記録　73
薬剤誘発性めまい　298
薬物血中濃度-時間曲線下面積　21
薬物性肝障害　33
薬物性腎障害　30
薬物相互作用　22
薬物動態　21
薬物動態学的相互作用　22
薬物の腎排泄に影響する要因　27
薬物療法の注意点, スペシャルポピュレーションに対する　27
薬力学　21
薬力学的相互作用　22

ゆ
誘発反応聴力検査　55

輸液　8

よ
ヨウ化カリウム　218
陽性症状, 統合失調症　259
四環系抗うつ薬　255

ら
ライゾデグ　203
ラクチトール　163
ラクツロース　163, 184
ラクナ梗塞　243
ラタノプロスト　287
ラベプラゾール　138
ラミブジン　157
ラミブジン・アバカビル・ドルテグラビル　100
ラムシルマブ　311, 316, 323, 329
ラメルテオン　266
ラルテグラビル　100
ラロキシフェン　227
ランジオロール　121
ランソプラゾール　138
ランタス　203

り
リアクティブ療法, アトピー性皮膚炎　270
リアルダ®　148
リーバクト®　163
リキスミア®　204
リサンキズマブ　276
リスペリドン　259, 267
リセドロン酸　227
リチウム　258
リツキシマブ　188, 336, 337
リドカイン　121, 185
リドカイン・プロピトカイン　185
リトドリン　280
リドメックス®　270

リナクロチド　184
リバーロキサバン　123, 245
リパスジル　287
リバスチグミン　250
リバビリン　158
リファキシミン　163
リファンピシン　95
リマプロスト アルファデクス　293
硫酸 Mg　280
硫酸ポリミキシン B　163
リュープロレリン　300
緑内障　285
　──の禁忌薬　288
リンゲル液　10
リン酸水素 Ca　229
リンデロン DP®　270
リンデロン V®　270

る・れ

ルビプロストン　184
レギュニール　183
レゴラフェニブ　316, 323
レジパスビル　159
レダコート®　270
レチノイン酸症候群　345
レトロゾール　300
レナデックス　354-356
レナリドミド　354
レビー小体型，認知症　248
レペタン®　375
レベチラセタム　234
レベミル　203
レボセチリジン　276
レボチロキシン　219
レボドパ・カルビドパ　240
レボドパ・ベンセラジド　240
レボフロキサシン　79, 82, 109
レボホリナート　314
レミケード®　141, 149
レンバチニブ　323

ろ

ロイコボリン　346
老年症候群　40
ロキサデュスタット　184
ロコイド®　270
ロスバスタチン　213
ロチゴチン　240
ロピニロール　240, 241
濾胞性リンパ腫　336
ロミタピド　214
ロミプロスチム　194
ロモソズマブ　229
ロラゼパム　267
ロラタジン　185
ロルラチニブ　329

わ

ワルファリン　123, 245